JN062088

インターネットは言葉をどう変えたか

デジタル時代の＜言語＞地図

グレッチェン・マカロック

訳：千葉敏生

Because Internet:
Understanding the New Rules of Language
Gretchen McCulloch

フィルムアート社

日々、インターネット言語を生み出している人たちに捧ぐ
あなたたちが広大な土地だとしたら、本書はその地図にすぎない

目 次

凡 例

・本文中の英語の語句について、ルビはその語句の発音、日本語はその語句の
　訳や説明、←記号に続く英語はその単語の完全な表記を指す。

・本文中の英語のスラングは、文脈によって意味が変わるので、日本語訳はあ
　くまでも一例である。

・著者による補足は●、訳者による補足は▼で記した。

・本文中で扱われている書籍において未邦訳のものは、原則的に原題のママ記
　載し（未）と記した。

・書籍、新聞、雑誌、映画、テレビ番組、ビデオゲームは『』で示した。

第1章

カジュアルな書き言葉

Chapter 1
Informal Writing

生身の人間からではなく、映像や録音音声のみから話し方を学んだ
ら、いったいどんな結果になるだろう？

　映画から会話を学べば、別れの挨拶もなく電話を切ることなんて
しょっちゅうだし、相手の話をさえぎる人なんていない、と思い込
んでしまうかもしれない。ニュース番組からしゃべり方を学べば、
「うーん」と言葉に詰まったり、何かを思い出そうとして手を動か
したりすることなんてないし、午後10時を回るまでは人を罵るこ
となんて絶対にない、と思い込んでしまうかもしれない。オーディ
オブックから物語を学べば、この数百年間、言語はまったく変化し
ていない、と思い込んでしまうかもしれない。講演会でしか話をし
たことがなければ、話をする前にはいつも心臓がバクバクし、何時
間もの準備が欠かせない、と思い込んでしまうだろう。

　もちろん、そんなふうにして言葉を学ぶ人なんていない。ニュー
ス報道に目を通したり、人前でスピーチを行なったりできるように
なるずっと前に、家庭内で、会話を繰り返し、カジュアルな形で言
葉を覚えていったはずだ。人前でのスピーチはいつだって緊張する
けれど、当然、友達に天気の愚痴をこぼすことくらいなら、誰だっ
てできる。確かに、動かしている体の部位はどちらも同じなのだが、
実際に行なう作業となると天と地ほどちがう。

　それでも、わたしたちはみんなそうして読み書きの方法を学んだ
のだ。

　書き言葉と聞いて、わたしたちがまず思い浮かべるのは、本や新
聞、雑誌や学術論文、そして、わたしたちが学校時代に必死でお手
本にしようとしてたいてい失敗したエッセイだろう。わたしたちは
学校で、正式な言語の読み方を習った。まるで、過去1、2世紀、
言語がまったく変化していないといわんばかりに。そうした文章や
本は、それをつくった生身の人間とは見事に切り離され、ふたりの

人間が完璧なバランスを保ちながら思考のキャッチボールをすることの魔力を軽視してしまっている。書くほうも同じだ。わたしたちは赤いインクにビクビクしながら書き方を学び、自分が何を言いたいかを考えることよりも、とにかく形式を重視するよう教わった。まるで、優雅で生き生きとした文章ではなく、ルールに忠実に従った文章こそが、よい文章だとでもいわんばかりに。だから、わたしたちが人前でのスピーチと同じくらい、真っ白な紙に恐怖を抱くようになるのも、当然といえば当然なのだ。

　……というのは、少し前までの話。インターネットやモバイル機器が普及したおかげで、ふつうの人々がものを書く機会は爆発的に広まった。書くという行為は、わたしたちの日常生活に欠かせない会話の一部になったのだ。西暦800年、カール大帝は、ローマ皇帝に戴冠されたとき、自分の名前を署名することさえできなかったという[1]。もちろん、書記官がいたので、憲章を代筆させることはできたけれど、読み書きのできない人が帝国を支配するですって？考えられない。現代なら、誕生日パーティーを催すことさえ難しそうだ。これは、ある種の書き言葉が、別の種類の書き言葉に取って代わったということとはちがう。たとえば、「誕生日おめでとう」メールのおかげで、外交協定が不要になった、なんてことはない。近年大きく変化したのは、話し言葉がとっくの昔からそうだったように、書き言葉も「カジュアル」なタイプと正式なタイプ、その2種類に分かれたという点だ。

　今や、わたしたちは四六時中ものを書いている。メール、チャット、SNSの投稿。そのほとんどがカジュアルで、スピードが速く、会話調で、編集が加えられていない。100人以上が読む文章を書いた経験のある人を「作家」と呼ぶなら、ソーシャルメディアを使う人なんてみんな「作家」ということになってしまう。新しい仕事

や子どもについて、SNSで報告するだけでいいのだから。といっても、編集の入った正式な書き言葉が、オンライン上で姿を消してしまったわけではない。出版物と同じような文体で書かれたビジネスサイトやニュースサイトなんて山ほどある。ただ、今ではそうした書き言葉が、かつては話し言葉にしか姿を現わさなかった、未編集でありのままの文章の広大な海へと埋没してしまっているのだ。

わたしは、インターネットをホームグラウンドにしている言語学者だ。オンラインでわたしの前を通り過ぎていくインターネット言語の果てしない創造性を見るたび、その成り立ちを理解したくてうずうずしてくる。なぜ絵文字はこんなにあっという間に市民権を得たのだろう？　年代によって電子メールやテキストメッセージでの句読記号の使い方がこんなにちがう理由は？　どうしてミームに使われる言語はこんなにも不可思議なことが多いのだろう？
　同じ疑問を持っているのは、わたしだけではない。オンラインでインターネット言語学について書きはじめたとき、簡単な記事ひとつでは答えきれないような質問が読者からどんどん押し寄せた。そこで、わたしは四方八方のカンファレンス（学会）に顔を出し、研究論文を読みあさって、自分でもいくつか調査をしてみた。そうして、多くの疑問には答えがあることに気づいた。その答えは、たったひとりのインターネットのネイティブ・スピーカーが握っているわけでも、どこかひとつの場所にまとまっているわけでもない。そして、あなたがどれだけ言語学に造詣が深いとしても、楽しく読めるような形式にはなっていない。そう、だからこそ、わたしはこの本を書いたわけだ。
　言語学者は、わたしたちが日常的に生み出す言語の背景にある無意識のパターンに興味を持っている。ところが、ふつう、言語学で

は書き言葉はあまり分析の対象にならない。分析しようとしているのが、ある言語の歴史に関する疑問であり、手元にあるのが文書による記録だけ、というなら話は別だけれど。最大の問題は、書き言葉というのはあまりにも計画的で、何人もの手が加わっていることが多いので、ひとりの人物のある時点での言語的直感へと帰結させるのが難しすぎる、という点にある。でも、インターネットの書き言葉はちがう。それは未編集で、ありのままで、見事なくらい日常的だ。そして、わたし自身、本書の一つひとつの章を書き終えるたびに再発見させられたように、インターネットの書き言葉に潜むパターンを分析していくと、人間の言語全般についての理解まで深められるのだ。

インターネットの書き言葉を分析するのが便利な理由は、もうひとつある。話し言葉の分析なんて、悪夢そのものだからだ。第一に、話し言葉は口から出たとたんに消滅してしまう。注意して聞いていても、記憶違いはあるし、聞き漏らしだってある。それなら音声として録音すればいいのでは？　ここにも、第二の問題がある。相手を録音室まで物理的に連れてくるか、レコーダーを常に携帯しておく必要があるのだ。録音に成功したとしても、第三の問題が立ちはだかる。音声の処理だ。会話を言語分析に使える形へと文字起こしするのに、1分間の音声記録につき、訓練を積んだ人でも1時間はかかる。全体的な主旨を書き起こし、また最初に戻って詳細な音声情報をつけ加え、部分部分を抽出して、その音の周波数や文章構造を分析しようと思うと、それだけ長い時間がかかるわけだ。言語学を研究する大学院生の多くは、ほんのいくつかの具体的な疑問に答えるためだけに、何年間も苦労してその作業を行なっている。それを大規模に行なうなんてとんでもない。そして、ここに第四の難問

が立ちはだかる。被験者は学者のインタビュアーに、友達といるときのようなしゃべり方をしてはくれないのだ。話し言葉ではなく、ジェスチャーの分析がしてみたいとしたら？ そうなると、1次元の音声ではなく2次元の映像と向き合うはめになる。面倒なステップは飛ばして、もともとある映像を使えばいいんじゃない？ どうぞご自由に。ほとんどの場合は、ニュースや芝居など、形式ばった題材を使うはめになるけれど……。

インターネットの登場前は、カジュアルな書き言葉の分析にも難があった。カジュアルな書き言葉は、手紙、日記、葉書という形では存在していたけれど、こうした書類が資料として寄贈されるころには、その多くが何十年と書類箱のなかにしまわれて劣化していたし、当然、分析のためには処理が必要になる。ボロボロの紙に残った古い筆跡を解読するのは、音声の書き起こしとそう変わらないくらいの重労働だ。ビクトリア時代の書簡や中世の原稿を分析してみると、ある単語がわたしたちの思っていたよりも古くから使われていることがわかったり、奇妙な綴りを介して発音が変化した証拠が見つかったりすることがある。一方で、現代の言語について研究するのに、たまたま資料として寄贈されたほんの一握りの有名人の50年前の文書だけを分析するわけにもいかない。かといって、もっと最近の資料を手に入れたいと思えば、やっぱり先ほどと同じような実務的問題が生じる。たとえば、研究者に読まれることを過度に意識せずに、研究用のサンプルの葉書を書いてもらわないといけない。

幸い、インターネット言語は、それと比べればずっと扱いやすい。文章はすでにデジタル化されているし、ツイート、ブログ、動画という形で公開済みなので、誰かに見られる不安から歪められる可能性も低い（ただし、インターネット研究を志す人は、言語データの取り扱い

の倫理について、真剣に考える必要があるだろう。そうしたデータは、誰でも見られるという意味では確かに公開されているけれど、文脈と切り離して拡散されれば、当事者に恥や被害を与えてしまうこともある）。楽しい言語調査を実施したり、人々にプライベートなメッセージを研究資料として寄贈してもらったりするのも、オンラインでは簡単になった。といっても、インターネット言語学は、ただ最近流行りのミームについて研究するだけの学問ではない（のちの章ではミームの話題も扱うけれど）。わたしたちの日常言語を今まで以上に深く分析することで、「新しい言葉はどのようにして流行するのか？　この言葉はいつから使われはじめたのか？　主にどういう場所で使われるのか？」といった言語学の古典的な疑問に、新たな理解をもたらす可能性を秘めているのだ。

ところで、わたしはよく書けた本が好きだ。TEDトークも空き時間にちょくちょく観る。正式な書き言葉や話し言葉を通じて、著者や講演者の考えをよどみなく伝える能力。それは職人芸としかいいようがないし、称賛されてしかるべきだと思う。でも、文学や弁論能力は、すでに十分すぎるほど称賛されている。むしろ、言語学者のわたしにとって興味があるのは、わたしたち自身でさえ、自分がそれほど得意だとは自覚していない言語のほうだ。それは、わたしたちがそう意識することもなく、日々自然と生み出している言語的パターンだ。

　たとえば、キースマッシュにさえ、一定のパターンがあるのをご存じだろうか。キースマッシュとは、実在の単語では表わしきれない悶々とした感情を伝えるために、キーボードを指でランダムに連打する行為のことで、典型的なのは、「asdljklgafdljk」とか「asdfkfjas;dfl」みたいな文字列だ。これは、ネコがキーボードの

上をうっかり歩いたときにできるような、「tfgggggggggggggggg ggggsxdzzzzzzzz」とかいう文字列とははっきり異なる●1。キースマッシュに見られるパターンは、次のとおり。

・必ずといっていいほど「a」で始まる。
・「asdf」で始まることが多い。
・その後は、g、h、j、k、l、; がよく使われるが、この順番どおりよりも、交互に、または繰り返しで使われることが多い。
・入力していないときに指を乗せておく「ホームポジション」の文字が使われることが多い。このことから、キースマッシュを行なう人々は、ブラインドタッチが得意だとわかる。
・キーボードの中段以外だと、下段(zxc...)よりも上段(qwe...)の文字の頻度のほうが多い。
・ふつうはすべて小文字かすべて大文字のどちらかで、数字はめったに含まれない。

確かに、こうしたパターンの多くは、わたしたちがランダムな文字生成器を使う代わりに、QWERTYキーボード▼1の中段のホームポジションを中心としてランダムに文字を打つという事実と関係しているけれど、わたしたちの社会的な期待によっても強化される。あるとき、わたしは非公式のアンケートを行ない、打ち込んだ文字列の見栄えがいまひとつな場合にキースマッシュを最初からやり直すことがあるかどうかをたずねた 2。どんな内容であれ打ち込んだ文字列をそのまま投稿する、キースマッシュの純粋主義者も少しはいたけれど、大多数の人々は、見栄えが気に入らないと文字列をす

●1　作家のA・E・プレヴォの飼い猫エリーザにお礼を申し上げる。
▼1　上段の左端から、Q、W、E、R、T、Yの順に文字が並んでいる、標準的な配列のコンピューター用キーボード。

べて消去してキースマッシュをやり直すことがわかった。さらには、わざわざ何文字かを選んで修正する人もごく一部いた。また、中段がASDFではなく母音から始まる、ドヴォラック・キーボードを使う数人の人々にも同じ質問をしてみたところ、キーボードのレイアウトのせいで社会的に判読不能な文字列が出てきてしまうので、キースマッシュ自体を行なわないと答える人もいた。ただし、キースマッシュ自体も変化していっているのかもしれない。わたしは「asafjlskfjlskf」よりも「gbghvjfbfghchc」のような文字列に近い第二のタイプのキースマッシュを見つけた。そう、スマートフォン搭載のキーボードの中央部分から、親指でランダムに文字を打つとこうなるのだ。

　わたしたちは日々パターンを生み出しているだけではない。たとえ、自分自身がパターンを生み出しているとは自覚しておらず、自分たちが10億台のキーボードでランダムに文字を打ち込む10億匹のサルにすぎないと思っているとしても、わたしたちは少なくとも社会的なサルにちがいない。つまり、お互いの存在を意識し、呼応せずにはいられない生き物なのだ。たとえ部外者にとってめちゃくちゃに見えることでも、あるいは仲間にとってあえてめちゃくちゃに見えるよう行なわれることであっても、わたしたち人間はパターンなしではほとんど何もすることができない。わたしは本書を通じて、そうしたパターンの一部を描き出し、そういうパターンが生まれる理由を調べ、パターン探求者のレンズを通してインターネット言語や最新の言語的発明をとらえる道具をみなさんに与えられたら、と思っている。

大きな変化の最中はいつでもそうだけれど、カジュアルな書き言葉の爆発的な広まりは、わたしたちのコミュニケーション方法を変えつつある。わたしたちが書籍や新聞について定めた規範は、メール、

チャット、SNS の投稿ではあまり使い物にならない。台本のある
テレビの一人芝居しか見たことがない人にとって、日常会話はどれ
だけ奇妙に聞こえることだろう？　わたしたちは、多少なりとも、
カジュアルな話し言葉がどういうものなのかを知っている。カジュ
アルな話し言葉には長く使われてきた歴史があるし、文学や修辞学
で正式な書き言葉や話し言葉が研究されるのと同じように、言語学
ではカジュアルな話し言葉が主に研究されている。しかし、「書き
言葉」と「カジュアル」のふたつが交わる機会は、長らく存在しなかっ
た。インターネットの書き言葉が秀でているのは、まさにこの領域
なのだ。インターネットの書き言葉は、これまでに知られている 4
通りの組み合わせにどう当てはまるだろう？

	話し言葉	書き言葉
カジュアル	会話、独り言 💬	メール、チャット、ソーシャルメディア、日記、メモ 📱
正式	スピーチ、ラジオ、テレビ、芝居 🎤	書籍、論文、固定的なウェブサイト 📕

カジュアルな書き言葉について考えるとき、ひとつとして「効率性」
というレンズを通して見る方法がある。どんな言語でも、短い単語
ほど一般的な単語であり、文章にもたらす情報量は少ない傾向があ
るのに対し、長い単語ほど使われる頻度は少なく、情報量は多い傾
向がある。たとえば、英語の「of（〜の）」と「rhinoceros（サイ）」
という単語について考えてみよう。明らかに、「of」のほうが出現
頻度は多いけれど、長さはずっと短い。母音と子音、それぞれひと
つずつだけでできている単純な文字列で、sort of → sorta、out
of → outta というふうに、ひとつの曖昧母音へと簡略化すること

だってできる。一方、「rhinoceros」はどうだろう？　「of」と比べると文字数が多く、情報も豊富だ。突然「rhinoceros!（サイだ！）」という叫び声が聞こえてくれば、状況がだいたいわかる。この単語をうっかり省略すれば（「I am fond of this ＿＿＿（わたしはこの　　が好き）」）、そこに入る可能性がある単語は無数にある。でも、突然「of!」という叫び声が聞こえてきても、さっぱり意味がわからない。うっかり「of」を省略したとしても（「I am fond ＿＿＿ this rhinoceros（わたしはこのサイ　　好きだ）」）、何が省略されているのかがだいたいわかる。あまり使われない「奇蹄類（きてい）」という概念を表わすのに、この短くて万能な単音節語の「of」を使うのはムダそのものだろう。同じように、「of」の意味を表わすのに、「rhinoceros」と同じ長さの音が必要だとしたら、明らかに効率は落ちてしまう。この章だけでも、「of(〜の)」という単語は100回以上も使われているけれど、もしその音が5倍も長かったら、ほとんど意味のない単語のために、サイと同じ長さの単語をしょっちゅう繰り返すはめになってしまう。

　ただし、単語の使用頻度は永久不変というわけではない。「rhinoceros」という単語が英語に登場したのは14世紀ごろだけれど、英語の話者の生活のなかでサイが一般的になると、1884年には「rhino（ライノ）」と略されるようになった[3]。「rhino」という単語は妥協の産物だ。「of」ほど短くはないけれど、現に動物園の飼育係でさえ、「of」のほうをよく使うのだから、それはそれでしょうがないというもの。また、axolotl（サンショウウオの一種）やWunderpus photogenicus（タコの一種で、その名のとおりまさにフォトジェニックだ）のような珍動物には、一般的なニックネームがない。いつの日か、アホロートルおよびワンダーパス・フォトゲニクス研究者協会（？）とかいう組織ができたら、「このふたつの単語をしょっ

ちゅう口にするのは面倒なので、もっと効率的な呼び名を考えました」、なんて知らせが舞い込むかもしれない。

　ときには、「of」と「rhinoceros」の例のように、書き言葉の効率性と話し言葉の効率性が基本的に同じであることもある。つまり、書いたときの文字数が多ければ多いほど、話すときの音も長くなる、というケースだ。一方で、書き言葉と話し言葉が別々の道をたどる例もある。話し言葉では、たとえ文字で表わせないとしても、不要な音節を省略したり、音と音をくっつけたりして、言語を効率化することも多い。つまり、綴りを無視して単語を切り詰めるのだ。たとえば、「usual」や「casual」という単語は、最初の音節さえはっきりと発音してしまえば、だいたい意味は通じる。でも、その発音を文字で表わすとしたらどうだろう？　yooj なのか uzh なのか？　cazh なのか casj なのか？　はっきりとしないけれど、会話はとどこおりなく進むだろう。さらに極端な例は、英語の話者の「I do not know（わたしは知りません）」の略し方にある。何世代とこの言葉を繰り返すうちに、「i don't know」、「i dunno」へと略され、挙げ句の果てには、「i dunno」の低・高・低というイントネーションに合わせて、「uh-huh-uh」や「mm-hm-mm」ですませることすら増えてきた。「I dunno」のほうが「I do not know」よりは言いやすいけれど、そこまで書きやすくなるわけではない（話し言葉だということを連想させるために、あえてそう書くことはあるけれど）。同じように、「uh-huh-uh」や「mm-hm-mm」はものすごく発音しやすいが（サンドイッチをほおばりながらでも発音できる）、書き言葉ではちっとも効率的でないし、むしろ詳しい説明が必要になる。また、わたしたちは情報の流れを一定に保とうとすることもわかっている。予測のつく単語をよりすばやく、予測のつかない単語をよりゆっくりと発音するのだ。ある研究によると[4]、人々は「Mama, you've been on my mind（ママ、ずっとあなたのことを想っているよ）」というような文章では、「mind」という単語がかなりすばやく発音されるという。たびたびカバーされるボブ・ディランの同名の曲のおかげで、最後に mind が来ることはだいたい予測がつくからだ。一方で、アリストテレスのあまり知られていない格言「paid jobs degrade the mind（金のためにする仕事は人の心を堕落させる）」のように、先の予測がつかない文脈では、mind はずっとゆっくりと発音される（もちろん、あなたがアリストテレスの大ファンで、ボブ・ディランをまったく知らないなら、あなたにとってはその逆かもしれないけれど）。

　書き言葉では、いくつかの重要な文字だけを選び出したり、記号どうしを合成して新しい形へと変えたりして、言葉を効率化することが多い。たとえ、そうしてできた新しい言葉が発音不可能だったとしてもだ。頭字語や略語にされる概念は、人々がどういう物事を効率的に書きたいのかに応じて進化してきた。たとえば、古代ローマ人はあらゆる貨幣や像に、「*Senatus Populusque Romanus*（ローマの元老院と市民）」とフルで表記する代わりに、「*SPQR*」と刻むほうがずっと手っ取り早いと気づいた。中世の書記官たちは一般的な単語を崩して、& や % といった新しい記号を生み出した[5]。ルネサンスを機に古典や科学への関心が高まると、学者たちはラテン語の表現を短縮して、*e.g.*（たとえば）や *ibid*（同上）といった記号を生み出した。しかし、実は、頭字語の真の黄金時代が幕を開けたのは、驚くほど最近のことだ。そもそも、「頭字語（acronym）」という単語自体、1940 年になってようやく英語に加わったものだが、頭字語のなかでも特に、1 文字ずつではなく、全体でひとつの単語のように発音されるタイプの頭字語は、第二次世界大戦中に隆盛をきわめたとされる[6]。兵士たちが AWOL（無断離隊者）、snafu（めちゃくちゃ）、WAAF（婦人補助空軍）、Radar（電波探知測距）といっ

た頭字語をこぞって使っていたためだ●2。戦後になっても、頭字語は増殖を続け、特に組織、新しい発見、さまざまな名称に使われるようになった[7]。たとえば、laser、NASA、NATO、AIDS、NAACP、codec、Eniac、UNESCO、UNICEF、OPEC、FIFA、NASDAQ、FDR、CD-ROM、MoMA、DNA……等々、挙げればキリがない。確かに、こうした頭字語は、書くぶんには手っ取り早い。でも、専門的な話題について話す際、声に出して読むことがあるにもかかわらず、話すのが効率的になるとはかぎらない。実際、同じ「&」や「世界自然保護基金」のことを言うにしても、「ampersand」や「Ｗ　Ｗ　Ｆ」と発音するほうが、ふつうに「and」や「World Wildlife Fund」と発音するよりも時間がかかる。つまり、専門的な頭字語は、書き言葉こそが正式な分野なのであって、その目的は官僚的な手続きや長ったらしい名称を最大限に効率化することにあるわけだ。

　インターネットにも、url、jpeg、html のように、頭字語にされた専門用語はあるけれど、わたしたちがネットで書く文章は、カジュアルで会話的なものが多い。そのため、専門用語ではなくて、日常会話のフレーズに基づく社会的な頭字語が使われはじめた。BAC（← Blood Alcohol Content、血中アルコール濃度）よりも btw（← by the way、ところで）、OBE（← Order of the British Empire、大英帝国勲章）よりも omg（← oh my god、なんてこった）、LAX（ロサンゼルス国際空港の空港コード）よりも lol（← laughing out loud、笑）が市民権を得たのだ（ただし、現在では、lol はより微妙な意味合いを持つようになった。詳しくは第３章で）。本書は、もっぱら言葉の日常的な用法について論じた本なので、日常的な用法を無視してまで、本の伝統的な

●2　それぞれ順に、Absent Without Official Leave、situation normal all fucked up、Women's Auxiliary Air Force、RAdio Detection And Ranging の略。

書き方にならうのは不誠実だ、とわたしは思う。そこで、スタイル上の判断として、ネットの社会的な頭字語はすべて小文字で、専門的な頭字語の多くは大文字のまま表記することにした。というのも、インターネット・ユーザーは、LOL や OMG といった大文字表記を、主に叫び声を表わすために使っているからだ。

　インターネットの頭字語は、「書き言葉」と「カジュアル」との交わりを示す恰好の例といえる。その形態は書き言葉の側面から来ている。実際、頭字語は話すときの音節数こそ減らさないけれど、入力する文字数を減らせる。つまり、「I dunno」は話すのに効率的な一方、「idk（←I don't know）」は書くのに効率的なのだ。対して、その機能はカジュアルな側面から来ている。「I don't know（わかんない）」「what the fuck（なんじゃそりゃ）」「just so you know（言っとくけど）」「as far as I know（わたしの知るかぎり）」「in my opinion（個人的な意見では）」「today I learned（今日知ったんだけど）」「that feeling when（〜〜ときのあの気持ちったら）」といった定番のフレーズは、わたしたちの気持ちや考えを個人的に表現したものだ。専門的な頭字語の場合、頭字語にしたときの通りのよさをあらかじめ踏まえて、その用語の完全な表記と略語表記が同時に練られることもあるけれど、社会的な頭字語は、すでに広く使われているフレーズからつくられる。なので、使われてもいないフレーズの巧妙な頭字語を発明しようとするのは、悪いインターネット言語学の確実な兆候といっていいだろう。とはいえ、わたしたちは効率性だけをひたすら最大化しようとしているわけではない。書き言葉から話し言葉を想起させるために単語を綴り直すこともあるし、話し言葉から書き言葉を想起させるためにあえて頭字語を口に出すこともある。効率性は、ある略語が誕生した場所や理由を指し示す物差しのひとつにすぎないのだ。

インターネットがいかにして「書き言葉」と「カジュアル」を融合させるかを示すもうひとつの例が、視覚的表現の使い方にある。ふつう、カジュアルな話し言葉では、漆黒の闇のなかや、背を向け合った状態で会話したりはしないし、両手を後ろで縛り、頭に紙袋をかぶって、ロボットのような単調な声でしゃべったりはしない。それでも、言いたいことは伝わるだろうが、きっと物足りない感じを抱くはずだ。わたしたちはよく身ぶりを使う。こんど公共の場所に行ったら、あたりにいる人々を見渡してみてほしい。身ぶりを見るだけで、そのとき誰が話しているかがわかるだろう。わたしたちは身ぶりや口調を通じて、伝えようとしている内容を強めたり、そこに新たな意味をつけ加えたりする。親指を立てながら「よくやったね！」と言えば本音だけれど、目をぐるぐると回しながら言えばきっと皮肉だろう。

　正式な話し言葉では、より形式化された数少ない身ぶりが使われる。テレビのレポーターは、天気図を指し示したり、手元の資料をめくったりすることはあっても、ほとんどの時間は両手をじっと動かさずにいる。表情はせいぜい真顔と笑顔とのあいだの狭い範囲に収まり、手を振ったり、目をぐるぐるさせたり、すすり泣いたり、大笑いしたりはしない。講演者も同じで、自然と出てしまう体の動きをなるべく減らそうアドバイスされることが多い。実際、講演を改善するために、自分自身の講演の動画を観て、自分がしている反復的な身ぶりを知り、減らすようにしなさい、とよくいわれる。とはいえ、カメラや演台によって肩より下はカットされるので、講演者が手を動かしたとしても、どのみち観衆からは見えないことが多いのだが。大昔から、正式な身ぶりを定義しようとする人々はいた。古代ローマの修辞学者、クインティリアヌスは、指し示す仕草と、称賛、驚き、拒絶、確信、懇願といった「言葉と同時に自然と

生じる」仕草だけが許容される身ぶりであり、みずからの発した言葉を演じるための大げさな身ぶりの類は、法廷よりも劇場にふさわしい、と世の修辞学者たちに説いた **8**。

　書くという行為は、一種の技術だ。話し言葉や身ぶりに必要なのは、人間の体とそこに吹き込まれるエネルギーだけで、そのどちらか一方または両方に欠く社会というのは、いまだ見かけたためしがない。それでも、何かを書くには、人間の体のほかに外的なものが必要だ。自分の腕と血液だけで書くとしても、自分自身を突き刺す道具が必要だし、その瞬間に血液は外的なものになる。なので、書記体系というのは、必然的にそれをつくるための道具に大きな影響を受けることになる。直線を彫るには木や石を使うほうが簡単だけれど、曲線や円を描くにはインクを使うほうが簡単だ。そういうわけで、わたしたちの書き言葉に対するイメージには、ものを書くのに使える道具が反映されている。中世の装飾は、すりつぶした昆虫や石を原料にした顔料を使い、子牛の皮紙に施された。版画は、出っ張っている部分にインクをつけて紙に押しつけられるよう、木版へと彫られた。カメラは、銀化合物を使って、小さな穴から入った光をフイルムへと固着させた。どの状況でも、ほかより使いやすい色や形があったことに変わりはない。

　正式な書き言葉は、正式な話し言葉と同じで、肉体から切り離されている。ニュースキャスターがニュースの作り手ではなく、ニュースを伝える媒体にすぎないのと同じで、正式な書き言葉のイメージは、その作者ではなく内容を表わしている。正式なイメージは、グラフや図式といった情報を提示することもあれば、地図や肖像といった記録を生み出すこともある。あるいは、ステンドグラスや絵本のように見る人の目を惹き、物語を伝えることもあるだろう。

　カジュアルな書き言葉がすばらしいのは、好きな画像を好きな場

所へと送信できる技術が登場したおかげで、書き言葉が再び肉体を取り戻し、話している人物やその人の気分を伝えられるようになったことだ。たとえば、わたしたちのデジタル・メッセージに命を吹き込んでくれる小さな画像、その名も絵文字について考えてみよう。動物から食べ物、自然、家庭や職場でよく見るものまで、何千種類とある絵文字のなかでも、いちばんよく使われるのは、笑顔、うれし泣き、親指を立てる、指を交差させる、といった顔や手の絵文字だ。そう、絵文字は、周囲の物事を説明するためというよりも、むしろオンライン世界で完全な自己表現をするために使われることが増えているわけだ。

　GIF画像も同じだ。理論上は、8ビットカラーのなかでならどんな画像でも組み込める（1990年代には、ホームページの一部が未完成であることを謝るために、ヘルメットと三角コーンをあしらった低画質な「工事中」アニメが使われていた）。現実には、2010年代のGIFはリアクションを示すために使われている。つまり、人間、動物、漫画のキャラクターが生き生きとした仕草を行なっている無音のループ・アニメーションを、そのときのあなた自身の肉体代わりにするのだ。そして、GIF画像に出てくるキャラクターと同じように、あなたが笑っている、拍手している、困惑してあたりをキョロキョロ見回しているということを表現するわけだ。サイバースペースの視覚化の初期には、自分自身の3次元の分身を操り、仮想空間で交流し合うことが、わたしたちの望みなのだと考えられていた。ところが、いざ蓋を開けてみると、わたしたちが本当に望んでいたのは、自分自身のアバターをおしゃれなデジタル衣装で着飾ることよりも、むしろ自分の考えや気持ちを正確に伝えることのほうだった。そのために発達したのが、頭字語、絵文字、句読記号といった多種多様なツールなのだ。

　その点でいうと、初期の書記体系には大きな制約があった。ものを書くのに使えるのは単語だけだった。単語は読み手の記憶を助けるにすぎず、それを口に出して読むときには、読み手がもういちど命を吹き込む必要があった。しかし、世紀を経るごとに少しずつ、句読記号などのタイポグラフィ▼3上の改良がつけ加えられていった。それと同じくらい重要なことに、わたしたちは文字として書かれた文章に繊細なニュアンスを求めるようになった。ほとんどの人が書き手ではなく読み手だったとはいえ、わたしたちは書き言葉を、話し言葉や意識の流れをありのままに表現できる手段としてとらえはじめたのだ。そして、中世の書記官やモダニズムの詩人たちから始まったこのプロセスの最後のピースを埋めたのが、インターネットだった。インターネットは、わたしたち全員を読み手であると同時に書き手へと変えたからだ。書き言葉は命がなく、口調を大雑把（おおざっぱ）に伝えるためだけのもので、ニュアンスに富んだ文章を書くのはプロだけの専売特許である……。そんな従来の常識を受け入れる必要など、もはやなくなったのだ。わたしたちは今や、第4章で紹介する「口調のタイポグラフィ」に関する新たな規則を、どんどん生み出していっている。といっても、上から押しつけられる規則ではなく、数十億匹の社会的なサル集団の活動から有機的に生じるような規則、わたしたちの社会的交流に命を吹き込むような規則を。

ほとんどの物事がよい方向か悪い方向のどちらかに変化していっているこの世界において、言語の継続的な進化は、薬になるわけでもなければ、毒になるわけでもない。ただただ、言語は進化しつづけるもの、としかいいようがないのだ。時代を経て、まったく同じ文章にもういちど巡り合うことなんてありえない。この時代を振り

▼3　文字の大きさ、書体、字間、配置などを通じた視覚表現の技法。

返った未来の歴史家たちは、現代のわたしたちがシェイクスピア、ラテン語、ノルマン・フランス語（ノルマンディー語）の単語を画期的だと思うように、現代に起きている変化を面白いと思うだろう。そこで、本書では、未来の歴史家の視点に立ち、興奮と好奇心をもって、この言語学史上まれにみる革命的な時代を掘り下げてみよう。

　もしあなたがその革命に取り残されているという不安を感じているなら、または時代の先端を行きすぎてネット民以外にあなた自身のことをわかってもらうのに苦労しているなら、本書はきっとそのギャップを埋める助けになると思う。わたしたちはどうやって今の状態までたどり着いたのか？　人々が句点の省略や３点リーダーにこれほど熱狂する理由は？　インターネット言語の変化は、人間の恐るべき言語能力という全体像とどう関係しているのか？　本書を読めばそれが理解できると思う。そしてきっと、今までなんの気なしに書いていたメッセージの見方が一変するはずだ。

第 2 章

言語と社会

Chapter 2
Language and Society

あなたが今のような話し方をするようになったのはどうして？

　あなたは今まで、どこかで暮らしてきたはずだ。ことによっては、いくつもの場所で。きっと、友達や家族の影響を受けているだろうし、あなたが好む言語的特徴や、できれば避けたい言語的特徴について考えたことがあるだろう。かねてから、そうした要因が、集団によって話し方が異なる理由の一端であることが知られているけれど、方言の体系的な研究が始まったのは、18世紀や19世紀になってからのことだ。こうした研究は、リンネの生物分類や元素の周期表を人類にもたらした科学運動の一環として始まった。網を持ってチョウの研究に繰り出す者。びんのなかでろうそくを燃やして気体を蒸留する者。そうした人々のなかに、古代の書物を調べて動詞のリストをまとめる者がいた。

言語地図

しかし、生きた言語をつかまえるためには、どんな「網」を使えばいいだろう？　ドイツの方言学者のゲオルク・ヴェンカーは、そのひとつの答えを考案した[1]。ドイツ語を話すヨーロッパじゅうの学校教師にアンケートを郵送し、40種類の文章（たとえば、「おたまでお前の耳をひっぱたいてやろうか、このサル野郎！」）を地元の方言に翻訳するよう依頼したのだ。これはなかなかの名案だ。教師ならまちがいなく読み書きができるだろうし、村の教師全員の名前がわからなくても、たとえばクヴェードリンブルクの村の郵便局なら、その村の学校へと手紙を届けてくれる。ところが、教師が気軽に回答できるよう、ヴェンカーは教師たちに音声表記の指示を行なわなかった。そのため、ある教師がサルを「Affe」と綴り、別の教師が「Afe」

や「Aphe」と綴ったとしたら、それらがまったく同じ発音を表わしているのかどうかが誰にもわからなかった[2]。

　フランスの言語学者のジュール・ジリエロンは、もっとよい方法を考案した。ヴェンカーのように手紙を送るのではなく、訓練を受けた実地調査員を送り、すべての調査を彼らに行なわせたのだ。おかげで、ジリエロンは、パリにいながらにして、返ってきた調査結果の分析を進めることができたというわけだ。彼の選んだ実地調査員は、エドモン・エドモンという名の小売商で、抜群に耳がよかったという（聴力が優れていたという意味なのか、細かい音声に注目する能力が高かったという意味なのかは不明だけれど、いずれにせよ仕事を得た）[3]。ジリエロンは、エドモンに音声表記の訓練を施し、「コップのことをなんと呼びますか？」「数字の50をなんと言いますか？」といった1500種類の質問リストを手渡し、自転車で各地を回らせた。それから4年間、エドモンはフランスの639の村々を自転車で回り、調査結果を定期的にジリエロンへと返送しつづけた。それぞれの村では、生涯ずっと地元で暮らすお年寄りを、その地域の歴史の代弁者とみなし、インタビューを行なうほどの手の込みようだった[4]。

　ヴェンカーとジリエロンの方言地図はどちらも細密で、興味深く、複雑なものなのだが[5]、いちど読み方さえ覚えてしまえば、1900年ごろに水曜日のことをmercrediと呼んでいた北部のフランス人と、dimècresと呼んでいた南部のフランス人とのあいだに、境界線を引くことができる●1。また、ヴェンカーの手書きのドイツの言語地図を見ると[6]、英語でいう「old（古い）」をalt、al、ollと発音する地域がわかる●2。学校でフランス語やドイツ語を習ったこ

●1　なぜmercrediが勝ち残ったのだろう？　そうねえ、ぶっちゃけて言えば、パリがあるのが北部だから。diは「day（日）」という意味で、先に持ってきても、あとに持ってきても、原則的には問題ない。事実、「日曜日」という意味のdimancheの場合、diが先のバージョンが生き残った。
●2　英語でoldがol'と略されることを考えると、後ろのふたつもそう意外ではないだろう。

とがあるなら、どちらも単一の言語だと思いがちだけれど、それはあくまで「正式」なフランス語やドイツ語にすぎない。言語地図を見れば、これらの言語が実は村ごとに少しずつ異なる数百種類の方言の集まりなのだと気づかされる。

だが、この画期的な言語地図にも限界はある。もしエドモン・エドモンが４年間の旅の終わりに、自転車の呼び名が地域ごとに違うということに気づいたら？　同じ 639 のフランスの村々へと再び自転車を走らせるか、さもなくば、未来の学者が第２弾のフランス縦断言語ツアーを実施してくれることを期待して、その事実を書き留めておくしかなかった。一方、ゲオルク・ヴェンカーのプロジェクトは、手に余るほどの成功を収め、1876 年から 1926 年までのあいだに、４万 4000 回以上の調査が完了した[7]。その調査結果は、とうてい手作業では分類しきれないほどの分量だった（結局、1911 年にヴェンガーが亡くなったあとの十数年間は、彼の同僚たちが調査結果の分析を引き継ぐことになった）。

しかし、技術の進化とともに方言学もまた進化した。1960 年代、『Dictionary of American Regional English（未、アメリカ地域英語辞典）』の制作チームは、折り畳み式ベッド、アイスボックス、ガスコンロを備えた緑色のダッジバン（ニックネームは「ワード・ワゴン」）に実地調査員を乗せ、1000 を超える自治体へと送り出し、ブリーフケース大のオープンリール式テープレコーダーに、現地の人々の話し声を録音させた[8]。1990 年代になると、『The Atlas of North American English（未、北米英語地図）』の制作陣は、自転車のハンドルを受話器に持ち替え、各大都市で最低ふたりずつ、合計 762 人に電話インタビューを行なった[9]。2002 年のハーバード大学言語調査（Harvard Dialect Survey）では、誰でもオンラインで完了できる言語アンケートが行なわれた[10]。『ニューヨーク・タイ

ムズ』や『USA トゥデイ』などの数多くのメディアが報じたおかげで、3万人以上の参加者が集まった。

　こうした研究では、いずれも信じられないくらい見事な結果が出た。ラジオやテレビなどのマスメディアの普及によって、決して地域的な方言が消滅したわけではないことが証明されただけでなく、そうした情報の多くがオンラインで無料公開されたのだ。北米英語地図のサイトを閲覧すれば、炭酸飲料の呼び名が、アメリカの中央で「pop」から「coke」、そして「soda」へと変わり、カナダの国境付近でまた「pop」に戻っていく様子が、点の色の変化で読み取れる。アメリカ地域英語辞典のサイトでは、「Adam' s housecat（アダムの飼い猫）▼1」から「zydeco（ザディコ）▼2」まで、面白い語彙の単語リストを下にスクロールしていくことができる。そして、まるまるダウンロードすることが可能なハーバード大学言語調査の結果は、その10年後に新たな命を帯びた。ユーチューブ・アクセント・チャレンジと呼ばれる動画は、動画ミームとして爆発的に広まり、世界じゅうの何千という人々がこの調査の質問に答える自分の様子を動画で配信した。また、2013年に大流行した『ニューヨーク・タイムズ』の方言クイズ「How Y' all, Youse and You Guys Talk（みんな、あんたら、君たちの話し方）▼3」のもとになったデータベースのおかげで、多くの人々が自分たちの話し方を地図化するという考えに親しんだ11。

　しかし、あなたがしつこい勧誘電話を切ったり、「Which Disney Princess Are You（あなたはどのディズニー・プリンセス？）▼4」

▼1　I don't know him from Adam's housecat で、「彼のことはまったく知らない」の意。
▼2　ルイジアナの黒人音楽。
▼3　ある概念を表わすのにどの単語を使うかを選択していくことで、その人の住む地域が絞り込まれていくというクイズ形式のサイト。
▼4　好きなものや活動に関する質問に答えていくと、あなたがディズニーのどのタイプのプリンセスかを診断してくれるサイト。

クイズにわざとウソの答えをしたりしたことがあるなら、電話やインターネットのアンケートに潜在的な問題があることを知っているだろう。電話なら会話を記録できるけれど、それでも調査の相手と一対一で会話する必要があった。ワード・ワゴンを運転したり、言語調査のテレフォン・バンクを運営したりするのは、ある種の（そう、わたしみたいな）言語マニアにとっては夢みたいな仕事だが、インタビューに費やす大量の時間と労力に対して、資金を出す人が必要だ。その点、インターネット調査は、それらと比べるとすばやく、低コストで、大規模に実行できるけれど、人々が自分自身の言葉の使い方について正確に報告してくれるとはかぎらない。

　こうした調査に共通するのは、「観察者のパラドックス」と呼ばれる問題だ。誰かをテープレコーダーの前に座らせたり、選択式の質問リストを手渡したりしても、引き出せるのは面接風の堅苦しくて標準的な言葉遣いのみであることが多い。そうした言葉遣いはすでに十分な記録があるので、言語学的にはこの上なくつまらない。かといって、まだ十分な記録のない言葉遣いを調べるには、求めている回答を引き出すための質問から探す必要がある。相手が自分の話し言葉のいちばん面白い側面を自覚していなくて、それを明確に表現できない、または表現しようとしてくれない可能性だってあるのだ。

　ただ、望みがゼロというわけではない。言語学者たちはより自然な発話を引き出す手法をいくつか考案してきた。ひとつ目は、自由回答式の質問（「aunt（おば）をどう発音しますか？」ではなく、「あなたの家族について説明してくれませんか？」といった質問）をするという方法。ふたつ目は、興奮するような出来事や感情的になるような出来事についてたずね、言葉ではなく内容のほうに意識を向けさせるという方法（よく使われるが少し怖い質問として、「死ぬかもしれないと思った瞬

間は？」というものがある）。３つ目は、調査対象のコミュニティにみずから潜入するという方法。自分自身の子ども、祖父母、親戚の話し言葉を分析したり、地元の人々と協力してインタビューを行なったりする言語学者は数知れない。ワード・ワゴンに乗り込んだ言語学者たちは、スーパーで面白い言葉を耳にした場合に備えて小型のノートを携帯し、あとでテープレコーダーを持ってきて追加調査をするほどの気合いの入れようだった。

　しかし、自然な話し言葉を収集するのにとりわけ効果的な方法がひとつある。そう、インターネットだ。インターネットには、動画からブログ記事まで、オープンで、カジュアルで、自然な言葉遣いの例が無数にあるだけでなく、検索までできる。ほんの２、３例のために、何時間もかけて音声ファイルを書き起こす必要なんてもうない。なかでも、ツイッターは特に貴重だ。ある単語やフレーズをほんのちょっと検索するだけで、その言葉が巷でどう使われているのか、おおよそのイメージをつかむことができる。2018 年に「smol（ちっちゃかわいい）」という単語を使った人々の多くは、アニメやかわいい動物のファンらしい、ということがわかるだろう。また、「bae▼5」という単語は 2014 年ごろまで、主にアフリカ系アメリカ人によって使われていたが、白人のツイートに続々と現われはじめると、ほどなくして多くの企業が取り入れはじめた。

　ソーシャル・ネットワーキング・サイトに研究者が入り込むことの倫理的な是非は、いまだ決着を見ていない問題といえる。多くの人は、自分の SNS への投稿を誰が読むのかについて、一定のメンタルモデルを持っており、その範囲からはずれた人間に投稿を勝手に読まれると、信頼を裏切られた気分になる。その情報に誰が技術的にアクセスできるかの問題ではないのだ [12]。2010 年、アメリカ

▼5　ベイビーやダーリンと同じように愛情を込めて使われる言葉。

議会図書館が全ツイートを収集保管すると発表すると、ツイッター・ユーザーはそれまで一時的なものにすぎなかったウェブサイトに対するメンタルモデルを改めざるをえなくなった [13]。多くの人々が、未来の歴史家に向けた皮肉交じりの解説や注釈を投稿した。なかには、この機会を逆手に取って、その威厳ある機関のデータベースを下品な4文字語であふれかえらせてやろうと息巻く人もいるし、「後世の諸君、お元気？ [14]」「わたしのツイートを保存するんなら、わたしのネコの写真はみんなちゃんと kitten じゃなくて kitteh ▼6 とインデックスづけしてよね [15]」と投稿する人もいた。でも、結局のところ大事にはいたらなかった。アメリカ議会図書館は、2017年に方針転換し、より厳しい記録価値の基準を満たすツイートだけを保管するよう制限を加えたのだ。2018年になると、一段と悪辣（あくらつ）なソーシャルメディアのデータ論争が発生した。さかのぼること2016年、イギリスの選挙コンサルティング会社「ケンブリッジ・アナリティカ」が、性格テストをフェイスブック・アカウントにリンクするよう多くの人々を説得し、何千万というフェイスブック・ユーザーから個人データを取得していたことが判明したのだ。同社はそのテストから得られた個人データを用いて、有権者へのターゲティングを行ない、選挙結果に影響を与えた可能性まであるといわれる [16]。アメリカ議会図書館とケンブリッジ・アナリティカは、ふたつの極例だけれど、多くの研究者たちが、今この瞬間にもソーシャルメディアのデータをこっそりと掘り起こしつづけている。そんな人たちの行動を律するのは、メディアの利用規約と、各々が考えるフェアプレー精神だけなのだ。

　そういうわけで、本書における引用は、個人のユーザーと関連づ

▼6　kitteh はネコ、特に面白おかしいキャプションをつけたネコ画像に写っているネコを表わすインターネット・スラング。

けられていないソーシャルメディアのデータ全体か、すでに研究論文のなかで引用され、匿名化されている例だけにおおむねとどめた。それでもなお、どうしても個人的な例を持ち出す必要があるときには、アメリカ議会図書館の保管専門職員について言及しているツイートなど、ユーザーがメタ言語的な議論をしていることが明白な例だけを選び出した。今日の昼食についての何気ない会話や、ごくプライベートな本音トークを引用するのは、まるでスパイになったみたいで気分が悪いけれど、インターネット言語に関する本でインターネット言語に関するコメントを引用するのは、会話に参加するひとつの方法だとわたしは思う。そもそも、後世の人々に向けてツイートする人は、後世から返事が来る覚悟も持つべきなのかもしれない。

　ツイッター研究が特に実り多いといえる理由は、ツイッターに投稿する人々の1、2パーセントがツイートに厳密な地理的座標をつけるからだ。そのため、ある程度有能なデータマイニングの専門家なら、アメリカ人が炭酸飲料のことを「pop」または「soda」とツイートしている場所、「あなたたち」を意味する単語が「y'all」から「you guys」に変わる地点、特定の罵り言葉が好まれる州を、あっという間に郡レベルまで反映した地図に変えることができてしまう。それも、エドモン・エドモンがパリからマルセイユまで自転車を飛ばすよりもずっと短い時間で。そのことを証明する単純な例として、言語学者のジェイコブ・アイゼンスタインの研究を見てみよう。彼は位置情報つきのツイートを調べた結果、「hella」（←hell of a、超）を含むツイート（「That movie was hella long（あの映画、超長かったな）」など）は、北カリフォルニア発信である可能性がいちばん高く、「yinz」（←you ones、みんな）を含むツイート（「I'll see yinz later（みんな、またあとでね）」など）は、ピッツバーグ周辺に集

中していることがわかった。どちらの発見も、人手のかかるインタビュー方式で行なわれた、以前の言語調査の結果と一致する[17]。しかも、彼のツイッター調査では、インタビューではたぶん判明しなかったと思われる事実も明らかになった[18]。アイゼンスタインらのその後の調査で、「ikr」（←I know, right?、だよね？）という略語はデトロイトで特に人気が高く、顔文字の ^_^（うれしい）は南カリフォルニア特有で、「suttin」（←something、何か）という綴りはニューヨーク市で人気が高い、ということがわかった。

　ツイッター上で起きている言語調査のなかには、インターネットなしではとうてい不可能なものもあるだろう。言語学者のジャック・グリーブは、アメリカ南部における「might could（〜できるかもしれない）」「may can（〜できるかもしれない）」「might should（〜べきかもしれない）」といった文法構造について研究している[▼7]。たとえば、「We might should close the window（窓を閉めたほうがいいかもしれない）」というような文章のことで、ほかの方言を話す人々なら、「Maybe we should close the window」とでも言いそうなところだ。グリーブの指摘によると、著名な言語学者たちは早くも1973年に、こうした文法構造について調べるのは不可能だと言っていたという。編集の入った文章では絶滅危惧種だし、自由気ままなインタビューでさえも、1時間に1回くらい現われれば運がいいほうだからだ。つまり、ほんのちょっとのデータを得るためだけに、膨大な量のデータを書き起こす必要が生じるのだ。でも、グリーブらはツイッターを使って、10億件近い位置情報つきのツイートを調べ、数千件もの例を掘り起こした。彼らはこうした文法構造（「二重法助動詞」と呼ばれる）が実在するという漠然とした直感を裏づけただけでなく、これらの文法構造を2種類のグルー

[▼7]　通常、現代英語では、might、could、may、can、should などの法助動詞は重ねられない。

プに分類できることを示す、詳細な郡レベルの地図までつくってみ
せた[19]。たとえば、「might could」や「may can」などの表現は
北寄りの南部（アッパー・サウス）、「might can」や「might would」は南寄りの南部（ローワー・サウス）
でよく使われるようだ。

　また、わたしたちが今まで気づいてもいなかった地域差を明ら
かにすることさえできるかもしれない。たとえば、「might could」
のような文法構造に続いて、グリーブは罵り言葉に目を向けた。そ
の結果、どの州の人々も罵り言葉を使うが、好んで使われる罵り言
葉には地域差があることがわかった。少しマイルドな例を挙げると、
南部の人々は「hell（クソ）」を特に好む一方、北部の人々は「asshole
（アホ）」、中西部の人々は「gosh（ちぇっ）」、西海岸の人々はイ
ギリス風の「bollocks（畜生）」や「bloody（クソ）」を多用して
いた[20]。オックスフォード英語大辞典もまた、ツイッターを情報源
として用いはじめた。特に、本や新聞に印刷されることが少ない方
言で活用することが多い。たとえば、四半期ごとに発表される同辞
典の2017年9月の改訂記録には、「mafted」という単語の例があ
る。これはイギリス北東部に特有の単語で、「熱、人ごみ、運動に
よって困憊（こんぱい）すること」と定義されている。「mafted」を使った例文
では、古今の辞書編集の研究が見事に融合している[21]。この辞書に
挙げられている最古の例文は、「1800年ごろに編纂（へんさん）された用語集」
からのもので、最新の例文は2010年のとあるツイッター・ユーザー
のものだ。「Dear Lord—a fur coat on the Bakerloo line, she
must have been mafted（神様、毛皮でベーカールー線に乗るなんて、
彼女はそうとう暑かったにちがいない）」

　さらに、ツイッター上での独創的なリスペリング（スペルの綴り直
し）を使って、人々の発音のちがいを調べることもできる。単純に
単語を検索するよりは少し厄介だけれど、言語学者のレイチェル・

タットマンは、さまざまな種類の英語で十分な研究がなされている
ふたつの音を使った例を示した [22]。ひとつ目は、「cot」と「caught」、
「tock」と「talk」のような単語の発音だ。一部のアメリカ人（主に
西部、中西部、ニューイングランドの人々）は、「cot」と「caught」、「tock」
と「talk」をまったく同じように発音するが、ほかのアメリカ人（主
に南部の人々やアフリカ系アメリカ人）は発音し分ける。この傾向は、
音声記録を取るタイプの言語学者たちによって、かなり前から立証
されてきた。そこでタットマンは、「sod」と「sawed」に見られ
るような2種類の母音を発音し分ける話者たちが、特定の母音へ
の注目を促すために、母音のスペルを「aw」と綴り直すことがあ
るのではないかという仮説を立てた。案の定、彼女は、「on」「also」
「because」のような一般的な単語のスペルが、「awn」「awlso」
「becawse」のように「aw」を使って綴り直されているツイートで
は、南部やアフリカ系アメリカ人の英語によく見られるほかの特徴
についても、綴り直しが行なわれる傾向があることを発見した。た
とえば、「for」や「year」の「r」を削って、それぞれ「foah」や「yeah」
と書いたり、「the」や「that」をそれぞれ「da」や「dat」と書いた
りするケースだ。

　しかし、これだけだと単なる偶然かもしれない。そこで、タット
マンは検証のため、ふたつ目として、まったく別の地域のまったく
別の音に目を向けた。「to」や「do」のような単語を、「tae」や「dae」
と発音するケースだ。この音と、この独特な綴りは、スコットラン
ド英語と関連があり、18世紀の詩人ロバート・バーンズの時代か
ら存在している [23]。ここでもやはり、こう綴り直してツイートする
人々は、言語的な「スコットランド人らしさ」を示す傾向にあるこ
とがわかった。たとえば、「you」を「ye」、「on」を「oan」と綴
り直してツイートする、という具合に。もちろん、スコットランド

人、南部の人々、アフリカ系アメリカ人のみながみな、こうした綴り直しを用いるわけではないし、用いる人々も毎回そうするわけではない。ただ、ひとついえるのは、カジュアルな書き言葉で単語のスペルの綴り直しが行なわれるときは、そこにたいていなんらかの目的がある、ということだ。全身全霊を捧げて、自分本来の話し方を表現しようとするわけだ。その綴り直したスペルでどんな音を表わそうとしているのかが、これほど明確なケースばかりではないにせよ、人々が綴り直す単語や音を見れば、音声録音の労力をどこに集中させるべきなのかが見えてくる。

　インターネットを使えば、言語学者たちは何世紀も前から目指してきた方言地図の作成や自然な発話の分析ができるようになる。それも、より多くのデータを使い、ラップトップひとつで。もちろん、観察者がいることによるデータの歪（ゆが）みも生じない。電話調査によって、世の人々がテレビやラジオの出演者ではなく近所の人たちと同じような話し方をしていることがわかり、自転車の旅によって、印刷の普及から数世紀がたった今でも地域の方言が残っていることがわかったのと同じで、インターネット調査によって、わたしたちがソーシャルメディアの使用中に地元の話し方を貫く傾向にあるということがわかる。インターネットの方言クイズに対するわたしたちの深い熱狂は、その理由を如実に物語っている。それは、特定の話し方をすることで、わたしたちの社会的ネットワーク、帰属意識、連帯感が強まるからにほかならないのだ。

ネットワーク

あなたの家族や友達グループが、まるで独特の方言を話しているよ

うに感じたことは？　これこそ、言語学者のデイヴィッド・クリスタルのいう「家族方言（familect）」を集めた、『Kitchen Table Lingo（未、キッチンテーブル用語）』という本の根底にある考え方だった。家族方言とは、「どの家庭や社会集団にも見られるが、決して辞書（や方言地図）に載ることのない私的で個人的な造語」のことである[24]。当初、この本が「家族方言」の単語を募集したところ、歌詞の聞きまちがいのエピソードから、擬音語、子どもの造語、さらにはテレビのリモコンを表わす57種類もの単語まで、世界じゅうから数千例が集まった。方言地図はわたしたちの言語差のほんの始まりにすぎない。家族、友達、学校、職場、趣味、組織。特定の誰かと話すたびに、共通の語彙を築く機会が巡ってくる。家族方言は子どもの口をついて出てきた、かわいらしい単語から生まれることも多いけれど（たとえば、エリザベス2世は幼いころのウィリアム王子から「ゲアリー（Gary）」というニックネームをつけられたという。当時、王子はまだ「ばあば（Granny）」と発音できなかったのだ[25]）、仲間内の言語の重要性がピークを迎えるのは、それよりもあと、ティーンエイジャーの時代だ。

　高校は、おしゃれなジーンズブランド、校内の恋愛事情、そして母音の発音のしかたなど、社会的な細部へと注目が集まる場所だ。言語学者のペネロペ・エッカートは1980年代、デトロイト郊外のとある高校に潜入し、言語と高校の派閥とのあいだにある相関を調べた[26]。その結果、ふたつの主な集団が見つかった。スポーツや生徒会などの活動を通じて学校の権力構造を牛耳る「勝ち組（jocks）」集団と、そうした学校の権力に逆らう「落ちこぼれ（burnouts）」集団のふたつだ[▼8]。デトロイトでは、五大湖[▼9]周辺のほかの多く

▼8　アメリカの学校社会は、スポーツや生徒会活動などに励み、社交的で、女性にモテるjock（女性の場合は、チアリーダーなどの活動をし、ファッションなどに関心の高いqueen bee）を頂点とする、スクール・カーストの観点から類型化されることが多い。
▼9　カナダとアメリカ合衆国との国境付近にある5つの湖の総称。

のアメリカの大都市と同じく、母音の変化が起こっていて、この地域の話者が「the busses with the antennas on top（屋根にアンテナがついたバス）」と言うと、外部の人々には「bus」の発音が「boss」、「top」の発音が「tap」のように聞こえる[27]。エッカートが調査した高校生の場合、「boss」という発音は、「お勉強ができるタイプ」よりは「街で生き抜くスキルが高いタイプ」と結びついていたので、当然、落ちこぼれ集団のほうが勝ち組集団よりも多用する傾向があった。実際には、どちらの集団もまったく同じ地域に住み、同じ学校に通い、親の社会階級もまちまちだったのだが。高校生たちを「落ちこぼれ中の落ちこぼれ」や「勝ち組中の勝ち組」といった、より細かい派閥に分けても、やはり母音はその分類に従う。典型的な高校映画のキャラクターに当てはめていうと、エッカートの潜入した高校が映画『グリース』に登場するライデル高校だとすれば、きっとヒロインのサンディは「bus」、女子グループ「ピンク・レディース」のリーダーであるリッゾは「boss」と発音し、ピンク・レディースのメンバーであるフレンチーはその中間の発音をすることになるだろう。

　ほかの高校で行なわれたさらなる研究は、別の言語的態度を持つ別の集団の存在を浮き彫りにしている。たとえば、「オタク（nerds）」を自称し、勝ち組と落ちこぼれの2種類の分類を拒絶していたカリフォルニアの少女グループだ。言語学的にいうと、彼女たちは仲間のあいだで流行っていたスラングやおしゃれな母音（たとえば、「friend」を「frand」と発音するなど）を避けていた。高校での人気を気にしていると思われたくなかったからだ。代わりに、彼女たちは細心の注意を払った発音、長ったらしい単語、しゃれといった知性至上主義と関連する言語的特徴を取り入れていた[28]。ほかに例を挙げると、カリフォルニアの別の高校のラテン系女性を対象にした調

査では、自分がアメリカ人またはチカーナ▼10 であると自覚し、主に英語を話す「Norteñas（北方）」集団と、自分がメキシコ人であると自覚し、主にスペイン語を話す「Sureñas（南方）」集団がいた²⁹。似たような例は挙げればキリがないけれど、ここでひとまず、根本的な疑問について考えてみよう。そもそも、わたしたちは「何がかっこいいのか」という基準をどう養うのだろう？

　あなたは罵り言葉をどうやって学んだのか、思い出してみてほしい。同年代の子どもからかもしれないし、もしかすると兄や姉からかもしれない。たぶん教師や権力のある大人からではないと思う。それから、時代はおそらく思春期だろう。つまり、言語的な影響の根源が保護者から仲間へと移行する段階だ。言語的イノベーションも似たようなパターンに従う。そのことに気づいた言語学者のヘンリエッタ・セーデルグレーンは、調査を行なった。彼女が調査対象に選んだパナマ市では、若者たちが「ch」を「sh」と発音しはじめていた。たとえば、「chica（女の子）」を「shica」という具合に³⁰。この新たな「sh」の発音を使っている年代をグラフにすると、16歳の使う率がいちばん高く、調査したなかでもっとも若い12歳よりも高かった。いちばん若い年代が取り入れていないということは、「sh」は現在流行中の最新の言語的イノベーションではないのだろうか？　10年後、彼女は検証のためにパナマへと戻った。以前、流行に乗っていなかった12歳児たちは、超がつくほどイノベーティブな22歳の若者へと成長していた。かつて流行の先端を行っていた16歳の若者たちが、26歳になった今でも10年前と同じ発音をしていたのに対し、元12歳児たちはいっそう高いレベルで新たな「sh」の発音を身につけていたのだ。さらに、そのときの16歳はいっそう進んでいて、12歳はそれより少し遅れているように

見えた。そこで、セーデルグレーンは、12歳児が言語的な成長の
途上段階にいるのではないかと考えた。10代を少しずつ駆け上がっ
ていくあいだ、少し年上でかっこいい先輩たちの言語の習慣をまね、
改良していき、そして20代に入ると成長が落ち着くのではないか、
と考えたわけだ。

　罵り言葉についていえば、12歳児も罵り言葉を使うには使うが、
16歳のほうがもっと使う、ということになるだろう。しかし、罵
り言葉は社会的にすごく目立つもので（誹謗中傷を罰する法律まであ
る！）、実はそれほど変化してはいない。罵り言葉の使用は思春期
にピークを迎え、成人してからの数十年間で停滞していく **31**。一
方、わたしたちが思春期に獲得する残りのおしゃれな言語学的特徴
（「boss」や「shica」などの新しい発音、「so」や「like」などの単語のイノベー
ティブな用法）は、大きな社会的タブーというよりは繊細な社会的認
識の例なので、大人になっても使われつづける傾向がある。

　この年齢曲線は、若者がソーシャルメディアを使いはじめる時期
を考えるうえで重要になる。ほとんどのサイトやアプリの利用規約
を真に受けるなら13歳だし、年齢を偽るユーザーが一定数いると
仮定すればもう少し下になるだろう。この年齢は、ティーンエイ
ジャーの言語が仲間の使うスラングから大きな影響を受ける年代の
始まりと重なる。確かに、幼い子どもはゲームをするし、映画も観
るし、ときには音声アシスタントに質問もするけれど、その社会生
活は相変わらず本人の家族や読解力を介して行なわれる。この仲間
の影響とソーシャルメディアへのアクセス開始の時期の一致は、若
者の最新の話し方とそのために使われるツールとのあいだに、関係
があるということを示している。しかし、どの世代も、親世代とは
ちがう話し方をする。でなければ、今でもみんなシェイクスピアみ
たいなしゃべり方をしているはずだろう。問題は、そのうちの何割

がテクノロジーの影響で、何割がどちらにせよ起こっていた言語の進化であるかだ。

　どうやら、そのふたつが並行して起こる、というのが答えのようだ。ジョージア工科大学、コロンビア大学、マイクロソフトの研究者たちは、2013年から2014年にかけてある都市のツイッター・ユーザーのあいだで大流行した一連の単語を用いて、人々がある単語を何回見た時点から使いはじめるのかを調べた[32]。予想どおり、相互フォローしている人たちは、お互いの使う単語をまねる傾向にあった。ところが、単語の種類によって、単語の覚え方に重要なちがいがあることがわかった。「cookout（バーベキュー）」「hella（超）」「jawn（やつ）」「phony（いんちき）」のような話し言葉でも使われる単語の場合、人々はインターネットの友達から学んだ単語を使うことがあったが、目にした回数はあまり関係なかった。一方、「tfti（←thanks for the information、情報ありがとう）」「lls（←laughing like shit、爆笑）」「ctfu（←cracking the fuck up、爆笑）」のような略語や、「inna（←in aまたはin the、〜のなかに）」「ard（←alright、大丈夫）」のような表音の綴り字など、話し言葉ではなく主に書き言葉で使われる流行語の場合、目にした回数がかなり重要だった。1回多く見かけるたび、使いはじめる可能性はなんと倍になるというのだ。研究者の指摘によると、話し言葉のスラングはオンラインとオフライン、その両方で遭遇するので、ツイッターで遭遇したケースだけを測定した場合、人によっては遭遇の半数以上を見落とすことになり、傾向がわかりづらくなる。でも、書き言葉のスラングはほぼオンラインでしか遭遇しないので、ツイッター調査だけでそうした遭遇の大半をカバーできるのだ。さらに、あなたと共通の友達がたくさんいる人脈広子さんが使っている新単語のほうが、あなたと共通の友達がまったくいない平々凡太さんが使っている新単語よ

りも、あなたが使いはじめる可能性は高いこともわかった。たとえ、あなたと凡太さんが、あなたと広子さんと同じように相互フォローしているとしてもだ。

　とはいえ、こうしたネットワークは、何もないところにいきなりポンと形成されるわけではない。人間は、自分と関心や人口統計的な層が似ている人々をまねようとするのだ。この点を実証したある研究では、2009年から2012年にかけてツイッターで爆発的に広まった数千単語の地理的な分布が調べられた。その結果、言葉は単なる地理的な近接性ではなく、人口統計的な類似性に基づいて、ひとつの都市から別の都市へと飛び地みたいに広まっていく傾向が判明した。なので、ワシントンDCとニューオーリンズ（どちらも黒人の割合が高い）、ロサンゼルスとマイアミ（ヒスパニック系の人々の割合が高い）、ボストンとシアトル（白人の割合が高い）で、スラングが広まることはあっても、その中間の都市に広がるとはかぎらないわけだ。たとえば、「af」（←as fuck、めっちゃ）という略語（例を挙げれば、「word maps are cool af（単語地図ってめっちゃ面白い）」など）は、2009年にロサンゼルスやマイアミでひっそりと使われはじめ、2011年から2012年にかけて、残りのカリフォルニア、南部、シカゴ周辺へと広がっていった[33]。このことから、ヒスパニック系の人々からアフリカ系アメリカ人へと広まっていったことがわかる。この調査はそこで終了しているけれど、さらに続けることもできる。実際、2014年と2015年、「af」という略語は、オンラインメディアのバズフィードの見出しに登場しはじめた[34]。この略語が、アフリカ系アメリカ人のかっこよさと結びつき、それを利用しようとする企業によって取り入れられた時期を示す、妥当な指標といってかまわないだろう。

　わたしたちが新しい単語を取り入れる可能性が特に高いのは、

なんらかのコミュニティに加わるときだ。言語学者のダン・ジュラフスキーらは、10年以上続くふたつのオンライン・ビール・コミュニティ「レートビア（RateBeer）」と「ビアアドボケート（BeerAdvocate）」のメンバーによる、400万件以上の投稿を調べた。在籍期間に応じた言葉の使い方の変化を確かめたかったのだ。その結果、古参のメンバーほど古いビール用語にこだわる傾向があり（たとえば、2003年加入のメンバーはビールの「アロマ」について語りたがった）、新参のメンバーほど新しいビール用語を早く取り入れる傾向があった（たとえば、2005年加入のメンバーは「S」（「smell（香り）」の略）という言葉を好んだ）[35]。この調査は、年齢と仲間集団が及ぼす影響を分析する面白い方法を提供している。この調査によれば、人々はライフスパン全体を3つに分けたとき、初めの3分の1の期間では、新しい語彙を進んで受け入れる傾向にあるという。そのライフスパンというのは、オフラインのコミュニティであれば80年間の生涯という意味かもしれないし、オンラインのコミュニティであれば3年間の利用期間を意味するかもしれないが、法則は変わらない。

　つまり、思春期に関して特別なのは、実は、流行り言葉への感受性ではないのかもしれない。むしろ、思春期とは、ひとつの集団全体がある社会集団へといっせいに加わる最後の時期である、という言い方ができるのだ。確かに、大人も定期的に新しい街へと引っ越し、新たな職につき、新しい趣味を始める。そしてそのたびに、新しい言語の影響を受ける[36]。しかし、みんながまったく同じ年齢で転職したり、親になったり、ビール好きの掲示板に参加したりするわけではないので、人生の後半に起こる言語の変化について研究するのは、より難しくなる。ただ、絶対不可能ではない。目の向けどころの問題なのだ。研究者はれっきとした社会の一部であり、社会の一員たるわたしたちは、家族方言に新しい用語を加える親や、新

しいビジネス用語を取り入れるビジネスパーソンよりも、ティーンエイジャーの使うスラングについて心配することが多い。もしかすると、わたしたちは誕生日ばかりでなく、新しい社会集団に加わる時期についても問うべく、人口統計的な疑問を見直すべきなのかもしれない。

　実は、ソーシャルメディアにネットワーク化された言語のパターンが見られるというのは、例外的な現象ではない。オフラインの人々も、ふつうは国勢調査員が定めた杓子定規で人間味のない人口統計的な分類がつくり出す像よりは、その友達に近いはずだ。ただ、それを測定する現実的な手段が今までなかっただけのことだ。かつて、市井の人々の友達や会話の相手についてネットワーク分析を行なうのは至難の業だった。4年間、フランスじゅうを自転車で走り回るほうがまだラクだと思えてくるくらいに。手始めに、典型的な言語調査を行なうことはできるけれど、それはほんの始まりにすぎない。人々に友達全員のリスト、知り合ってからの期間、会話の頻度を手作業でリスト化してもらったあと、その友達全員になんとか連絡を取って、調査する必要もあるのだ。しかし、それは単層ネットワークの場合にすぎない。友達、友達の友達、そのまた友達……というクモの巣状のネットワークを作成しようと思えば、同じステップを何度となく繰り返す必要があるだろう。社会科学者たちは、ときにそうした調査を行なってきた。実際、マサチューセッツ州にあるフレイミングハムという都市では、研究者たちが現時点で3世代にわたって数千人の健康や社会関係を追跡調査している[37]。とはいえ、ムリもないことだけれど、こういう調査がそうしょっちゅう行なわれるわけではない。何万人、何十万人が日夜生み出す単語となれば、調査するのは桁違いに難しくなるだろう。そこで、ツイッターが本領を発揮する。あなたのツイッター・ネットワークはあなたの会話

の相手と完全に一致するわけではないし、全員がツイッターを使っているわけでもないけれど、新しい単語はどう流行するのかという昔ながらの疑問に斬り込む新しい方法を、ツイッターが与えてくれることはまちがいない。

　ソーシャル・ネットワークに基づく言語の分析は、もうひとつ、昔ながらの人口統計的な分類を複雑にする。そう、ジェンダーによる分類だ。ジェンダーに関する従来の発見は、1417年から1681年までの6000通におよぶ英語の私信を分析した、ヘルシンキ大学のテルットゥ・ネヴァライネンとヘレナ・ラウモリン＝ブルンベリの研究にて証明されている[38]。私信はツイートと同じで編集によって標準化されていないので、貴重な資料になりうる。ところが、残念ながら、私信はツイートと比べてずっと数が少なく、しかも書き手が教養のある有閑階級に偏ってしまう傾向があるのが玉に瑕だ。それでも、当時の日常英語がどんなものだったのかを知る最高の資料であることに変わりはないだろう。言語学者たちはこの期間に起きた14種類の言葉の変化について調べた。たとえば、「ye」[▼11]の消滅、「mine eyes」から「my eyes」への変遷[▼12]、「-th」から「-s」への置き換え（「hath」→「has」、「doth」→「does」、「maketh」→「makes」）などである（本当にこんなことが起きたのね！）。すると、14種類の変化のうちの実に11例で、女性の書き方のほうが男性よりも早く変わっていたことがわかった。そして、女性よりも男性の変化のほうが早かった残りの3つの例外は、当時、男性のほうが教育を受けやすかったという事実と関連していた。つまり、口コミによる言語の変化という点では、女性のほうが確実に先を行っていたわけだ。

　ほかの世紀、言語、地域における研究でも、さまざまな都市や地

▼11　you の古い形。
▼12　現在の my は母音および h の前では mine と綴られていた。

域における何十種類という特定の変化において、言語の変化をリードしているのは女性であるという事実が発見されつづけている[39]。また、若い女性たちは常に、語尾を上げるしゃべり方（特徴的な尻上がりイントネーションってやつ？）から、そのあとに引用が続くことを表わす「like」の使い方（「And then I was like, 'Innovation'（それでわたし、言ったのよ、「イノベーション」って）」）まで、折に触れてメディアのトレンド・コーナーを席巻するような言語の変化の最先端を行っている[40]。今や、若い女性が言語の変革者として果たす役割は、この話題について研究する言語学者にとってはあくびが出るくらい、明確に実証されている。著名な社会言語学者のウィリアム・ラボフは、1990年に記した論文で、言語の変化の9割は女性がリードしていると推定した[41]。わたしは母音や語彙の変化に関する社会言語学学会の講演に何回か出席したことがあるけれど、毎回、この事実についての説明はせいぜい1文でサラッと終了するケースばかりだった。「そして、お察しのことと思いますが、この変化は、男性よりも女性のほうが進んでいます。さて、次のスライドにまいりますが……」という感じで。実際、男性は1世代ほど遅れを取る傾向がある。女性が仲間から言語を学ぶ傾向があるのに対して、男性は母親から学ぶ傾向があるからだ。

　この明白な事実と比べてはっきりとしないのは、その理由だ。これまで、さまざまな説が提唱されてきた[42]。いまだに調査対象の社会の多くで、女性が圧倒的に子どもの面倒を見ているから。女性のほうが、相対的な経済力不足を補うため、あるいは社会的な流動性を高めるために、言語に注意を払おうとするから。女性のほうが社会的なつながりが強い傾向にあるから……等々。しかし多くの場合、ジェンダーは年齢と同じで、わたしたちの交流のしかたと関連する別の要因を代理しているにすぎないようだ。

　いくつかのインターネット調査によって、ジェンダーと社会的状況とを区別する重要性が浮き彫りになった。言語学者のスーザン・ヘリングとジョン・パオリッロが行なったある調査では、ブログの書き方が分析された [43]。一見すると、ブログの言葉遣いには厳然たるジェンダーの差があるように見えた。ところが、もういちどよく分析してみると、実際に存在していたのはジャンルの差だということがわかった。男性はテーマに基づくブログを書く傾向があり、女性は日記風のブログを書く傾向があったのだ。当然、それぞれのジェンダーにもっとも典型的なジャンルを選ぶ人々ばかりではなかったけれど、各ジャンルの内部で比較をしてみると、当初見られた「ジェンダー」の差はなくなった。

　もうひとつ、1万4000人のツイッター・ユーザーの文例を分析した別の調査がある [44]。ユーザーの名前を国勢調査データと照らし合わせ、ジェンダーを推測したところ、一見すると言葉遣いに明確なジェンダーの差があるように思われた。たとえば、女性特有の名前を持つ人々は顔文字を使う傾向が強く、男性特有の名前を持つ人々は罵り言葉を使う傾向が強かった。ところが、もう一歩踏み込んで調べてみると、人々がもっともよくツイートする単語が、スポーツ好き、ヒップホップ好き、子を持つ親、政治好き、テレビや映画好き、テクノロジー好き、読書好きといった十数種類の興味関心を持つ集団へと、自然に振り分けられることがわかった。確かに、こうした集団の多くにはジェンダーの偏りがあったものの、それは絶対的なものではなく、年齢や人種といったほかの人口統計的な要因とも明確に結びついていた。ときには、ジェンダーの規範とまるきり逆行する集団もあった。たとえば、全体で見れば男性のほうが罵り言葉を使う傾向が強かったのだが、男性中心のテクノロジー好きのグループは、あまり罵り言葉を使わなかった。たぶん、テクノロ

ジー好きの人々は、職場の延長としてツイッターを使っていたから
だろう。個人のレベルで見ると、人々はジェンダーよりもむしろ所
属集団の規範に従う傾向にあった。スポーツ好きの集団に属する女
性や子煩悩な親の集団に属する男性は、「平均的な女性」や「平均
的な男性」よりも、むしろ同じスポーツ好きや子煩悩な親たちとよ
く似たツイートをしていたわけだ。さらに、分析の対象を、国勢調
査データでジェンダーに明確な偏りがある名前のアカウントだけに
絞ることによって、男性か女性かの二元的な見方を複雑にするよう
なユーザー、つまり男性とも女性とも自認していない人々や、国勢
調査で男性とも女性とも判別できないユーザー名を意図的に選択し
た人々を、厳密に除外することができる。

　オフラインのエスノグラフィー▼13調査もまた、ネットワーク要
因の重要性を浮き彫りにした。言語学者のレズリー・ミルロイは、
北アイルランドの都市ベルファストのいくつかの労働者階級の地域
で、言語の変化に関するかなり標準的な調査を行なっていた。多く
のコミュニティと同じように、言語の変化をリードしていたのはや
はり若い女性たちだった。この例の場合、「car（自動車）」の母音
の発音が「care」に近い音へと変化していた45。この母音の発音は、
北アイルランドのほかの地域では一般的だが、そのコミュニティで
は目新しく、その発音を地域へと持ち込んでいたのが若い女性たち
だったのだ。不思議なのは、彼女たちはどうやってそんな発音を身
につけたのか、という点だった。ミルロイから親しくしている人々
をたずねられた女性たちは、自分と同じ地域で暮らす友達、家族、
同僚ばかりを挙げた。その地域のほかの人々には、まだ母音の変化
は起きていなかったというのに、これはいったいどういうわけだろ
う？

▼13　フィールドワークによって行動観察を行い、その記録を残す、民族学や文化人類学などで使われている研究手法。

　その後のジェームズ・ミルロイとの共同の論文で、ふたりは言語の変化を、強いつながりと弱いつながり▼14 という社会科学の別の概念と関連づけることにより、その理由を解き明かした 46。強いつながりとは、一緒にいる時間が長く、親しみを感じ、共通の友達が何人もいる人々のことだ。一方、弱いつながりとは、共通のつながりを持つ場合もあれば持たない場合もある知人のことだ 47。ベルファストの調査の場合、流行に敏感なアーリーアダプター・タイプの若い女性たちは全員、すでに新しい母音の発音が広まっている都心の同じ店舗で働いていた。都心に親しい友達はいなかったものの、店の顧客たちと弱いつながりがあった。そのため、地域の外で働いていない地元の若い男性と比べると、新しい母音に触れる機会が多かっただろう。

　弱いつながりのほうが、あなたとまったく同じことをすでに知っている親友よりも、ゴシップや雇用機会などの情報源になりやすいのと同じように、言語の変化も促すのではないか、とふたりは考えた。実証のため、ふたりは英語とアイスランド語の歴史を比較した 48。英語とアイスランド語はゲルマン語の共通祖先を持ち、1000 年前はまだ、古英語と古ノルド語（当時話されていた古アイスランド語の祖先）は、多少なりとも相互理解が可能だった。ところが、そこから両言語の歴史が枝分かれしていく。これまで、アイスランド語はほとんど変化していない。21 世紀のアイスランド語の話者は今でも、古アイスランド語で書かれた13 世紀のサガ▼15 をそれほど難なく読める。一方、英語は大きく変わった。わずか4 世紀前のシェイクスピアくらいなら、脚註があればまだなんとかなるけれど、6 世紀前の『カンタベリー物語』となるともうお手上げだ。理解するのに、

完訳または中英語の手ほどきが必要になる。つまり、厳密には古アイスランド語ではなく古英語で書かれているにもかかわらず、英雄譚『ベーオウルフ』の読み方を学ぶには、アイスランド語の話者のほうが現代の英語の話者よりも有利なわけだ。

　明らかに、英語は同じ期間でアイスランド語よりも急速に変化してきた。その理由は弱いつながりにあるのではないか、とふたりは説く。アイスランドについてぜひ知っておくべき事実があるとしたら、それはコミュニティの結びつきがものすごく密であるということだ。アイスランド人の名字はいまだに父親（ときには母親）の名に基づいているが、この制度は、会う人のほとんどが家族の知り合い、という社会では理にかなっている。広い親戚たちの名を名乗るというこの傾向は、はるか昔のサガまでさかのぼる。全員がお互いに知り合いだとしたら、新たな言語形態の源泉は突然変異しかない。言葉を借用するような弱いつながりが、そもそも存在しないからだ。

　一方、英語には、歴史を通じて弱いつながりの大きな源泉がいくつかあった。デーン人やノルマン人による侵攻。一攫千金を求めて故郷を離れ、ロンドン、そしてのちにはほかの大都市へと移住する伝統。帝国の拡大。確かに、英語圏にも全員が全員の親類を知っている小さくて密なコミュニティは存在するけれど（わたしは今でも、親戚の集まりでは両親や祖父母の名前を出して自己紹介する）、雑踏にまぎれたり、接点のない３つの友達グループと並行してつき合ったりできるような大都市もたくさんある。さらに、本章の冒頭の地図研究からもわかるとおり、英語の場合、より多くの言語の変化を生み出すのは、そういう緩いつながりのある大都市なのだ。

　しかし、弱いつながりだけが、言語の変化の唯一の要因ではない。実際、わたしたちはフランスの村であれ、デトロイトの勝ち組グループであれ、家族方言であれ、所属する社会集団の人たちと似たよう

な話し方をすることもわかっている。どれも強いつながりの例だ。となると、強いつながりと弱いつながり、その両方がわたしたちの話し方に影響するというのは、いったいどういうわけなのだろう？　そして、いくつかの変化が進行するのに十分な時間、たとえば数世紀のあいだ、膨大な人数について、誰が誰になんと言うのかを正確に描き出す方法なんてあるだろうか？　そのためには、自転車の旅だけでは足りない。タイムトラベルが必要だ。

　言語学者のジュジャンナ・ファギャルらは、コンピューター・シミュレーションを用いて両方の疑問を解決した[49]。彼女らは、架空の900人の人々と4万回の変化のステップからなるネットワークを構成した。それぞれの人は、ネットワーク内のほかの人々と一定数のつながりを持ち、最初に架空の言語的特徴を示す値がランダムに割り当てられた。たとえば、あなたは学校で水を飲む施設のことを「冷水機」と呼ぶけれど、隣の人は「水飲み場」と呼ぶかもしれない。次に、各ステップにつき、それぞれの人が自分とつながっている相手から一定の確率で言語的特徴を受け継ぐものとする。たとえば、友達が「水飲み場」という呼び名を使うのを聞いて、あなたも「水飲み場」と言いだすかもしれない。そのとたん、その呼び名はあなたのものとなり、次のステップで、あなたとつながっている人々が一定の確率でその呼び名を受け継ぐことになる。彼女たちは3種類のネットワークで、この変化のプロセスを4万回繰り返した。あるネットワークは、全体が密なつながりのみで構成されていて、全員がネットワークの残りの全員と密接につながっていた。この密なネットワークは、アイスランドさながらにふるまった。つまり、ある言語的な選択肢が一気に広まり、しかも残りのシミュレーション中、ずっと完全な優位を保ったのだ。もうひとつのネットワークは、全体が弱いつながりのみで構成されていて、密接なつながりが

いっさいなかった。この緩いネットワークは、旅人の世界さながらにふるまった。つまり、すべての言語的な選択肢が残り、どれひとつとして優位にはならなかったのだ。しかし、いちばん興味深かったのは、密なつながりを持つ「リーダー」と、つながりが薄い「一匹狼」が混在する第三のシミュレーションだった。この混在型ネットワークは、英語さながらにふるまった。つまり、ある言語的な選択肢がしばらく流行しても、ほかの選択肢が途絶えたりはせず、しばらくしてそのなかのひとつの人気に火がつく、というサイクルが何度も繰り返されたのだ。この結果から、彼女たちは、強いつながりと弱いつながりの両方が言語の変化において重要な役割を果たすのではないか、と結論づけた。弱いつながりがまず新しい言語形態をもたらし、そのあとで強いつながりがその形態を広める、という形で。

　その点、インターネットは弱いつながりを多く生み出すので、言語の変化を早める。もう二度と会わないような人々ともつながっていられるし、ほかの場所なら出会わなかったような人々と知り合える。ハッシュタグや面白動画が爆発的に広まる現象は、弱いつながりが持つ力の例だ。同じものが強いつながりのみを通じて共有されたとしても、仲間内の冗談で終わるだけだろう。さりとて、インターネットは強いつながりの崩壊をもたらすわけでもない。平均的な人々には、定期的にメッセージを送る相手が何人か（数え方によって4人から26人）いる[50]。さらに、どちらかというと密につながった相手、つまりもともとの知り合いや友達の友達との交流を促すSNSサイトは、言語学的にいうとあまりイノベーティブとはいえない傾向がある。そう、赤の他人のフォローを促すツイッターのほうが、主に旧知の人々とのつながりを促すフェイスブックよりも、言語的イノベーション（そしてもちろん、ミームや社会運動）を生み出

しやすいというのは、決して偶然ではないのだ。

　しかし、地理的条件、人口統計、そしてネットワークでさえも、決して最後通告ではない。住む場所や交流する相手はもちろん、対話の相手からどれくらい影響を受けたいのか、つまり言語的な意味で誰みたいになりたいのかは、ある程度自分の意志で決められるのだから。

考え方

カナダについてのまとめ記事を書くとしたら、あなたは見出しにどんな表現を使うだろう？　もしかすると、「from Eh to Zed（エーからゼッドまで）」▼16 なんてキャッチフレーズを思いついたかもしれない。だとしたら、あなたはひとりではない。この表現は、3冊の本のタイトル51、Tシャツやユーチューブ動画、スポーツからこの言葉自体にいたるまでのあらゆるニュース記事に使われている。しかし、多くのカナダ人でさえ知らないのは、カナダの子どもたちの多くが、この最後のアルファベットを「ゼッド」ではなく「ズィー」と発音するという事実だ。ふつう、親のあいだでだけよく使われ、子どもたちのあいだでは使われない単語や構造を発見した言語学者は、その単語が次の世代ではおじいちゃんやおばあちゃんっぽい古風な単語となり、やがて死語になると結論づける。実際、カナダでは、ソファを表わす単語にまさしく同じことが起きている。「chesterfield」という単語はもう何十年間も衰退の一途をたどっていて、今では「couch」が優勢になっているのだ。

▼16　「初めから終わりまで」という意味の「from A to Z」を音声表記したもの。カナダではZを「ズィー」ではなく「ゼッド」と読むため、この表記になっている。

　しかし、「ゼッド」のほうはというと、かなり奇妙なふるまいを続けている。言語学者のＪ・Ｋ・チェンバースは、1970年代にカナダの12歳児を調査した結果、子どもたちの３分の２が「ズィー」と発音していることを発見した。ところが、1990年代にもういちど同じ人々を調査したところ、その大多数が大人になってから「ゼッド」という発音を使うようになっていたのである。同じような変化は、その後の世代でも見られた。彼は、子どもたちがＡＢＣの歌や『セサミストリート』のようなアメリカの子ども向けテレビ番組から「ズィー」という発音を学ぶのだが、成長するにつれて、「ゼッド」がカナダのアイデンティティと結びついていることを知り、発音を切り替えるのではないか、と考えた。実際、「ゼッド」という発音は、アメリカからカナダへの移民が話し方を変える最初のポイントのひとつだ。「なぜなら、『ズィー』と発音するたび、会話の相手からまちがいなく指摘を受けるからだ」とチェンバースは述べた [52]。

　わたしがこの現象について初めて知ったのは、18歳のころ、オンタリオ州キングストンでカナダ英語に関する言語学の授業を受けたときだった。数ある方言地図や調査手法のなかでこの現象が強烈にわたしの心に響いたのは、わたし自身の経験とぴったり重なったからだった。幼いころ、わたしはＡＢＣの歌の最後のアルファベットを「ズィー」と発音していたけれど、中学生ごろから、必ず「ゼッド」と発音するようになった。しかも、わたしはそれまでの自分を少し恥ずかしいと感じて、必死で忘れよう忘れようとした。そもそも、カナダ人らしくない「ズィー」なんて最初から使わなきゃよかった、といつも後悔してばかりだった。このことに気づいたとき、わたしは母親に「アルファベットの最後の文字をなんて読む？」と訊いてみた。母親が「ゼッド」派だなんてぜんぜん知らなかったけれど、どうやらわたしが生まれるずっと前、「ゼッド」派に改宗したらし

い。Ζの発音を「ズィー」から「ゼッド」に切り替えたのと時を同じくして、わたしは必ず「center」や「color」ではなく「centre」や「colour」といったカナダ綴りを使うようになった。誰にそう指図されたわけでもないけれど、まさしくチェンバースのいうような社会的なアイデンティティ意識から、意図的にそうすることを選んだのは覚えている。当時、言語的な愛国心を獲得するというのは、世の中の流れに従うこと、つまり親や教師の一般的な用法に従うことだった。大人になってからも、わたしは特にインターネットで、ひとつは習慣から、そしてもうひとつは流れに逆らうという意味か・・ら、投稿やメッセージでカナダ綴りを使うようにしている。それは、私なりのささやかな反抗心といっていい。あまりに多くのドロップダウン・メニューがそうであるように、インターネット上のすべての英語話者が「アメリカ英語」か「イギリス英語」のどちらかにぴったり二分される、という固定観念に、どうしても一石を投じたくて。

　誰しも、こうした言語の判断を年じゅう行なっている。自分を上流階級、知的、有望な人材に見せるため、偉い人たちの話し方に合わせることもあれば、自分が仲間であることを示したり、自分をおしゃれ、反権威主義、フレンドリーに見せたりするために、下層集団に従うこともある。

　言葉遣いの差を生み出す社会的な要因について調べた、もっとも伝説的な調査といえば、なんといっても、母音の直後のＲを落とすニューヨーク訛りと社会階級との関係に関するものだ。1962年11月、言語学者のウィリアム・ラボフは、ニューヨーク市のいろいろな百貨店を訪れては、4階にあるとわかっている場所（たとえば靴売り場）を店員にたずね回った。店員が「fourth floor」または「fawth flaw」[17]と答えると、彼は聞こえないふりをして、店員

▼17　fourth（4番目）やfloor（階）のrの音を落とし、そのまま伸ばした発音を表記したもの。

によりじっくりと回答を繰り返させた。その後、言われた方向に向かうのだが、靴は買わない。店員の視界からはずれたところで、ノートを取り出して、店員が「fourth」や「floor」のRの音を発音したかどうかを記録するというわけだ。案の定、高級百貨店「サックス・フィフス・アベニュー」の店員は中流階級向けの百貨店「メイシーズ」の店員よりも、「メイシーズ」の店員は格安百貨店「クライン」（現存しない）の店員よりも、Rを発音する傾向が高いことがわかった。また、最初に答えたときよりも、訊き直されてゆっくりと答えたときのほうが、Rを発音する傾向が高かった。でも、小売店の店員の給料では、サックス・フィフス・アベニューで買い物することなんて難しい。つまり、店員たち自身は、3つのどの店舗で働いているにせよ、似たような階級の出身だったのだ。むしろ、発音の差を生み出していたのは、店員たちが持つ顧客への意識だった。ただし、彼は念には念を入れて、まったく同じ服装で3つの店舗を訪れたという。「わたしは上着に白いシャツとネクタイという中流階級らしい服装をして、わたしの普段の発音、つまり大学教育を受けた生粋のニュージャージーっ子（Rあり）の発音を用いた」と彼は報告している[53]。彼がもっと高級な服装か粗末な服装だったら、発音の差はもっと広がっていたかもしれない。

　とはいえ、上流階級らしい発音や下層階級らしい発音というのは、いったいどこから来るのだろう？　ニューヨーク市の場合、Rを落とす発音はどちらかというとあまり評判がよいとはいえない。ボストン英語、アフリカ系アメリカ人の英語、南部アメリカ英語など、アメリカの多くの英語の特徴でもあるのだが、メディアでは受けが悪い。実際、アメリカで「訛りが消えた」というときは、「fourth floor（4階）」などの単語でRをきちんと発音するようになった、という意味であることが多い。

　しかし、大西洋の反対側に渡り、たとえばハロッズ、デベナムズ、ポンドランドなどのイギリスの百貨店で同じ調査を行なったら、正反対の結果になるかもしれない。最高級の百貨店であるハロッズの店員なら、Ｒなんてまったく発音しないだろうし、ほとんど全品１ポンドで買えるポンドランドの店員なら、ブリストルやサウサンプトンなど調査する都市を慎重に選べば、Ｒを発音するかもしれない。Ｒを発音する英語は、スコットランドや北イングランドを含めたイギリス各所で見られるけれど、ロンドンやＢＢＣでは好まれない [54]。現実のフランス語やドイツ語の話者が、語学の教科書に出てくる見本みたいな会話文とまったく同じような話し方をするわけではないのと同じで、英語の話者のみんながみんな、本やメディアに出てくるような文章を話すわけではない。アメリカとは逆に、イギリスで「訛りが消えた」というときは、「fourth floor」などの単語でＲを発音しなくなった、という意味であることが多いのだ。

　当然、Ｒに責任があるわけではない。Ｒはただの無害な子音で、人間のくだらない争い事に巻き込まれたいなんてつゆほども思ってもいない。むしろ、原因は、わたしたちがいろいろな状況でＲに付加する意味合いにある。状況によって、「青」がスポーツチーム、冷水設定、ハイパーリンク、ピカソの青の時代 [▼18]……等々を表わすのと同じで、Ｒ自体によいも悪いもない [55]。Ｒの意味、そしてＲの音を持つ（または持たない）訛りの意味は、社会によって形成されるのだ。それで昼食が買えるかどうかが決まるまで、お金が紙面やデジタル画面の上の不規則な模様にすぎないのと同じで、仕事が得られるかどうか、靴売り場の場所を教えてもらえるかどうかが決まるまで、言葉は単なる筋肉の収縮にすぎない。明日、みんなが目を

[▼18]　画家パブロ・ピカソが、青や青緑といった暗い色彩によって死や貧困といったテーマの作品を立て続けに描いていた時期のこと。

覚まして、どの母音の後ろにも R をつけたほうが美しい響きになると思えば、そうなってもおかしくはないのだ。

　しかし、ふつうは、みんなが目を覚ましたとたん、R についての考え方を改める、なんてことは起こらない。むしろ、わたしたちはまわりの人々や権力構造から、言語に関する社会的な手がかりを拾う。先ほど英語とアイスランド語における社会的ネットワークの比較のところで紹介したジェームズ・ミルロイは、その権力構造の明確な例をひとつ挙げている。ある言語の物語についていえば、ほかのどの分野でもそうだが、歴史は勝者によって綴られる。ミルロイは、H.C. ワイルドという有力な英語史家の 1927 年当時の典型的な考え方について詳述している。「彼は研究対象として価値があるのは容認標準英語だけだと言って譲らなかった。『オックスフォード大学の談話室や将校の集会所』で使われる言語こそが、研究にふさわしい対象であり、『読み書きのできない農夫』の言語はふさわしくない、と 56」。タイムマシンがあったら、当時に戻ってこんなエリート主義にパンチを食らわせてやりたくなる。

　とはいえ、ワイルドが最初の言語的なエリート主義者というわけではなかった。その前にはエリートのつどうオックスフォード大学の談話室があり、その前にはフォロ・ロマーノ▼19 があった。道路、水道、軍隊において他の追随を許さなかった古代ローマの人々は、書き言葉の遺産も遺した。古代ローマ帝国崩壊から 1000 年以上ものあいだ、教養ある人々はこぞってラテン語を学んだのだ。正式な書き言葉がラテン語から英語に変わりつつある時代、英語の作家になることには、必然的に自己嫌悪がついて回った。つまり、英語をラテン語に近づければ近づけるほどよかったのだ。広く使用されることとなる英語の文法書を 1762 年に記したロバート・ローズは、

▼ 19　古代ローマ帝国の市民生活の中心だった広場。集会や裁判が行なわれ、公会堂や神殿もあった。

シェイクスピア、ミルトン、欽定訳聖書などの偉大な英語書物のいわゆる文法ミスの例を収集した。それも、英語文法が今のままで問題ないのかもしれないという証拠としてではなく、こうした偉人たちでさえラテン語をおろそかにしていたという訓話としてだった。

　まるで、誰がいちばんルールに厳格であるかを競う競争のようだった。実際、ローズは語末の前置詞に対する初期の警告を発している。「これはわれわれの言語がひどく陥りがちな表現法である。日常会話には浸透しており、おなじみの文体にもよくなじむが、関係詞の前に前置詞を置くほうが美しく、同時に明快でもある。また、厳粛で高尚な文体にずっと合致する [57]」。彼自身は、語末の前置詞に完全に反対だったわけではない（実際、彼自身が先ほどの文章で使っている[20]）。単なる美的な好みといったところだろう。ところが、後世の文法学者たちは、この好みを完全な規則にまで昇華させた。そして、同じくらいもっともらしい論法で、それまで何世紀にもわたって英語で使われてきた、分離不定詞[21]や単数を表わす「they」にも異を唱えた。同じく、「dete（負債）」「samoun（鮭）」「iland（島）」といった単語に、発音されない余分な文字を追加するというのも、ラテン語崇拝の産物だ。「debt」「salmon」「island」のほうが、ラテン語の「debitum」「salmonem」「insula」に近いからだ。「island」が実はラテン語由来でないという事実や、学童たちが余計な苦労をすることなどおかまいなしだ。世界にはスペリング大会が開けない言語がたくさんある。スペルのシステムがあまりにも論理的にできていて、まちがえようがないからだ。英語の話者からすれば夢みたいな話だ！

　自分たちの言語の形態を別の言語の形態で置き換えなければ、と

▼20　「これはわれわれの言語がひどく陥りがちな表現法である（This is an Idiom which our language is strongly inclined to）」という文章が、前置詞の to で終わっていることを指している。
▼21　不定詞の to と続く動詞とのあいだに副詞を入れる形。たとえば、to boldly go（果敢に突き進む）など。

いう強迫観念に駆られた文法学者たちの自己嫌悪感の深さには、つい同情しそうになる。ただ、そんな彼らが今のわたしたちにまで影響を及ぼしたということを考えると、そんな気も消え失せてしまう。彼らの思惑は文法面では完全に成功したとはいえなかった。話し言葉の面では特にそうだし、熟練した作家たちのなかには、自分自身の耳を信じ、あえて規則を破る人もいた。それでも彼らは、文章を書くときの漠然とした不安感をわたしたちに残すことには成功した。どんなに長く文章を書きつづけたとしても、ほとんどの人は、これが正しい英文にちがいない、という自分自身の第一感を信じ切れずにいる。そう、わたしたちは、いまだに見当違いな文法学者たちの亡霊に取り憑かれているわけだ。

　確かに、現代の言語学はその先へと進み、現代の文章マニュアルは少なからぬ熱狂をもって、ラテン語化という分厚いメッキを剥がしつつある。その一方で、新たな形の言語的な権力者が、わたしたちのデジタル機器上に姿を現わした。スペルチェック、文法チェック、オートコンプリート、音声文字起こし……。こうしたツールは、どこかの誰かが考える英語の規則を、問答無用でわたしたちに押しつけてくる。いわば、逆らうことはできても避けては通れない、見えざる権力者みたいなものだ。ローズやストランクとホワイトの文章ハンドブック[22] が気に入らなければ、部屋の向こうに放って、ずっと埃をかぶらせておくこともできるけれど、モバイル機器の入力予測モデルに存在しない単語を入力したければ、1文字ごとに格闘するはめになる。歴史言語学者のアン・カーザンは著書『Fixing English（未）』で、マイクロソフト・ワードの文法チェックが、ラテン語に基づく疑わしい文体のアドバイスを永続させていると説明

▼ 22　ここで述べられている文章ハンドブックというのは、ウィリアム・ストランクと E.B. ホワイトの共著『英語文章ルールブック』のことで、20 世紀後半に絶大な影響力を誇った。

している。そして、彼女の英語学部の同僚たちは、緑色の波線▼23 を無視したり、オフにしたりするくらい文章力には自信があるのに、そうした文法のアドバイスの出所をいちども気にしたことがなかったという。言葉の権威主義に疑問を呈することで生計を立てている英語教授たちでさえ、見えざる電子の文法学者の出所に疑いを抱かないとしたら、わたしたち一般人にどんな望みがあるっていうの？

　言語の特徴というのは、計算機の特徴とはちがって完全に中立的なわけではない。第一、「標準」語や「正しい」綴りというのは集団的な合意であって、永久不変の真理ではない。ときとして、集団的な合意が変化することだってあるのだ。わたしたちをよりおおぜいの人々と結びつけるコミュニケーション・ツールは、新しい単語の広がりを加速させる可能性もあるが、その一方で、わたしたちの言語力の助けになるはずのツールは、デバイスにあらかじめプログラミングされた言語へとわたしたちをさりげなく導くことにより、言語の自然な進化を遅らせる可能性も秘めている [58]。

　わたしの名字がいつもまちがって綴られるのは、絶対にスペルチェックのせいだと思う。わたしの名字「McCulloch」（マカロック）の綴りは、デフォルトではスペルチェックに含まれていないけれど、瓜二つの名字である「McCullough」（マカロー）は必ず含まれているので、コンピューター上でわたしの名前を綴りまちがえた人は、必ずスペルチェックが提案するほうに直してしまうのだ。逆に、わたしの名前「Gretchen」（グレッチェン）を手書きするとき、綴りをまちがえる人はたまにいるけれど、スペルチェックが使える状況では決してまちがいは起こらない。まるで、わたしの名前は2種類のデジタル市民権を持つみたいだ。そう、コンピューターに認められた市民権と、拒絶され

▼23　マイクロソフト・ワードで、文法ミスと思われる箇所の下に表示される記号。

た市民権を。この状況は、わたしの名前がドイツの名とスコットランドの姓からなることを考えると、比較的無害にも思えるけれど、オートコレクトやオートコンプリートに含まれる名前を調べれば、きっと典型的な英語の名前は十分に網羅されていて、ほかの言語の名前はあまり網羅されていないはずだ。これは社会的なレベルでいえば、有力な人々や名前をいっそう強化する、テクノロジーを通じたバイアスの洗浄（ロンダリング）の一種といえなくもない。

　コンピューターのデフォルトの綴りは、そのあまりの強力さゆえ、1990年代以降のイギリス英語に変化をもたらした。アメリカ英語では、「organize（組織する）」や「realize（気づく）」などの単語で、zを使うことが好まれるが、イギリス英語では、伝統的に-iseと-izeの両方の綴りが使われてきた。ところが、スペルチェッカーは、設定をイギリス英語にすると、同一文書内に同じ単語の2通りの綴りが混在するのを防ぐために、毎回「organise」や「realise」に修正しようとする。その結果、文章を書くイギリスの一般大衆のあいだで、-iseという語尾の使用が急増し、-izeという綴りはアメリカ英語専用だ、という認識が広まってしまった**59**。

　そういうわけで、伝統的なラテン語崇拝にこだわるのは、わたしが完全に文法的な無政府主義を貫くと決めるのと同じくらい、極端な政治的判断なのだということを深く自覚しながら、わたしはこの本を書いている。特に、書籍からツイートまであらゆる情報が、その当時にある用法がどれくらい一般的だったのか、どれくらい容認されていたのかを証明するため、後世になって掘り返されかねない時代においては、こういう物事についてはっきりさせておくことは大事だと思う。もちろん、わたしはあなた、つまり読者の方々のためにこの本を書いているのだが、別の意味では、まばたきひとつしない「データ」の目のために書いているともいえる。これから生ま

れてくる誰かが、この10年間の英語を分析したとしよう。本書の最大の遺産が、その分析のなかに出てくる折れ線グラフの点の微妙な変化だとするなら、わたしはその点をどの方向へと向けようとしているのか、はっきりとさせておきたいのだ。何人かの編集者や辞書編纂者を見ていて気づくのは、わたしたちがある種の無限ループに閉じ込められているということだ [60]。辞書や文章マニュアルは、「標準」英語とは何かを決めるために、編集済みの散文を参照しているのだが、そうした散文の作り手たちはといえば、編集時に同じ辞書やマニュアルを参照している。そう、相手が先に動くのを、お互いが待っているわけだ。そこで、わたしは、選択の余地があると思ったときには毎回、よりイノベーティブな方向を選んで、このバイアスをわたしなりに是正したいと思った。編集済みの英語の散文が今世紀末までにはきっとこうなるだろう、と思うような方向性を選び、過去の読者ではなく未来の読者のためにこの本を書こうと決めたのだ。わたし自身、データを読み解く者、分析する者として、英語という言語を俯瞰的に見つめ、わたしたちが英語の物語の始まりや終わりでなく、真っ只中にいることに気づくたび、いつもワクワクさせられる。22世紀の人々がどんな英語を書いているのか、それは知る由もないけれど、わたしには20世紀にいつまでも居座りつづけるのではなく、未来の言語学者たちに21世紀の英語の幅広い断面図を見てもらう責任があると思うのだ。

　そのため、わたしは「internet（インターネット）」のような単語や、「lol」「omg」のような社会的な頭字語を小文字で書き、「e-mail」の代わりに「email」と書くことを選んだ。また、そのほかの綴りを判断するときは、用例マニュアルで採用されている綴りではなく、「Corpus of Global Web-Based English（ウェブベースの世界的な英語コーパス）」や、一般の人々のツイートでより一般的なほ

うの綴りを調べた。その結果、多くの複合語▼24はひと続きで書くことになった。ちなみに、本書の執筆中、AP通信は「Internet」という表記の代わりに「internet」を推奨するようになった。なので、わたしが本書で行なっている同様の判断は、10年もしないうちに当たり前になっていると思う。一例として、かつてIが小文字の「internet」▼25と表現されていたものについては、「networked computer（ネットワーク・コンピューター）」というレトロニム▼26を採用した。また、「インターネット」と「ワールド・ワイド・ウェブ」の区別にはこだわらず、「ウェブサイト」で通すことにする。若いユーザーや一般のユーザーにとっては、両者の区別はもはや存在しないからだ。さらに、今となっては時代遅れな響きのある「the Web（ウェブ）」や「the Net（ネット）」という表現もまるまる避け、「サイバースペース」も面白おかしい歴史的用例としてのみ用いた。また、相対的な時間基準よりも、絶対的な時間基準のほうをかなり多めに用いた。何かが成り立つとわたしが考えるのは、21世紀初頭のことなのか、2010年代のことなのか、特定の年のことなのか？　それを明確にしておきたいからだ。「今」や「現在」という言葉を使うと、執筆時期を割り出すために、読者のみなさんがそのつど著作権情報のページを開いて、出版年から1年や2年を差し引かなければならなくなってしまう。わたしはほかの文献を読むときに何度となくそういう経験をさせられてきて、もうこりごりなのだ。それから、単数の「they」は自由に、分離不定詞は必要に応じて使い、他者の引用に見られる綴りや印刷上の選択は尊重したが、その他の面では、

▼24　girlfriendやcheckinなどのようにふたつ以上の語幹からなる単語で、ひと続きで綴られる場合と、スペースやハイフンで区切られる場合がある。

▼25　もともとはinternetworkの略で、世界規模のネットワークではなく、インターネット・プロトコルを用いて通信し合う任意の規模のコンピューター・ネットワークを指していた。

▼26　ある言葉の意味が広くなった場合に、その言葉の古いほうの意味をことさら指すために使われる新しい言葉。たとえば、デジタル時計が登場した際、従来からあるほうの時計をアナログ時計と新たに呼ぶこと。

書籍において一般的な綴り、大文字小文字の区別、句読記号を守り、苦渋の決断ではあるけれど、わたしがいつも使っているカナダ風の綴りはアメリカ読者向けに改めた。ただし、インターネット上では流行っているとはいえ、Facebook（フェイスブック）、Twitter（ツイッター）、YouTube（ユーチューブ）などのインターネット企業やプラットフォームの名前を、小文字で書くことはしなかった。

　先ほどいろいろと批判は述べたけれど、わたしはそれでもスペルチェックと入力予測を使っている。ほとんどの場合はすごく役立つからだ！　「necessary（必要）」のcとsの正しい数や、「iはeの前」という法則の例外▼27 を覚えておく必要がないので、まちがいなく貴重な脳細胞の節約になるし、小文字の「internet」のような例外的な単語は、わたしの携帯電話に辞書登録しておけばすむ話。一方で、そもそもそんな物事をいちいち気にしない世界ってどんなだろう、と思ったりもする。言語学的な視点からいえば、言語に貴賤なんてない。どの言語や方言も、人間が種として生まれ持った驚異の言語能力の等しい顕われなのだ。群れでの序列が低いからといって、ある鳥の鳴き声が劣っているとはいえないのと同じで、本質的に劣った話し方なんて存在しえない。わたしたちの恐るべき計算能力（人間と機械の両方）を、18世紀の貴族たちの偏見を支えるためでなく、もっとよい方法に使うには？

　一部の技術言語的なツールはまさにそれを行なおうとしているが、その結果はまちまちだ。「誰でも編集できるフリーの百科事典」を標榜するウィキペディアは、献身的なボランティア編集者の手を借りて、あからさまな破壊行為と見事に戦っているけれど、記事の

▼ 27　「I before E except after C（cのあとを除き、iはeの前）」と呼ばれる法則。英語の綴りは achieve や believe のように、通常は ie の順序だが、c のあとに続く場合は、receive や ceiling のように ei の順序になる。ただ、ie や ei を「イー」以外と発音する場合（science 等）や、seize など、複雑な例外が多く、法則といえるほど明快でないという意見もある。

カバーする内容という点で、より繊細なバイアスの問題に直面している [61]。ウィキペディアに参加するボランティア編集者は、男性、裕福な人々、英語の話者が不釣り合いに多く、元から興味のある話題ばかりを編集する傾向にある。本書の執筆に使われたグーグル・ドキュメントには、インターネット・データに基づくスペルチェック機能があるのだが、ときどき驚きの結果が返ってくることがある [62]。あるとき、「Ronbledore（ロンブルドア）」（『ハリー・ポッター』のロン・ウィーズリーが、実はタイムトラベルしてきたダンブルドアなのではないかという、『ハリー・ポッター』ファンのあいだで密かにささやかれている説）の一般的な綴りを教えてくれて、大喜びしたことがある[▼28]。かと思えば、「a lot（たくさん）」の代わりに、スペースなしの「alot」という綴りをしつこく勧めてきたこともある。この表記は巷ではよく使われるけれど、スペルチェッカーが勧めるにはカジュアルすぎるとわたしは思う。バイアスを強化するのではなく、バイアスと戦うのにいちばん有望な計算ツールといえば、「Textio（テキスティオ）」かもしれない [63]。テキスティオは、企業の求人票に、人々の応募意欲を削ぐような文言が入っていないかどうかを判別するツールだ。求人に、ジェンダー差別的な表現や業界用語が含まれていると、求人を満たすまで時間がかかってしまう。そこで、「ビッグデータ」や「ロックスター」などの流行語に注意を促し、「看護休暇」[▼29]や「新しい物事が学べる」といった表現を勧めるのだ。

　エリート主義を気取るために言語を使うこともできるのと同じで、選挙遊説中に突然庶民的なしゃべり方を始める政治家のように、結束を示すために言語を使うことだってできる。ときには、言語の変化がほぼあまねく起こるケースもある。犬と同僚に対して、まっ

▼ 28　ほかに、Rombledore、Rumbledore などの綴りも使われる。
▼ 29　従業員に家族の世話を行なうための休暇を認める制度。

たく同じしゃべり方をする人なんていない（「よしよし、いい上司ちゃんだね！　お散歩行きましょうね。はい、昇給して！」）。また、わたしたちの言語のスタイルが特定のアイデンティティと結びついていることもある。先ほども取り上げたウィリアム・ラボフは、マサチューセッツ州の南東岸沖合にあるマーサズ・ヴィニヤード島の住人を調査した結果、伝統的な島文化との結びつきを強く感じている人ほど、そうでない人よりも現地訛りが強いことを発見した[64]。より最近の調査では、イントネーションは特に社会的なアイデンティティとの関連が強いことが明らかになっている。たとえば、黒人と白人の両方の親を持つワシントンDCの若者は、黒人とミックス、どちらを自認しているかによって、話し方が変わった[65]。また、アパラチアに住む人々の話し方は、自分が地域社会にどれだけ「根づいて」いると感じているかに応じて変わる[66]。そして、オハイオ州やニュージャージー州のユダヤ女性の話し方は、ユダヤのアイデンティティとの関係性によって変わる[67]。

　また別のケースでは、同じ集団の一員であることを示すためではなく、別の集団のかっこよさを拝借するために、言語の変化が起こることもある。いくつかの国々における若者言葉の調査も、同様の傾向を示している[68]、アメリカの都心部からパリの郊外▼30、リオデジャネイロのスラム街にいたるまで、経済的・人種的に疎外された若者には、独特の言語形態がある。すると、そうした若者の言語の要素が、中流階級の白人の若者によって取り入れられる。もはや中流階級には見えなくなるくらいに取り入れられるわけではないのだが、教師や親などの権力者への反抗心を示すには十分だ。もちろん、「lit（超最高）」や「bae」のような単語が、とりわけトレンドに乗っ

▼30　バンリュー（banlieue）は、フランス語で郊外という意味だが、大都市郊外の低所得公営住宅地帯を暗に指すことが多い。

かる企業に取り上げられたりして、主流文化と十分に結びつけられ
たとたん、流行に敏感な若者たちにとっては魅力がなくなり、また
流行のサイクルが一から始まるのだ。

　英語の場合、アフリカ系アメリカ人の使う単語とかっこよさとの
結びつきや、アフリカ系アメリカ人以外によるその後の借用は、イ
ンターネットが登場するずっと前からある。アフリカ系アメリカ人
の音楽と関連する用語、たとえばブルース、ジャズ、ロックンロー
ル、ラップなどは、西洋文化全体へと広がった一方、それらを生み
出した話者たちの話し方は、相変わらず揶揄されつづけている。オ
ンラインメディアの分権化によって起こる変化のひとつは、元々の
話者が今までよりはっきりするということだ。60 年代にエルヴィ
ス・プレスリーを聴いていた白人は、彼の歌唱スタイルが、B・B・
キングやシスター・ロゼッタ・サープの影響を色濃く受けていたと
は思いもしなかったかもしれないが、2010 年代に「on fleek（ばっ
ちり）」という表現がアメリカの主流になったのは、ピーチーズ・
モンローというユーザーが「ヴァイン」（かつて存在していたショート
動画共有サービス）に投稿したのがきっかけだったというのは簡単に
わかる[69]。それでも、単語の真の由来をきちんと認めず、若者が使っ
ているからとか、若者はソーシャルメディアをよく利用するからと
いう理由だけで、アフリカ系アメリカ人の英語からアメリカの一般
的な大衆文化に現在借用されている多くの単語を、つい「ソーシャ
ルメディア用語」と呼んでしまいたくなる。インターネットでは、
こうした行為は「columbusing（コロンブス化）」と呼ばれている。
言い得て妙とはこのことだ[70]。コロンブス化とは、すでに別のコミュ
ニティで十分に確立している物事を、白人が発見したと称すること
を指す。当然、すでに何百万という人々が住んでいたにもかかわら
ず、コロンブスがアメリカの発見者として称えられている様子にた

とえたものだ。

　ほかの言語では、英語自体が新しくておしゃれな言語的影響のみなもとになることが多い。このことは、地元の小さな文化ではなく、より広い世界的な文化への関心の顕われともいえる。アラビア語の置かれている状況は特に面白い。というのも、アラビア語にはいくつもの言語、方言、文字があるからだ。アラビア語の話者の大半は、2種類のアラビア語を知っている。現代標準アラビア語は、古典アラビア語を基礎にした、多国籍の標準化されたアラビア語で、学校で習うのだが口語として用いられることはめったにない。一方、エジプト・アラビア語やモロッコ・アラビア語のような地域ごとの方言は、日常的な口語であり、正式な書き言葉を持たない。アラビア語の話者が、世界の大半の地域と同じように、「書き言葉」と「正式」、「話し言葉」と「カジュアル」を関連づけているあいだは、それでよかった。確かに、ニュースキャスターが標準語を話したり、少し地方色を出すために広告が方言で書かれたりすることはあっても、アラビア語はおおむね、言語学者が「ダイグロシア（二言語変種使い分け）」と呼ぶ状況に問題なく収まっていた。つまり、ある社会にほとんどの人が話せる2種類の言語または方言があって、それぞれが独自の社会的機能を果たしている状態のことだ。

　しかし、パソコンやインターネットの登場で、状況はあっという間にものすごく複雑になった。初期のコンピューターやウェブサイトは何もかもが英語で、世界の人々と英語でコミュニケーションを取る大学の人々によってよく使われていた。そして、重要なことに、こうした新たな機器はたいてい、アラビア語ではなく英語のキーボードやディスプレイとセットだった。そこで、アラビア語の話者たちは、ラテン文字を使ってアラビア語の音を表記する方法を生み出した。そのシステムはいろいろな呼び名があり、ASCII Arabic（ア

スキー・アラビア語）、Arabic chat alphabet（アラビア語チャット文字）、Franco-Arabic（フランコ・アラビア語）、Araby（アラビー）、Arabizi（アラビーズィー）、Arabish（アラビッシュ）などと呼ばれているが、ここでは「アラビーズィー」という呼び名で通そう。

　このアラビーズィーには、いくつか明確な利点がある。アラビア語の正式なローマ字表記の大半では、アラビア文字のخを表わすのに「kh」が使われる。英語の話者にとって、この音はスコットランド英語の「loch（湖）」の「ch」の発音、または「Mexico（メキシコ）」の「x」のスペイン語の発音としてなじみがあるかもしれない●3。しかし、実際には、「kh」というのはこの音を表現するかなりまぎらわしい方法といわざるをえない。というのも、まるで「k」の音のあとに「h」の音を続けるのと同じだという印象を抱かせてしまうからだ。この「kh」は、英語では「cookhouse（調理場）」のような複合語でしか見かけないけれど、アラビア語ではかなり一般的だ。そこで、非公式な場面では、別の表記が使われる。形が似ていることから、خを左右反転させたような 5 または 7'（7 にアポストロフィー）が使われるのだ。ここでは、アポストロフィーを忘れてはいけない。7 はح（حの点がないもの）を表わすのにすでに使われているからだ。この音もローマ字に書き起こすのは難しく、喉音の /h/ に近いことから「h」の表記が使われることも多いのだが、それはそれで問題がある。アラビア語には、英語にもあるより一般的な /h/ の音もあるからだ。その点、7 を使えば、2 種類の音をひとつの文字で表わすという問題を避けられる。

　似たような理屈で、文字ضとصには数字の 9' と 9、طとظには 6' と 6、غとعには 3' と 3 が使われる。いずれも、ラテン文字

●3　北米英語の話者は、スコットランド英語の「loch」やドイツ語の「Bach」を、必要以上に喉の奥で発音し、スペイン語の「Mexico」をまるで /h/ のように「メヒコ」と発音することが多いけれど、ネイティブ・スピーカーの発音では 3 つとも同じ音であり、国際音声記号ではみな /x/ と表記される。

にうまく対応するものがない音を表わしている。アラビーズィーに
関して重要なのは、アラビア語の知識を前提としている点だ。つま
り、別々の音は独自の記号をもって表わすべし、という学識あるネ
イティブ・スピーカーたちの考えに基づいた草の根の表記法なのだ。
ローマ字表記ではそれと逆のことを行なう傾向がある。アラビア語
の話者以外にとってどう聞こえるかに基づいて、先ほどの６種類
の文字を、それぞれ「d」および「s」、「z」および「t」、「gh」およ
び逆向きのアポストロフィー（あるいは省略。実際、「Arabic（アラビア
語）」という単語自体、厳密には「3arabi」だ）の一種と同一視してしまう。
もちろん、ローマ字表記は、英字新聞でアラビア語圏の人名や場所
を表記するときなど、よりグローバルな交流を行なうのには便利な
こともあるけれど、ときには現地の人々に配慮することも大事だ。
アラビア語の話者にとって、これらの音の区別は致命的に重要だか
らだ。こうした音の区別を無視するのは、まるでフランス語に英語
の奇妙な「th」の音がないからといって、英語の話者に「sing（歌う）」
と「thing（もの）」の綴りを無理やり一致させるようなものなのだ。
　当初、アラビーズィーが必要になったのは、コンピューターでア
ラビア文字がサポートされていなかったからだけれど、それが今
では社会的な次元を帯びている。英語で授業が行なわれるアラブ
首長国連邦の大学の学生どうしのチャットを分析した、デイヴィッ
ド・パルフレイマンとムハメド・アルハリールの論文には、ある学
生が同じクラスの学生たちを紹介するために描いた漫画の例が紹介
されている。その漫画のなかで、ある学生には、同大学の正式な
ローマ字表記を使って「Sheikha」と名前がつけられている。とこ
ろが、その学生のニックネームは、正式には認められていない綴り
で、「shwee5」と書かれていた。そう、アラビーズィーの「5」を
使って、正式な「kh」の音を表現したわけだ。それは手書きの漫画

で、どちらの名前もラテン文字で綴る技術的な理由はなかったのだが、一部の人々にとってはそれがかっこいいのだ。この調査の被験者たちはこう述べた。「こういう記号を理解できるのはわたしたち世代だけだと思います」。この表記を使うことで、「単語の音が英語よりもアラビア語の発音に近くなる。たとえば、名前を『Khawla』じゃなく『'7awla』と綴ると、アラビア語の発音に近くなるんです[71]」。

　とりわけ、キーボードの進化により、1990年代よりもアラビア文字の入力が簡単になったおかげで、人々はふつう標準アラビア語に対しては正式なアラビア文字と確立した表記体系を使うのだが、地域の方言に関しては、草の根という形でどちらの文字も使える。著名なエジプト人ツイッター・ユーザーたちの言葉選びに関する調査では、人々がどの表記をどう選ぶのか、その実例が挙げられている。ある高齢の政治家は、政治家は標準語を話すべきだという伝統的な期待を反映して、主に現代標準アラビア語でツイートしていた。ある人気歌手は、本人の若さやファン層、持ち歌で使われている言葉遣いを意識してか、アラビア文字で綴った口語的なエジプト・アラビア語と現代標準アラビア語を交えてツイートしていた。ある高級レストランは、海外で教育を受けた裕福で国際的な得意客に訴えかけるため、英語とアラビーズィーで書かれたエジプト・アラビア語を交えてツイートしていた。そして、ある文化センターは、教養のある現地または世界の読み手に訴えかけるため、英語と現代標準アラビア語でツイートしていた。つまり、エジプトのツイッター・ユーザーは、ひとつのフィード上に4種類の言語表記を目にする可能性があるわけだ。各々の文字で書かれた英語と現代標準アラビア語、それに2種類の文字で書かれたエジプト・アラビア語である。そうして、自分が何者なのか、誰に訴えかけようとしているのかに応じて、自分のメッセージにふさわしい表記を選ぶというわけ

だ **72**。

　わたしたちのみんながみんな、何種類もの文字から選べるわけではないけれど、誰もが相手に応じた言葉選びをしていることは確かだ。ツイッターでの「yinz」や「hella」といった単語の用例を地図化した言語学者のジェイコブ・アイゼンスタインと、彼がジョージア工科大学で教鞭を執っていたころの教え子ウマシャンティ・パヴァラナタンは、英語のツイートを別の方法で分けることを考えた。場所、言語、文字に着目する代わりに、オスカー賞などの特定の話題に関するツイートと、別の人との会話ツイート、そのふたつの言語的なちがいに着目したのだ。幸運にも、ツイッターにはこの２種類のツイートを自動的に分類する簡単な方法がある。たとえば、#oscars のようにハッシュタグ入りでツイートすると、オスカー賞に興味のあるほかのユーザーは、そのハッシュタグをクリックまたは検索して、#oscars を含む別のツイートを見つけられる。一方、@Beyonce という風に、@ 記号のあとにツイッター・ユーザーの名前を入れると、相手はあなたのメッセージに関する通知を受けるので、もしかすると同じように返信してくれるかもしれない。

　# と @ は別種の記号なので、その両方を含むツイートや、どちらも含まないツイートを除外することで、膨大な量のツイートを簡単に自動分類できる。確かに、ちょっと雑な方法ではある。特定の話題についての情報を求めているとき、#sorrynotsorry▼**31** とかいう皮肉なハッシュタグで検索する人はたぶんいないだろうし、ビヨンセがあなたに返信することなんてないだろう（あら、#ごめんあそばせ）。それでも、大きな規模で見るとかなり有効だ。ふたりの研究の結果、@ を使って別のユーザーに言及するツイートでは、

▼ 31　sorry, not sorry で、「ごめんあそばせ（本当は悪いと思ってないけど）」というような意味。相手が気分を害するとわかっていながらあえて言うような、皮肉な内容のツイートにつけたりする。

「hella」のような地方的特徴、「nah（いや）」や「cuz（だって）」のようなスラング、:) のような顔文字など、カジュアルな言語がよく用いられるのに対し、ハッシュタグ入りのツイートでは、同じ人でもより標準的で正式な文体を使うということがわかった。わたしたちは面と向かって会話する場合、一対一で話すときよりも、部屋の全員に向けて話すときのほうが正式な言葉遣いをするのがふつうだ。それと同じで、ハッシュタグ入りのツイートは大人数に向けて発信されるのではないか、とふたりは理論づけた。一方、@ はよりカジュアルで、一部の人にしか読まれない。そのため、わたしたちは声に出した会話と同じように、電子的な会話でも言葉遣いを調整するわけだ [73]。

　ほかの言語でツイートする人々の研究でも、似たようなパターンが見られる。オランダの主要言語であるオランダ語と、地域の少数言語であるフリジア語やリンブルフ語、その両方でツイートするオランダ人の研究では、ハッシュタグ入りのツイートは大人数にメッセージが届くようオランダ語で書かれるものの、誰かのツイートへの返信はしばしば少数言語が使われることがわかった。その逆はあまり一般的でない。つまり、少数派の言語でハッシュタグ入りのツイートを始め、一対一の返信でより多数派の言語に切り替える人は、ほとんどいないのだ [74]。

もうひとつ、インドネシア語のカジュアルな言葉遣いを調べた研究がある [75]。その研究では、プライベートな一対一のメールと公開ツイートの書き方が比べられた。たとえば、インドネシア語の sip という単語は、「OK」「了解」「いいよ」という意味だが、強調のために siiippp と綴り直されることがある。また、terima kasih は「ありがとう」という意味だけれど、一般的なジャカルタ方言の発音に

合わせて *makasi* と綴り直されることもある。ツイッターでの @
入りの返信がハッシュタグ入りの公開メッセージよりも、少しだけ
カジュアルだとすれば、メールはそれよりもさらに親密だ。そして
案の定、インドネシアの人々はツイートよりもメールでこうしたカ
ジュアルな綴り直しを4倍も多く行なっていた。ツイートはメー
ルと比べて平均で2倍近くも長く、より複雑な文章や多彩な単語
を含んでいた。

　インターネット言語学の観点から見て、オンラインの言語の変化
が重要なのは、その変化が新しいからではなくて（言語は常に変化し
てきた）、今までほとんど記録されてこなかったからだ。世界には
7000近い言語があり、世界人口の半数以上はふたつ以上の言語を
話すにもかかわらず、世の中の文献は一部のエリート言語や方言ば
かりで占められている[76]。この輝かしいまでの言語の多様性のせい
で、世界に実在するデジタル格差が覆い隠されているといえる。複
数の言語を自由自在に切り替える人々や、あまり書かれることがな
い種類の言語を話す人々は、検索、音声認識、自動言語検出、機械
翻訳など、インターネットの住人が利用する自動化された言語ツー
ルの多くにおいて、たびたび難題に直面するのだ。こうしたツール
は、本、新聞、ラジオといった正式な資料に基づく巨大な文例集を
使ってトレーニングされることが多いのだが、その文例集そのも
のが、すでに十分な記録のある言語形態に偏っているわけだ。この
ギャップを埋めるひとつの方法として、公開されたソーシャルメ
ディアの文章を、トレーニングの入力データとして用いるというも
のがある[77]。インターネット上でせっせと紡がれるカジュアルな文
章の量が、正式な文章の量の何倍にもなるということを考えると、
これはかなり有望な道筋といえるのではないだろうか。

　アラビア語、フリジア語、インドネシア語、英語の4カ国語を

話せるクアドリリンガルなんてそうそういない。4つの言語のあいだを自由自在に行ったり来たりするツイート研究を見かける機会なんて、近い将来ないだろう。しかし、オンラインでどの言語圏と親しんでいるかはともかく、わたしたちはみなインターネット言語の話し手にちがいない。わたしたちの言語の形は、文化的文脈としてのインターネットに影響を受けるからだ。オンライン上では、あらゆる言語がどんどん分権化され、そのカジュアルな文章目録が書き残されていっている。あらゆる話者が、文字や言語を切り替えたり、単語を綴り直したりして、かつて話し言葉の専売特許だった繊細な社会的ニュアンスを、文章にしたためるすべを学んでいっているのだ。

　実際、メールやツイートは、わたしたちの文章表現の能力を向上させている。研究者のイヴァン・スミルノフは、ロシア版フェイスブックともいえるソーシャルメディア・サイト「フコンタクテ（VK）」で、2008年から2016年までのサンクトペテルブルクの100万人近いユーザーの投稿を分析した。その結果、文章の複雑さの指標のひとつである平均的な単語の長さは、年齢や教育水準が増すごとに増加することがわかった。ここまでは予想どおりだろう。ところが、メッセージ全体が時代とともに複雑になっていっていることも判明した。彼はこう述べている。「2016年の15歳のユーザーは、2008年当時のどの年齢のユーザーよりも、複雑な投稿を書いていた[78]」

　「u（あなた）」と書く人で、「you」とも書けることを知らない人なんていない。心理学者のミッシェル・ドゥルーアンとクレア・デイヴィスによる識字能力の研究では、メールの略語が正式で標準的な言語能力の妨げになるという説は、記憶の仕組みに関する事実と食い違うと指摘されている[79]。スラングや略語は、「you」を「u」、「your」を「ur」、「I don't know」を「idk」や「dunno」と略すなど、ごく一般的な単語だけに使われる。重要なのはこの点だ。送

り手はちょっとした労力を浮かすことができ、受け手はあまりにも
頻繁に使われるおかげで難なく解釈できる。「pterodactyl（翼竜）」
や「do you wanna start a band?（バンド始めない？）」のような
長くて珍しい単語やフレーズが、インターネットの略語になること
はない。教育学の用語でいうなら、ショートカットは過剰学習した
概念に対して用いられるからだ。めったに行かない高級レストラン
の場所を忘れることはあっても、ベッドから起き上がってトイレに
行くことなら、寝ぼけ眼でもできる。言語の一部を忘れることがあ
るとしたら、それは試験に備えて単語カードで丸暗記するような、
「grandiloquent（大げさな）」や「sedulous（勤勉な）」といった
珍しくて仰々しい単語だろう。幼い子どものころに覚え、短縮形と
完全形、その両方で日々接するような短い単語は、どうしたって忘
れないのだ。

　人類の歴史を通じて、会話文と公的な話し言葉が共存してきたの
と同じように、オンラインの書き言葉も、より正式な文体と共存す
る余地がある。書籍、新聞、企業のパンフレットが、キッチンテー
ブルの上で殴り書きしたメモとは似ても似つかないように、電子書
籍、ニュースサイト、企業のウェブサイトのような、インターネッ
ト上の正式なジャンルは、大急ぎで書き上げたメールとはまるでち
がう。いくつかの研究で証明されているように、インターネットの
略語を多用する人々は、まったく略語を使わない人々と比べ、少な
くとも同等に、ときにはそれ以上に、スペルテストや正式な小論な
どでの読み書き能力が高いのだという[80]。

　人々がインターネット・スラングを使って行なっていることは、
スラングを否定する人々が思っているよりもずっと繊細だ。言語学
者のサリ・タリアモンテとデレク・デニスは、71人のティーンエ
イジャーにメッセンジャーでの会話記録を寄贈してもらい、どんな

やり取りが行なわれているのかを分析した。その結果、ティーンエイジャーは実際にはあまりインターネット・スラングを使っていないことがわかった。大げさな論文に登場するような、ほとんどの単語がスラングに置き換えられている例（「r u gna b on teh interwebz l8r?（← Are you gonna be on the interwebs later?、このあとインターネットを使う？）」）に反して、実際のティーンエイジャーのメッセージのうち、スラングは 2.4 パーセントを占めるにすぎなかった [81]（この結果を聞いて思い出すのは、若者の行動に関するイメージと現実の比較調査だ。誰もが、ほかの人々のほうが飲酒量や性体験が多いと考えているらしい）。むしろ、ティーンエイジャーの行動はそれよりも洗練されていた [82]。ティーンエイジャーは、スマイリーや頭字語といった非常にカジュアルな特徴と、話し言葉ではめったに使われない「must（〜なければならない）」や「shall（〜だろう）」といった単語を適度に織り交ぜていたのだ。断片的ではあるが、いくつかの会話の例を挙げよう。

aaaaaaaagh the show tonight shall rock some serious jam
（うぉ〜〜〜〜、今夜のショーはめちゃくちゃ盛り上がるぞ）

Jeff says "lyk omgod omgod omgodzzzzzZZZzzzzz!!!11one"
（ジェフが言ったの。「なんてこった、なんてこった、なんてこった zzzzzZZZzzzzz!!!11one」って）

heheh okieee! must finish it now ill ttyl
（へへへ、オッケーーー！　すぐ終わらせないと。話はまたあとで）

lol. . as u can tell im very bitter right now.
（笑 ...わかると思うけど、今、とってもムカついてるの。）

正式な英語の書き言葉という観点から見て、これらの文章で真っ先に目につくのは、カジュアルな部分だ。「aaaaaaaaagh」や「!!!11one」のような表現力豊かな音の伸ばしや感嘆符、「ttyl（←talk to you later、話はまたあとで）」や「lol」のような略語だ。しかし、これらの文章はカジュアルな英語の話し言葉という観点から見ても奇妙だ、とふたりは指摘している。21世紀初頭のどの時点であれ、ティーンエイジャーが一緒に座ってしゃべっている様子を記録すれば、「shall（〜だろう）」「says（と言う）」「must（〜しなければならない）」「very（とても）」という単語はほとんど出てこないだろう。むしろ、それぞれ「going to」「is like」「have to」「so」といった新しい形を好むはずだ。たとえば、「And then he said, 'Shall you go?' And I said, 'I must, I'm very tired,'（そうしたら、彼が「もう行くかい？」と言った。だから僕は、「そろそろ行かなければ。とても疲れたから」と答えたんだ）」という文章と、「And then he's like, 'Are you gonna go?' And I'm like, 'I have to, I'm so tired.'（そうしたら、彼が「もう行く？」って。だから僕は、「そろそろ行かなきゃ。超疲れたから」って答えたんだ）」という文章のちがいを想像してほしい。ひとつ目は書き言葉か、1世代前の話し言葉にしか出てこないが、ふたつ目はかなり現代風だ。

　最後のひとつ（very）を除いて、古い単語よりも新しくてカジュアルな単語のほうが長い（1音節ではなく2音節）という事実を踏まえると、新たな形態は面倒くさがりの証であるという仮説にたちまち疑問符がつく。さらに、ティーンエイジャーが文章を書くときに正式な文体とカジュアルな文体を織り交ぜているという事実から、カジュアルな話し言葉を文字にしそこねたわけでも、正式な書き言葉を書こうとして失敗したわけでもない、ということがうかがえる。インターネット上の書き言葉は、独自の目標を持ったひとつの独特

なジャンルであって、その目標をきちんと成し遂げるためには、その言語を隅々まで細かく理解する必要があるのだ。チャット語の体系全体（たとえば、「lol」と「heheh」、「shall」と「i'll」の共存）を巧みに操るのに、言語的な専門知識が必要なことを認めもせず、メディアが「lol」や「ttyl」といった珍奇なお飾りの部分だけを拝借する様子を見ていると、虚しさを覚えずにはいられない。

　綴り直しなどのインターネット特有のスタイルは、カジュアルさだけでなく温かみも示すことがある。インターネット上で活躍するユーモア作家の @jonnysun は、時にユーザー名を「jomny sun」と綴ったり、「aliebn confuesed abot humamn lamgauge（人間の言悟に戸惑うエイリヤン）」と自己紹介したりするなど、小文字や独創的な綴り直しを含めた独特の言語スタイルでツイートしつづけている。彼のツイートに見られるこの独特な言語は、彼を気さくで、親しみやすく、庶民的な人柄に見せている（彼が・エ・イ・リ・ヤ・ンであるという些細な問題を除けば）。何十万人というフォロワーを抱え、本業は大学院生だというのに、きっと彼は誤字のあるなしで人を判断するような人間ではないだろうな、という印象を醸し出している。彼のツイートには、彼と同じエイリヤン語で返信するフォロワーもいて、息苦しいオックスフォード大学の談話室の雰囲気というよりも、家族方言に近い気さくな言葉遊びの精神が宿っている。

　わたし自身も、特に学術論文をたくさん読み終えたばかりのときや、名詞化、列叙法、列挙法、混成といった概念が頭からどうしても離れなくなったときに、文章を書く練習として、この種の言葉遊びをすることがある。物事をどう表現すればいいのかわからなくなったときに立ち止まったり、形態と内容を同時に整えようとしたりするのはやめて、大文字や句読点がなく、頭字語や独創的な綴り直しに満ちたインターネット・スタイルを使って、とにかく何かを

書いてみるわけだ。目の前にあるのは、小さなチャット・ウィンドウだけ。元に戻って編集することもできない。そんなときは、堅苦しい文章や尊大な文章を書くほうがずっと難しい。それに、あまり気負いのないときのほうが、必要な単語を削除しても心は痛まない。そうするうちに、ようやく自分の言おうとしていることがわかってくる。そこまで来れば、前に戻って大文字や句点を加えたり、「ugh idk what i'm doing hereeee（うーむ、何がしたいんだかわからん）」といった表現を削除したりするのはワケもない。しかし、形式だけはちゃんとしているけれど、難解で読みづらい原稿に明瞭さをつけ加えるのは、根底にある明快さを保ちつつ、表面的な要素を固めていくよりもずっと難しい。スペルチェックがライターズ・ブロック▼32 に及ぼす影響について分析したある論文は、わたしの直感を裏づけている[83]。赤い波線が文章を書いたそばから表示されるのは、一見すると便利な機能にも思えるけれど、その反面、複雑な文書の場合には、書き手を全体的な流れから引きずり出し、あまりにも早い段階で、細部へと意識を向けさせてしまうという悪影響もあるのだ。ソーシャルメディアが文章のスタイルに及ぼすプラスの影響に気づいたのは、わたしだけではない[84]。ツイッター・ユーザーの多くは特に、ツイッターの文字数制限や瞬時のフィードバックのおかげで、自分の考えをズバッと表現する方法をいやおうなく学ばされたと感じている。

　エドモン・エドモンが自転車に飛び乗るずっと前から、人々は地理的条件、ネットワーク、社会といった人間の体験のさまざまな側面が、コミュニケーション方法にどう反映されるかを、丹念に調べ上げてきた。人間は会話の際、自分のアイデンティティを表明するために、どう言語を使うのか？　もちろん、未解明の部分も多いけ

▼32　作家が突然文章を書けなくなること。

れど、先人たちの研究のおかげで基本的な事実がだいぶわかってき
た。そして今では、オンラインの言語でも本当の自分を表現でき
る時代になりつつある。言葉遊び。いくつもの言語や文体の切り替
え。そうした昔ながらの言語的慣習が、刻々と電子的に書き残され
ていっている。ところが、言語の若者的、方言的、デジタル的な側
面は、いまだに見落とされがちだ。これらを真剣に調べたら、いっ
たいどんな発見があるだろう？

第3章

インターネット人

Chapter 3
Internet People

インターネットで友達はつくれるか？

　最近聞かなくなって久しい昔ながらの疑問だ。1984年、ある研究者は、インターネットが友達づくりのような「『社会的』な言語の使用には向いていない」のではないか、と考えた[1]。また、2008年、別の研究者はインターネットについてこう述べた。「基本的にはよそよそしく、虚しい。文字を入力するのは人間らしい行為ではないし、サイバースペースで過ごすのはリアルな体験とはいえない。すべては見せかけであり、疎外であり、リアルな物事の粗悪な代替品にすぎない。それゆえ、サイバースペースは有意義な友情のみなもとにはなりえないのだ[2]」

　それでも、こうした議論が過熱するかたわら、わたしたちは社会生活の多くをオンラインで過ごすようになった。面白リンクを送り合う親友たち。テレビ電話をする祖父母と孫。日々の出来事について絶えずメールをやり取りする夫婦や恋人。お互いの写真に「いいね！」やコメントをつけ合う家族や旧友。そして、趣味のコミュニティに加わり、ついにはお互いの実生活にまで首を突っ込むようになる人々。

　インターネット世界の友達やコミュニティは、物理的な世界にもなだれ込む。2014年、大ヒットしたポッドキャスト「Welcome to Night Vale（ナイト・ヴェイルへようこそ）」[▼1]の初期のライブショーに参加したときのこと。出演者のメグ・バッシュワイナーが番組前の告知で、「みなさん、インターネットをご存じでしょう？　そちらの住民の方々もたくさんお集まりのようですね」と言うと、その意味を汲み取った観客たちから笑いが起きた。このポッドキャストの人気に火がついたのは、人々がインターネット上、とりわけタンブラー上でこの番組を共有し合ったからだ。おかげでこの番組はア

▼1　ナイト・ヴェイルという架空の町のラジオ番組という体で進行するポッドキャスト。

イチューンズのチャートのトップへと駆け上がり、一躍主流メディアの注目を浴びた。その初期のライブショーは、オンラインで生まれたコミュニティが物理的な世界で具現化した例のひとつだった。

　ある推定によれば、2005年から2012年までに結婚したカップルの3組に1組以上が、もともとオンラインで知り合ったのだという[3]。別の推定によれば、アメリカの成人の15パーセントは出会い系サイトの利用経験があり、41パーセントは利用経験のある知人に心当たりがあるのだそうだ[4]。出会い系サイトを通じた結婚が広く報道された最初の年は1995年だ[5]。ということはつまり、初代のインターネット夫婦から生まれた子どもは（仮にいるとすればだが）、今やインターネットでデートし、子どもをつくるくらいの年齢になったということだ。そう、インターネット夫婦の孫たちだ！これのどこが、「よそよそしく、虚しい」というのだろう。

　インターネット人口はどの国の人口よりも多く、その住民はテクノロジー・ユーザーだけではない。それは一種のコミュニティともいえる。このコミュニティのメンバーたちのことを、本書では「インターネット人（Internet People）」と呼ぼう。確かに、今でも物理的な交流、手紙、固定電話だけでまるまる社会生活を営む非インターネット人も現存している。そのなかには、近所に友達や家族がいて、固定電話を進んで使う年配者や、自給自足生活者やソーシャルメディア嫌いの人々のように、自発的にオフライン生活を送る人もいる。その一方で、辺鄙な場所で暮らす人々、インターネット上の主要な言語を話せない人々、インターネット機器や接続を導入する余裕のない人々など、やむにやまれずオフライン生活を送っている人もいる。そして、技術的にいえば、インターネットにアクセスできる人々は世界人口の半数近くしかいない。それでも、おおぜいの人々、最新の推計では40億人が、オンラインにアクセスしてい

るといわれる[6]。ただ、インターネット上の友情に懐疑的な人々の意見にも一理あった。社会的な目的を満たすためには、わたしたちのオンライン言語を成形し、つくり直すことが必要になるからだ。幸い、インターネット人はまさにそのとおりのことを行なってきた。

第一の波

人間は世界じゅうに移住する。それでも、1、2世代がたてば、移民の子どもはたいてい近所の子どもと同じように現地の言葉をしゃべるようになる。言語学者たちはこの現象を、言語学者のサリコ・ムフウェネが生態学から借用した用語を用いて、「創始者効果」と呼んでいる[7]。ある言語共同体の最初期のメンバーは、その後の共同体の発展方法に不釣り合いなほど大きな影響を及ぼすといわれる。特に、現地の規範が、書籍、学校、標識などによって体系的に支えられている場合は、その傾向が強い。アメリカに移住する家族の大半は、もともと英語が話せるわけではなく、ポーランド、中国、メキシコ、セネガルなどの言語しか話せないまま移住してくるのだが、テキサス州やカリフォルニア州で育った子どもは、親の話す言語にかかわらず、友達や級友とまったく同じアメリカ英語を話すようになる[8]。ボストンやバージニアなどの地域に特有の訛りは、特定地域からやってきた最初のイギリス人入植者の集団までさかのぼれるのだ[9]。

　ところが、十分に大きな集団が同一の地域へといっせいに移住すると、現地の訛りが変化することもある。ノースカロライナ州ローリーの母音は、1960年代に北部の州から技術系の労働者たちが怒濤のごとく移住してくると、南部訛りが和らいだ[10]。また、コッ

クニー訛り▼2 は、労働者階級が多くを占めるロンドン中心部において、コックニー、アフロカリビアン英語、インド英語、ナイジェリア英語、バングラデシュ英語が混じり合った、多文化ロンドン英語に取って代わられつつある。特に、第二次世界大戦後、多くのロンドンっ子たちが郊外へと移住したことが要因として大きい**11**。

　そのため、インターネット方言を分析する際には、創始者集団や移民の波というレンズを通して見るのが、理にかなっている。ソーシャル・プラットフォームはよくユーザー数や人口統計を報告するけれど、わたしにとって興味のある、重要な変数については把握していないようだ。その変数とは、ユーザーがほかにどんなプラットフォームへと出入りするのか、である。前章で説明したとおり、あなたの言語の土台を築いてくれるのは、幼年期や思春期の仲間であり、新しい社会集団への所属は、その集団の話し方を取り入れる最重要時期といっていい。となると、あなたがその大事な形成期を過ごし、インターネットが取り持つ人間関係を初めて築いたのは、インターネットのどの場所だろう？　インターネットはひとつの集団だけれど、移民記録をつけたりはしていない。インターネットにはエリス島▼3 なんて存在しないのだ。それは情報の自由な流れにとってはすばらしいことだけれど、研究活動にとってはちょっぴり痛いかも。

　この問題に対処するため、わたしは調査を行なってみた。わたしには、インターネットの利用法についてひとつ、興味を持っている疑問があった。それから、インターネット誕生から現在にいたるまでの個人的な観察と研究に基づき、人々をインターネット上のコホート▼4 へと分類する方法について、ひとつの理論を用意していた。結局、その疑問はたいして面白くないとわかったのだが、コホー

▼2　コックニーは、ロンドンの労働者階級で話される英語。
▼3　かつてアメリカ合衆国の移民局が置かれていた島。
▼4　研究対象となる、同一の性質を持つ集団。

トの案のほうは大成功だった。まず、わたしは人々の申告に基づいて、年齢を13歳〜17歳、18歳〜23歳、24歳〜29歳、30代、40代、50代、60代、70代以降の年齢層に分類した。次に、オンラインで初めて社会的交流を始めたころの年代をもっともよく表わしているソーシャル・プラットフォームのグループを、ひとつ選んでもらった。選択肢は次の4つだ。

①ユーズネット、フォーラム、インターネット・リレー・チャット（IRC）、電子掲示板（BBS）、リストサーブ等

②AOLインスタント・メッセンジャー（AIM）、MSNメッセンジャー、ブログ、ライブジャーナル、マイスペース等

③フェイスブック、ツイッター、グーグル・トーク、ユーチューブ等

④インスタグラム、スナップチャット、アイメッセージ、ワッツアップ等

どちらの質問も任意回答で、それ以外の回答が書ける自由回答欄も設けたが、未回答または自由回答は、合計3000件以上の回答のうちのわずか150件だけだった。つまり、95パーセントの人々は、自分がこの4種類のソーシャル・プラットフォームの分類にうまく当てはまると感じたことになる。ちなみに、汎用的な電子メールやテキストメッセージはあえて除外した。メールアドレスや携帯電話番号を持っていることは、ほかのプラットフォームを使用するための必須条件だし、人々には独自の世代間のコミュニケーション様式があるからだ（詳しくは第6章で）。この調査は母集団全体の無作為標本を表わしているわけではないが、10代の若者から50代以降の年配者まで、各年齢層から100件以上の回答が集まった。過

剰に集計されている人がいるとすれば、それはたぶんインターネット上で長い時間を過ごす人々だろう。でも、わたしが探していたのは、そもそもそういう人たちなのだ。

　調査は 2017 年に行なった。都合のよいことに、20 を差し引けば、1997 年当時の人々の年齢がぴったりはじき出せる。1997 年といえば、ちょうど 1990 年代終盤から 2000 年代初頭にかけてのインターネット主流化が始まった年だ。2017 年時点のティーンエイジャーはまだこの世におらず、20 代はまだ子どもで、30 代はまだ 10 代だった。また、2017 年時点の年齢から 10 を差し引けば、2007 年当時の年齢がわかる。2007 年といえば、ちょうどフェイスブックが、学生だけでなくメールアドレスを持つ全員に門戸を開いた翌年だ。当時、2017 年時点の 20 代はまだ 10 代で、10 代はまだ子どもだった。

　あなたのインターネットやインターネット言語の体験は、あなたがインターネット世界に加わった当時、あなたがどんな人間だったのか、あなたのまわりに誰がいたのかによって形づくられる。会話に参加するのにどれくらいの技術的知識が必要だったか？　あなたがオンラインに参加したのは、友達がすでに使っていたから？　それとも新たな出会いのため？　あなたが加わったのは、すでに規範の確立されたコミュニティ？　それとも、変化の途上にあるコミュニティ？　そして、その規範は、まわりの空気を読みつつ学んだのか？　それとも明確な利用規約を通じて学んだのか？　こうした質問への回答は、あなたの使っているインターネット言語がどんなものなのかに、大きな影響を及ぼす。テクノロジー研究者のジェニー・スンディエンの表現を借りるなら、人々が書く行為を通じて自分自身を存在させている世界においては、あなたがどういう文章を書くかと、あなたがどういう人間なのかが、等しい意味を持つのだ[12]。

　おおまかにいうと、これまでインターネット人たちが書く行為を通じて自分自身を存在させてきた方法は、主に5通りある。

旧インターネット人

まずは創始者集団、つまりオンラインにやってきた移民の第一の波について考えてみよう。わたしはその集団のことを「旧インターネット人（Old Internet People）」と呼んでいる。彼らは「旧来」のインターネットがどういうものなのかを覚えている人たちだし、自分たちのことを「古い」ネット民などと呼ぶことが多いからだ。試しに「旧インターネット人（old internet people）」で検索してみると、いくつかのサイトが見つかる。画像やテンプレートを使わずにオリジナルのサイトを構築するという考えを貫いている、1998年作成、2006年最終更新の手作りのHTMLウェブサイト（「わたしたち『旧インターネット人』からの説明は以上です」[13]）。2011年の掲示板のスレッド（「わたしたち旧インターネット人はソーシャル・ウェブにもっと慣れていかないと」[14]）。そして、検索エンジンやソーシャルメディア経由ではなく、丸暗記したURLを入力して直接ウェブサイトにアクセスすることがめっきり少なくなったという2018年の『ニューヨーク』誌の記事に同意するツイート（「われわれ『旧』インターネット人にとっては、まさにそのとおりって感じ」[15]）。用語がわざわざ引用符で囲まれているところを見ると、この用語を使っている人々は、自分でこの表現を思いついたつもりなのだろうが、何人もの人々が同じ用語を使っているという事実を踏まえると、新たな規範が生まれつつあると見ていいだろう。旧インターネット人は、インターネットの世代でいえば高齢者にあたる。必ずしも本当に高齢者というわけでは

ないけれど、流行する前にネットワーク・コンピューターへと「接続」
した人々であることは確かだ（パンチカードの時代からコンピューターを
使っていた人々は、今ではたぶん本当に高齢者だろうが）。

　一般的に、旧インターネット人は、まわりのほとんどの友達や同
僚よりも先にオンライン世界へと移住したので、必然的に交流の
相手は赤の他人ばかりだった。そして、交流相手を見つけるため、
ユーズネット、インターネット・リレー・チャット（IRC）、電子
掲示板（BBS）、マルチユーザー・ダンジョン（MUD）、リストサー
ブ、フォーラムといったテーマ別のツールを用いていた。聞いたこ
とがないって？　ある種、そこがポイントなのだ。こうしたプラッ
トフォームの多くは、インターネットが流行したあとも比較的無
名のままだった。そのなかでいちばん有名なのはユーズネットだ
ろう。ユーズネットとは、rec.humor.oracle、talk.politics、alt.
tv.simpsons といった、大小さまざまな幅広い討論グループのな
かで、スレッドを立ち上げたり、お互いのスレッドに返信したりす
ることのできる、一元的な「ユーザー・ネットワーク」だ。今では、
グーグル・グループへとまるごとアーカイブされているので、古く
は1981年の投稿まで参照できる。いわば、レディットのような後
世のインターネット掲示板の元祖といったところだろう。

　旧インターネット人は、そもそも「インターネット」人と呼ばれ
ることに違和感を抱くこともある。それは「○○ネット」の類がい
くつも割拠していた時代を覚えているからで、わたしが言っている
インターネットというのは、正しくはワールド・ワイド・ウェブな
んですよ、と毎回ご丁寧に指摘してくれる。歴史的に見れば確かに
そのとおりなのだが、言葉の一般的な用法というものは進化して
いっているし、わたし自身だってそうだ。10年前や20年前なら、
旧インターネット人をもっと細かく分類するのは、理にかなってい

た。巨大な部屋を埋め尽くすコンピューターを使っていた人々と、小型のパソコンから始めた人々。初期のLISPハッカーと、後期のUNIXハッカー。1960年代や1970年代のARPANET▼5ユーザーと、1980年代や1990年代のユーズネット・ユーザー。あるいは、こうした人々と、1989年にワールド・ワイド・ウェブが発明されたあとにコンピューターを使いはじめた人々……。しかし、今になって見れば、こうした歴史上のライバルたちは、後世のインターネット・ユーザーと比べると、お互いに共通点が多い。彼らはテクノロジーの持つ可能性にときめき、その使い方を学びたいという高いモチベーションを糧にして、常に時代の先端を走っていたのだ。

　2000年代初頭まで、コンピューター・ユーザーにとって技術的知識は必須条件だった。のちにウェブ1.0と呼ばれることになるテクノロジー時代の前と最中は、オンラインにアクセスすること自体がまだけっこう難しかった。実際にアクセスするにはいっそう深い技術的知識が必要で、オリジナルのHTMLホームページを手作りしたり、IRCコマンドを理解したりするには、強靭な意志が必要だった。ユーズネットのグループに投稿したり、メッセンジャー・クライアントをインストールしたり、電子メール・サーバーをセットアップしたりするだけでも一苦労だった。1998年のコメディ映画『ユー・ガット・メール』で、ある登場人物が別の人物に「Are you On Line?（あなたはオン・ライン？）」とたずねるシーンがある▼6。そう、オンとラインのあいだに間を空けて。文脈から、「あなたは今コンピューターの前にいる？」という意味ではなくて、「あなたはインターネットをやる人？」という意味なのは明らかだ。こ

▼5　1969年に米国防総省の高等研究計画局（ARPA、現DARPA）が運用を開始した、インターネットの前身となるネットワーク。
▼6　メグ・ライアン演じる書店経営者のキャスリーンが、同棲中の恋人に内緒で、素性のわからない男性とメールのやり取りをしているという話を店の店員クリスティーナとしていると、クリスティーナが、もしかすると次の男性客がその相手かもしれない、と冗談を言う。そうして次に来店した男性客に、クリスティーナが開口一番たずねた言葉。

の時点では、ダイヤルアップやネットへの接続は、まだ大人への通過儀礼というよりも趣味の領域であり、年齢にほとんど制限はなかった。オンライン世界の住民は、ませた子どもからあらゆる世代の大人まで幅広かったけれど、その中核を占めるのは、初めてオンラインにアクセスしたときに大学生や社会人だった人々だ。というのも、当初は大学のコンピューター科学科や大手テクノロジー企業からネットワークにアクセスすることが多かったからだ。わたしの調査の回答者の場合、40代の人々の約3人にふたりが、初めて利用したソーシャル・プラットフォームはユーズネット・グループ（①）であると答えた。また、30代の3人にひとり、50代、60代、70代以降の人々の約半数が、同様の回答をした。言うまでもないけれど、全年配者の半数が、ユーズネットの時代にオンライン世界に移住したという意味では決してない。2010年代に、わたしが公開インターネット調査で意見を聞くことのできた数少ない年配者たちのなかで見れば、その多くがわたしより長くオンライン世界に生きている、という意味にすぎないのだ。

　集団として見ると、旧インターネット人は、平均的に最高レベルの技術的なスキルを持っている。多くの人が、なかなかの数のキーボード・ショートカットを知っているし、ひとつやふたつのプログラミング言語の基本は押さえている。グラフィカル・ユーザー・インターフェイス（GUI）の背後にあるコンピューター内部の仕組みの見方も心得ている。コンピューター・ハードウェアの組み立て、ブラウザーの暗号化、ウィキペディアの編集、掲示板の管理など、得意分野を持つことも多い。たくさんのブラウザー拡張機能やカスタマイズツールがコンピューターに入っていて、それらなしで生活することなんて想像すらできない。第二の波、第三の波……等々のネット移民たちも、そうしたスキルを持っていることはあるけれど、

言うまでもなく、平均的なインターネット・ユーザーには、もはや
コーディングやハードディスクの交換方法についての知識なんて必
要ないのだ。

　旧インターネット人が使う日常的な技術用語は、プログラマーの
専門用語と重なる部分が多い。当初は、プログラミングの知識がオ
ンラインにアクセスする唯一の方法だったので、プログラミング用
語は全員が共有していた。そうした用語の大部分は、その話者たち
によって「ジャーゴンファイル」と呼ばれる文書にまとめられた。
当初、それはマサチューセッツ工科大学やスタンフォード大学など、
ARPANET に接続されている大学のコンピューター科学科に所属
する一連のボランティア編集者たちの手によって、1975 年以来
「ハッカーのスラング」として保守されてきたテキストファイルに
すぎなかった。1983 年になると、それが最初期の編集者のひとり
によって、『ハッカー英語辞典』として刊行にいたる。このテキス
トファイル自体はそれから数年間、停滞したが、新しい編集者がファ
イルの改訂および更新プロジェクトに着手し、1991 年と 1996 年
に『ハッカーズ大辞典』としてふたつの新版が刊行される運びとなっ
た。また、ジャーゴンファイルのウェブサイト版は 2003 年終盤
まで更新が重ねられた [16]。

　ジャーゴンファイルが生きたスラング目録だったころは、古い
バージョンを最新のバージョンに置き換えるのが慣例だった。これ
はストレージが高価だった時代には理にかなっていたのだろうが、
その一方で歴史の記録を難しくした。すると 2018 年、1976 年以
降のバックアップ・テープからアーカイブが復元された。いくつも
のバージョンをえり分けるのは、まるでインターネットのタイムマ
シンに飛び乗るようなものだった。復元された最古のバージョンの
ジャーゴンファイルは、1976 年 8 月 12 日づけのプレーンテキス

ト・ファイルで、およそ6ページにわたり、49個の単語とその定義が記載されている[17]。一部の単語は当時のスラングで、「成功する」という意味の「win」[▼7]や、のちに主流となった「feature（仕様）」「bug（バグ）」「glitch（誤作動）」といったコンピューターのスラングも含まれていた。また、プレースホルダー名としての「foo」や「bar」[▼8]など、ハッカーの文化的な用語もある。さらには、「user（ユーザー）」の明らかに侮蔑的な定義もあった。「言われたことはなんでも信じてしまうプログラマー。また、質問ばかりするプログラマー」とある。ほかにも、今となってはあまり使われていない、専門的なプログラミング用語の拡張とおぼしき単語もある[18]。「JFCL」は、プログラムをただちに強制停止させるコマンドに由来し、「取り消す」という意味を持つ。しかし、この最古のジャーゴンファイルに関して何より面白いのは、記載されていない単語のほうだろう。現在のわたしたちが典型的なネット語だと考えている単語たちは、どこを探しても見当たらない。「lol」や「omg」といった頭字語や、顔文字はおろか、すべて大文字の表記は叫び声を表わすという注意書きすら見当たらない。

　その翌年、1977年3月と4月になると、いよいよ社会的な頭字語が見られはじめる[19]。このバージョンのジャーゴンファイルでは、初期のチャットの一種である「TALK MODE」において、「入力の手間を浮かせるために使われる一連の特殊な専門用語」と説明されている。そのなかには、今では珍しくもない「R U THERE?（← Are you there?、おーい、いる？）」といった頭字語もあるけれど、「BCNU（← be seeing you、じゃあまた）」「T（はい）」「NIL（いいえ）」「CUL

[▼7]　たとえば、「A program wins if no unexpected conditions arise.（予期せぬ状況が発生しなければ、そのプログラムは勝利だ。）」という例文が載っている。

[▼8]　特に意味のない一時的なプログラムや変数等の名前として用いられる単語で、日本では hoge や piyo を使うのが一般的。日本語でいう「ほにゃらら」のようなもの。

（← see you later、またあとで）」といった今では見慣れない頭字語も
ある。ちなみに、このセクションでは、ジャーゴンファイルの記載
に従って、頭字語はすべて大文字のままとした。ただ、当時の人々
が本当に大文字で入力していたのか、ジャーゴンファイルの寄稿者
たちが編集上の都合でそうしたのかは不明だ。個人的には、後者
だと思うけれど。1977 年12 月のバージョンでは [20]、現在でも使
われている「BTW（← by the way、ところで）」や「FYI（← for your
information、参考までに）」といった頭字語が加わったが、それ以外
では、1983 年に最初の書籍版が刊行されるまで、これが社会的な
スラングのすべてだった。そうして、1980 年代の残りの期間、ファ
イルの編集は凍結されることになる。

　1990 年になり、ジャーゴンファイルの更新が再開されると、そ
の記録は社会的なインターネットそのものの様相を呈しはじめ
る。:-) や :-/ などの顔文字、叫び声としての大文字表記、多くの頭
字語、とりわけ LOL（← laughing out loud、大笑い）、BRB（← be
right back、すぐ戻る）、b4（← before、前）、CU L8TR（← see
you later、またあとで）、AFK（← away from keyboard、離席中）など
がすべて同じ年に追加された [21]。確かに、少し古くなった表現もあ
れば（今となっては、CU L8TR は現役バリバリのネット語というよりは死語
に近い）、HHOJ（← haha only joking、ハハッ、ただの冗談だよ）やそ
の仲間の HHOS（← haha only serious、ハハッ、本気だよ）など、今
ではとんと見かけなくなった表現もある。それでも、これらがのち
のインターネット言語の土台になったことは明らかだ。頭字語、す
べて大文字表記の単語、顔文字は、ほんの数年前のプログラミング
用語がもはやちんぷんかんぷんであるのとは対照的に、2010 年代
のインターネット・ユーザーでも理解可能だ。1990 年版のジャー
ゴンファイル自体、この変化について考察している。現在のスラン

グの大部分がユーズネットに由来し、こうした頭字語は「オンライ
ンの『ライブ』チャット」が盛んなプラットフォームから報告され
たものであると述べる一方で、こう記している。「これらの表現は
大学で使われるわけではない。逆に、これらの表現を知っている
人々は、FOO?、BCNU、HELLOP、NIL、T という表現のほう
は知らないのだ[22]」。しかし、こうした新たな表記を真っ先に取り
入れたのは、テクノロジー好きのコミュニティだった。1991年版
のジャーゴンファイルには、「IMHO（← in my humble opinion、個
人的な意見では）、ROTF（← rolling on the floor、抱腹絶倒）、TTFN
（← ta-ta for now、んじゃまた）といった表現は大学や UNIX の世界
で一定の人気を集めている」と記されている[23]。ユーズネット・ユー
ザーは、すでに幅広い討論のトピックへと分散してしまっていて、
独自の用語集をまとめることは難しかった。そうなると、こうした
外部者の視点に頼るよりほかにない。しかし、結局はそれもたいし
た問題ではない。初期のテクノロジー好きや、技術的知識の豊かな
ユーズネット・ユーザー、チャットルームの常連たちが、わたした
ちにとっての創始者集団であることに変わりはないのだから。
　最初期のインターネット・スラングは、プログラミングの基本的
な知識だけでなく、一部のプログラミング言語のコマンドに関する
知識まで前提としていた。技術的なスキルと仲間内の言葉遣いにつ
いての知識は、いわば車の両輪をなすもので、解読できる頭字語の
多さが、その人のオンライン生活の長さを物語っていた。少なくと
も、そういう人は、ジャーゴンファイルのような用語集であれ、オー
プンソース・プロジェクトのリードミー・ファイルであれ、フォー
ラムやニュースグループの FAQ（よくある質問）であれ、ヘルプ・
ドキュメントをじっくりと読み込んでいる可能性が高かった。
　やがて、一部の旧インターネット人は、ブログやツイッターへと

真っ先に飛びつくことになる。インターネットを通じた社交能力の
おかげで、そういう人々の多くが、著名なインフルエンサーになっ
た。初代のインターネット研究者となり、自身のコミュニティの慣
習について書き記す者もいれば、自分の慣れ親しんだインターネッ
トの路地をいつまでもうろつき、気づけば小生意気な若者への説明
役を押しつけられる者もいた。年配だからといって、テクノロジー
を知らないわけじゃない。彼らはその若者たちが生まれる前から、
コンピューターをプログラミングし、電話回線経由でダイヤルアッ
プしていたのだから。旧インターネット人に共通するのは、いまだ
にその社会生活の多くをオンラインで行なっているという点だ。あ
ちこちで使い回す定番のハンドルネームを持ち、オフラインの友
達よりも長くつき合っているインターネットの知人がいることも多
い。彼らにとって、インターネットは、地元の知人とのつながりを
強化する手段というより、世界とつながるための場所なので、彼ら
の多くは、フェイスブックをまったく（あるいはほとんど）使わない、
社会的なインターネット・ユーザーといえるだろう（実際、2010年
代終盤、彼らの多くが「マストドン」への移行を検討しはじめた。マストドン
とは、トピック中心の分権的な構造を持ち、決して使い勝手がよいとはいえな
いソーシャル・ネットワーキング・プラットフォームだ。どちらの特徴も、初
期のインターネットを彷彿とさせる）。

　日常生活におけるインターネットの役割が成熟していくにつれ
て、旧インターネット人はこちらからたずねないかぎり見分けづら
くなった。年齢やオンラインでつき合う相手に応じて、旧インター
ネット人は第二の波のオンライン移民のうちの一方と混同されるこ
とがある。実際、旧インターネット人の語彙の大半は、今や主流と
なるか（「by the way（ちなみに）」を意味する「btw」や、「コンピューター
がクラッシュした」と言うときの「クラッシュ」など）、まったく使われな

くなった（たとえば、「use the source, Luke!（ソースを使え、ルーク！）」を意味する頭字語「UTSL」など [24]。質問する前にソースコードを読め、ということを『スター・ウォーズ』風に言ったもの[▼9]）。そして、マニアックな語彙の一部は、インターネット全体に広まることもなく、特にテクノロジー系やハッカー系などの旧来のインターネット・コミュニティに今もなお息づいている。

　旧インターネット人が行なった最大の言語的貢献は、語彙というよりもむしろ考え方にある。インターネットは「『社会的』な言語の使用には向いていない」とみなしていた否定派の人々を覚えているだろうか？　初期のインターネットの話者コミュニティが格闘していたのは、まさにこの問題だった。カジュアルな書き言葉で感情を伝えるには、どうすればよいか？　チャットベースのオンラインRPGのプレイヤーを対象とした1990年代後半のドイツの研究によると、これらの要因が深く関連し合っていることがわかった。つまり、顔文字やインターネット・スラングを誰よりも多用し、インターネットの持つ社会的な可能性をこよなく信じる人々ほど、チャットを通じた友情をもっとも多く築いていると報告したのだ [25]。

　頭字語「lol（←laughing out loud、大笑い）」の歴史は、インターネットから物理的な世界へと感情が飛び出していった絶好の例といえる。「lol」の誕生秘話としていちばん広く受け入れられているのは、カナダのアルバータ州カルガリーに住むウェイン・ピアソンという男性の話だ。彼は、1980年代のチャットルームでこの頭字語をつくったときのことを覚えている。

　当時スプラウトという名で通っていた（たぶん今でも通っている）

僕の友達が、テレビ会議室ですごく面白いことを言ったんだ。気づくと、僕の家の台所の壁に反響するくらいの大声を出して笑っていたんだ。「LOL」が初めて使われたのはそのときだった。
　　もちろん、チャットルームで楽しい気持ちを表現する方法はそれまでにもあったし（>grin< >laugh< *smile*）、笑顔を表わす顔文字もたくさんあったけれど、ひとりきりの部屋で大笑いして（もっとひどいときには、別の部屋にいる家族におかしな人だと思われて）恥ずかしい思いをしたことを、うまく伝えられる表現はなかった [26]。

「lol」が誕生した厳密な時刻と日付は、サイバースペースのみぞ知るところだけれど、ピアソンの証言は、わたしたちの実証できる事実と確かに符合している。LOL の引用が初めて登場する文献として知られているのは、1989 年 5 月の「FidoNews」というオンライン・マガジンに掲載された定番のインターネット頭字語のリストであり、言語学者のベン・ジマーによって発見された [27]。いずれにせよ、ピアソンの話は、インターネット世界の友達から、長年のハンドルネーム、コンピューターの前での大笑い、テクノロジーに疎い家族たちの困惑にいたるまで、旧インターネット人の時代を見事に想起とさせる。だが、インターネット・ユーザーの第二の波がやってくると、人々はオンラインで友達ができたり、面白い出来事が起きたりしても、そう驚かなくなった。

第二の波

オンライン移住の第二の波は、英語世界では最大の波だった。

1990年代終盤から2000年代初頭にかけてのわずか数年間で、インターネットは一気に主流のものとなったのだ。インターネット・アクセスは、もはやテクノロジー企業のオフィス、大学の校内、一部のマニアの家の専売特許ではなくなり、一般の人々が自宅、高校、職場からオンラインに続々とアクセスしはじめた。アメリカ人のインターネット利用率が初めて5割を超えたのは、ピュー研究所によると2000年のことだけれど、大卒成人または18〜29歳の人々にかぎっていえば、当時すでに7割を超えていた[28]。1995年時点では、ウェブページへの訪問経験のあるアメリカ人はたったの3パーセントで、パソコンの所有者は3人にひとりだった[29]。そんなインターネット主流化の初期の時代、1998年に公開された『ユー・ガット・メール』では、オンラインにアクセスできたのは一部の登場人物だけだが、新しい出会いを求めてオンラインのチャットルームを訪れていたのは、テクノロジー・マニアではなく書店の経営者だった。1999年、ジャーナリストのロブ・スピーゲルはこう記している。「1年でこれだけ変わるなんて。12カ月前、1999年11月までにインターネットの利用がここまで主流になるとは、予想もしなかった。正直言って、『オンライン』や『ウェブ』という言葉が誰にでも通じるという状況には、どうも慣れない[30]」

　インターネットをめぐる物語は主に、ハッカーの物語から、デジタル移民やデジタル・ネイティブの物語へと変わった[31]。オンライン世界にやってきた年配者たちは、ネット世代（その多くが自分の子ども世代）が「生まれつきデジタル・ネイティブ」であり、まるで息をするようにコンピューターを操る様子に驚嘆した。しかし、研究者たちは、こうした説に続々と疑問を投げかけはじめた。2000年代初頭、大学生を対象に行なわれた研究によると、20歳の大学生と40歳以上の年配の大学生とのあいだで、スプレッドシートの

編集やデジタル写真の作成などの能力に有意差は見られなかったという [32]。デジタル・ネイティブという概念を肯定または否定する証拠を検証したある総説論文は、この説を神話と一蹴し、「いわば学術版の『モラル・パニック』▼10 である」と述べている [33]。つまり、ある集団や活動が社会への脅威とみなされているものの、そのことを裏づける具体的な証拠よりも、お祭り騒ぎをするメディアのほうがよっぽど目立っている、ということだ。当然ながら、全員が親と子にぴったり二分されるわけではないし、10年間や20年間、毎日練習を積めば、かなり苦労していたデジタル移民でさえ、やがてはある程度デジタルを使いこなせるようになるだろう。

　この時代のオンライン移民に見られる真のちがいは、技術的なスキルというよりもむしろ社会的な選択にあった。一方の集団は、インターネットを社会生活の手段として完全に受け入れ、わたしが「正インターネット人（Full Internet People）」と呼ぶ人々になった。もう一方の集団は、インターネットを道具のひとつとして使いつつも、それまでとほとんど変わらない社会生活を続け、もう少しあとになって、インターネットが取り持つ友情へと少しずつ足を踏み入れていった。名づけて「準インターネット人（Semi Internet People）」だ。この2集団は年齢と相関があるけれど、完全に年齢だけで特徴づけられるわけではない。正インターネット人は、比較的若く、まだ学生であり、最新の流行や、仲間がかっこいいと思うものに影響される傾向にあった。一方、準インターネット人は、比較的年齢が高く、社会人になっていて、確立した社会生活をすでに持っている傾向にあった。しかし、両集団の決定的なちがいは、純粋な年齢というよりも、むしろインターネット上での行動にあった。1999年、新たな出会いを求めてトピック別の掲示板を探し求めて

▼10　それまでの社会規範から逸脱した個人、集団、文化などを、社会への脅威ととらえる集団的な反応。

いた新米ユーザーは、まだ旧インターネット人の文化的特徴の多く
を受け継いでいただろうが、既存の友達と毎日のメッセンジャーを
始めた第二の新米ユーザーは、正インターネット人になっただろう。
そして、面白おかしいチェーンメールの転送にハマった第三の新米
ユーザーは、準インターネット人になっただろう。これらの新米ユー
ザーたちは、たとえ同年代だったとしても、参加する言語コミュニ
ティはまったくちがう。ただし、一般化には必ずつきまとう問題だ
が、この区別は絶対的なものではない。対比を明確にするため、集
団どうしをはっきりと切り分けるのは価値のあることだけれど、自
分がある集団と別の集団の中間あたりに属していると感じる人も当
然いるだろう。

正インターネット人

正インターネット人は、1990年代終盤から2000年代初頭にかけ
て、社会的なインターネットが始まりを告げたころに成人した。彼
らはコミュニケーション規範の多くがすでに確立しているインター
ネット世界にあとから加わり、ジャーゴンファイルやFAQから直
接ではなく、どういう音楽がかっこいいのか、どういうジーンズが
おしゃれなのか……等々を伝達する文化的作用を通じて、同時代の
仲間たちから間接的にその規範を学んでいった。正インターネット
人が「正（Full）」と形容されるゆえんは、彼らがインターネットの
持つ社会的な可能性を一時として疑わなかったからだ。そもそも、
旧知の人々ともっとコミュニケーションを取るためにインターネッ
トを使いはじめたというのに、どうしたらそんな疑いを持てるだろ
う？　昨晩メッセンジャーで起きたケンカを、翌日のランチの話題

にすることだってできるというのに、インターネットには社会性が
ないだとか、ネット民は空想世界を生きている、などと主張するの
はバカげているだろう。

　当時最新だった AOL インスタント・メッセンジャー（AIM）、
MSN メッセンジャー、ICQ（I seek you に由来）などのメッセン
ジャー・ツールは、正インターネット人にとって、ネット上での初
期の社交体験の中心にあった。ネオンカラーの背景や、点滅する小
さな GIF 画像を追加できる、ジオシティーズ、エンジェルファイ
アー、ザンガ、ネオペット、ライブジャーナル、マイスペースなど
の個人的なホームページやプロフィール・ページもそうだ。2017
年のわたしの調査によると、この集団は 24 〜 29 歳が中心で、そ
の 4 人に 3 人以上が、初めて体験したソーシャル・プラットフォー
ムとして、AOL インスタント・メッセンジャー、MSN メッセン
ジャー、ブログ、ライブジャーナル、マイスペース等を選んだ。
18 〜 23 歳と 30 代のおよそ半数、40 代の 4 人にひとりも同様だっ
た。これは、1990 年代終盤から 2000 年代初頭にかけての多くの
10 代未満、10 代、20 代の若者の数を占める。

　正インターネット人は、旧インターネット人のジャーゴンファイ
ルのように、スラングのリストをつけたりはしなかった。というの
も、そのそもそもの性質からして、正インターネット人のコミュニ
ティは巨大で、分権的で、その会話の慣習を当たり前のものとみな
していたからだ（タイムマシンがあるなら、わたしはきっと 14 歳の自分に、
スラング・リストをつけておいてとお願いするけれど！）。ところが、成長
するにつれて、正インターネット人はさまざまなメディア・プラッ
トフォームにアクセスできるようになり、ときどき初期のインター
ネット時代への郷愁の波に襲われるようになる。ニナ・フリーマン
制作のビデオゲーム『Lost Memories Dot Net』は、彼女自身の

青春時代の自撮り写真や、2004年当時のインターネットの記憶に基づいてつくられている。プレイヤーは14歳の少女となり、当時主流のブラウザーだったインターネット・エクスプローラー風のタブつきインターフェイスを使いながら、新たなアニメ・ファンサイトのブログをデザインしたり、両想いの男の子について親友とメッセンジャーをしたりする。2000年代初頭のティーンエイジャーのインターネット利用について振り返ったある論文は、当時のインターネットがオフラインの社会構造をそっくりそのまま反映したものだったことを強調した[34]。彼らは友達どうしでウェブリング[▼11]やクリーク[▼12]をつくってホームページをリンクし合い、パステルカラーの明るいHTML表や、かわいらしい動物のGIFアニメーションで装飾していたのだ。この集団がインターネット上で見知らぬ他人とつき合うときは、ネオペットやPetz.comのようなバーチャルペット・サイトを使うことが多かった[35]。こうしたバーチャルペット・サイトについて、ジャーナリストのニコル・カーペンターは、懐かしげにこう語っている。「殺伐としたインターネット世界で女の子が安心して遊べる場所」を提供する、「たまごっちとポケモンを足し合わせたようなサービス」である、と[36]。郷愁の波は何度となく訪れた[37]。2009年にヤフーがジオシティーズのサイトを閉鎖した際には保存運動が巻き起こったし[38]、2017年にAOLがAOLインスタント・メッセンジャーを永久に閉鎖すると、あるテクノロジー文化の記者は、中学校時代にAOLインスタント・メッセンジャーでの男の子たちとの会話をプリントアウトし、友達と懸命に分析した日の想い出を振り返った[39]。

　社会的なインターネットにデビューしてから数年後、正インター

▼11　輪っか状に相互リンクされたウェブサイトの集まり。
▼12　ウェブリングの小規模で排他的なもの。

ネット人たちは、初代のフェイスブック・ユーザーやツイッター・ユーザーにもなった。しかし、わたしの調査した人口統計的な集団が同じくらい興味深いのは、この集団が属していない場所はどこか、という点だ。彼らがフェイスブックの初代ユーザーだというのは事実としてわかっている。2004年にサービスが開始された当初、フェイスブックはハーバード大学の学生にしか公開されておらず、その後、大学全般、高校生へと拡大され、一般に公開されたのは2006年のことだった。ところが、この年代で、フェイスブックで初めて社交体験をした人々というのはほとんどいない（10パーセント未満）。ユーズネット・グループ（①）やメッセンジャー・グループ（②）の創始者集団は、いずれもオンラインにデビューしたての人々だった。対照的に、フェイスブック・グループ（③）の創始者集団は、古いプラットフォームから新しいプラットフォームへと移行した人々だったのだ。

　開始当初のフェイスブックは、ユーザーのオンライン・アイデンティティと、オフラインでの名前や社会的ネットワークとの結びつけ方という点で、ほかのソーシャル・プラットフォームとは一線を画していた。旧インターネット人から継承されてきた大前提は、新しい人々と出会い、アイデンティティを模索するのがオンラインにアクセスする目的である、というものだったが、フェイスブックはその点で奇妙に逆行しているように見えた。しかし実際、フェイスブックはその初期のユーザーが中学校時代から行なってきたことを明確化したにすぎない。メッセンジャー上の友達は、表面的には、旧インターネット人がユーズネットやチャットルームで使っていたような、奇抜なハンドルネームを持っているように見えたけれど、その実際の機能はまったくちがっていた。1980年代に頭字語「lol」を発明したウェイン・ピアソンに、「スプラウト」というハンドル

ネームを通じてしか知らないネット上の友達がいたのとは対照的に、『Lost Memories Dot Net』に登場する2004年当時のニナ・フリードマンは、TarnishedDreamZというユーザーが、同じ学校のクラスメイトのケーラだということを完璧に知っていたのである。

　新しい出会いを求めてインターネット・デビューした人々は、ネット上の友達にいつでも見つけてもらえるよう、数年間、ときには数十年間も、あちこちのプラットフォームで同じユーザー名を使いつづけた。しかし、元からの知り合いとつるむためにインターネットを使いはじめた人々にとって、ハンドルネームはアイデンティティを隠すどころか、自分を演じるための手段だった。好きなバンドの歌詞や映画の台詞（せりふ）をもじったユーザー名は、数カ月がたち、好きなバンドや映画が変われば、変更されることだってある。友達はそのユーザー名があなただということをずっとわかっているのだが、ほかの人々が次々と変わるあなたの名前を見失ったとしても、それはそれでかえって好都合だ。なので、彼らにとっては、実名でフェイスブックを始めるのは、さほどの無理難題ではなかった。もう何年も仲良くしている相手の頭のなかで、彼らのオンラインとオフラインの自己が実質的に結びついているわけだから。それどころか、ユーザー名を通じて自分とは別の誰かのアイデンティティを演じるのをやめるというのは、一種の成熟さの証（あかし）だともとらえられたのだ（赤いプラスチック・カップから生ぬるいビールを飲む人々の写真を投稿することを「成熟」と呼ぶなら、の話だけれど）。

　この旧インターネット人と正インターネット人の考え方のちがいを見事に描き出しているのが、テクノロジー研究者のダナ・ボイドの著書『つながりっぱなしの日常を生きる──ソーシャルメディアが若者にもたらしたもの』だ。この本には、インターネットを使う

全米のティーンエイジャーたちの 2005 年から 2012 年までのエスノグラフィー調査の結果が、克明に、しかもたいへん読みやすくまとめられている。

> 私自身、ティーンエイジャー時代をオンラインで過ごした最初の世代だった。しかし、時代が今とはちがう。1990 年代初頭、私のほとんどの友達は、コンピューターになんてまったく興味がなかった。それに、私自身のインターネットへの興味は、地元のコミュニティへの不満と結びついていた。インターネットは、私と同じ特殊な関心を持ち、昼夜いつでも一緒にその話ができる人々の住む、より大きな世界を与えてくれたのだ。私が育ったのは、オンラインに「接続」することが一種の逃避手段であるような時代だった。そして、私は切実に逃避を求めていた。
> 　ところが、私が会ったティーンエイジャーたちは、まったく別の理由で、フェイスブックやツイッターなどの人気ソーシャルメディアや、アプリやテキストメッセージなどのモバイル技術に惹かれていた。チャットルームや掲示板に出入りして、地元のコミュニティを避けていた私やアーリーアダプター・タイプの人々とはちがい、現在の大半のティーンエイジャーは、自分たちのコミュニティの人々とつながり合うために、オンラインにアクセスする。彼らにとって、オンラインに参加するのは、奇妙な行動でもなんでもなく、まったくふつうの行動、もっといえば期待される行動ですらあるのだ▼13。

本書の用語を使うなら、この考え方のちがいは、ボイドが旧インター

▼ 13　ダナ・ボイド『つながりっぱなしの日常を生きる──ソーシャルメディアが若者にもたらしたもの』野中モモ訳、草思社、2014 年、12 〜 13 ページを参照。日本語訳は、本文の文脈を考慮し、新たに訳し直した。

ネット人であり、彼女の調査したティーンエイジャーがより若い正インターネット人であることに起因するのだろう。実際、彼女の著書に登場するサイトは、マイスペースからインスタグラムまで多岐にわたる。彼女は、若者のオンライン交流がどっと増えたことを、ショッピングモールや公共の公園などでの物理的な交流の機会を減らす、たむろ禁止の法律▼14 や車中心の地域といったさまざまな制約と結びつけている。同様に、カリフォルニア州の公立学校の学生に関する 2000 年の調査では、ティーンエイジャーは公開のチャットルームや掲示板にアクセスして赤の他人と話すよりも、旧知の友達とプライベートなメッセージのやり取りをするほうを圧倒的に好むことが報告された 40。

　確かに、正インターネット人たちのなかにも、出会いのため、職業上の人脈づくりのため、共通の趣味を通じた交流のために、のちのちインターネットで友達をつくる人々はいた（旧インターネット人たちのなかにも、のちのちオンラインとオフラインのアイデンティティを結びつける人々がいたように）。第 1 世代のインターネット・ユーザーには、少なからずうぬぼれがあった。インターネットは特別な世界。自分たちは一般人より優れている。インターネットは従来の社会的交流の規範が必ずしも成り立たない場所。そう信じていたのだ。インターネットの言語は雑で、誤解を生みやすかったが、それはかえって部外者を締め出すのに好都合だった。しかし、社会的なインターネットの世界に大挙して押し寄せた最初の世代のユーザーたちには、別の動機があった。世界的なコミュニティに加わるのではなく、むしろ地域的なコミュニティでの友情を維持すること。彼らはコミュニケーションを再発明しようとしていたわけではなく、ただそれまで

どおりの生活を続けようとしているだけだった。目の前にあるコミュニケーション手段を使って、いつもどおりの恋愛、別れ、危機を体験しようとしていたにすぎない。ところが、カジュアルな書き言葉を使い、ありふれた人間生活のドラマを伝えようとする過程で、彼らはカジュアルな書き言葉を、人間の豊かな感情をずっと深く伝えられる道具へとつくり替えてしまったのだ。

　初めてインターネットを使って親たちを当惑させた正インターネット人が、その子どもたちにいちばん当惑しない世代だというのは、なんとも皮肉なものだ。正インターネット人は、自分自身のティーンエイジャー時代の経験をもとに、チャット・アプリをメッセンジャーの観点から、タンブラーをジオシティーズの観点から理解できるのだが、あいにく、彼らにはデジタルの幼少期というものがない。幼児にどれくらいの時間ならアイパッドを使わせてもいいのか？　子どもが児童向け漫画の不愉快なパロディー版をたまたま見つけてしまったらどうする？　遠くに住む親戚にとってはほほえましいけれど、子どもが大人になって見たときに恥ずかしいと思うような自分の子どもの写真やエピソードを、ソーシャルメディアに投稿することの是非は？　正インターネット人は、こうした前例のない疑問について考えなければならない最初の世代なのだ。

　インターネット・スキルに関していえば、正インターネット人は、初期のテクノロジーに対する一定の郷愁を抱えていて、若い世代のオンライン行動と接点がなくなってしまったのではないかというかすかな不安を抱いているものの、SNSサイトと職業上の電子的コミュニケーション、その両方にうまく適応している。フェイスブック、ツイッター、インスタグラム、レディット、ユーチューブ、ポッドキャストなど、少なくともひとつ、場合によってはたくさんのソーシャルメディア・アカウントを保有していて、ニュースや娯楽の多

くをオンラインで得ている。思春期のころから家族のテクニカルサポート役を務めていて、新しいテクノロジーが主流へと浸透する際の主なベクトルの一翼を担っている。そして、さまざまな種類の電話、コンピューター、デバイスに加え、電子メール、メッセンジャー、一般的なインターネット検索、文書処理、さらにはおそらくスプレッドシートやプレゼンテーションなどのオフィス・ツールも難なく使いこなす。自宅にインターネットが開通する前の時代を覚えているかどうかは人によるけれど、基本的なスラングの存在しないインターネットなんてものは、まちがいなく覚えていない。「lol」や「wtf（←what the fuck、なんじゃそりゃ）」のような略語、:-) や <3 のような顔文字、「すべて大文字で書くと叫び声を表わす」といった表記法は、彼らがインターネットを使いはじめたころにはもう確立していた。彼らは文脈や仲間たちからインターネット・スラングの大半を学び、それを口調と関連づけるのだ。

　ところが、それ以外の種類のテクノロジーに関するスキルレベルとなると、個人差が大きい。アメリカ人大学生のテクノロジー・スキルに関する神話や現実について探った、2004 年の調査によると、大学生のほぼ全員が前述のスキルを持っていたが、グラフィックスの作成、音声や動画の編集、ウェブサイトの構築となると、知識のある人々はごく一部だということがわかった [41]。イギリス、オーストラリア、南アフリカなどの国々で行なわれたその後の調査でも、同じことが裏づけられた。そう、社交目的でテクノロジーを使いこなす能力は、1980 年以降に生まれた人々のほぼ全員が持っていたものの、より専門的なテクノロジー・スキル（コーディング、ウィキの編集、ブログの管理、RSS フィードのフォローなど）となると、スキルを持つ人々は約 2 パーセントから最大でも 30 パーセントと、少数派だったのだ [42]。このパーセンテージは、コンピューターの初期

の時代のように、技術的知識を持つ少数派とテクノロジーに疎い多数派という構図よりもむしろ、人々の知識が断片的で一貫していないという事実を表わしている。実際、人々は必要に応じてテクノロジー・スキルを学ぶと報告した。しかも、大学に通っていない人々よりもテクノロジーに精通している人の割合が多いはずの大学生の調査結果でさえ、この数字なのだ。

　よって、デジタル・ネイティブに関する予測は、部分的にしか正しくなかった。テクノロジー通とそうでない人々の境界はぼやけてきたが、それは全員がテクノロジー通へと変わったからではない。2000年代初頭のテクノロジー・スキルに関する調査で、盛んに使われた流行語のひとつに、「情報通信技術」という言葉があった。しかし本来、「情報」と「通信」は別物だ。分けて分析する必要がある。確かに、電話や自動車のある世界に生まれた世代が、電話回線を伝ってくる肉体のない声に疎外感を覚えたり、時速100キロメートル以上で道路を走ることに怯えたりはしなかったように、インターネットのある世界に生まれてきた世代は、オンラインでの社会生活に苦労を覚えないだろう。しかし、旧インターネット人とはちがい、正インターネット人の場合、コンピューターを通じた社交能力と、コンピューター自体と対話する能力とには、ほとんど相関がないといっていい。初期の自動車はしょっちゅう故障したので、初期の運転手は誰もが熟練した修理工だった。でも、自動車が普及するにつれて、オイルポンプとキャブレターのちがいすらわからないような人でも、車を運転できるようにしなければならなくなった。コンピューターも同じだ。いちども「ボンネットの中をのぞいた▼15」ことのない人でも、コンピューターが使えるようになると、テクノ

▼15　英語の「ボンネットの中をのぞく（look under the hood）」は、自動車のエンジンを調べる様子から、「物事の内部の仕組みを詳しく調べる」という意味で使われる慣用句。

ロジー・スキルとインターネット上の社交能力との関係はあいまい
になっていった。本章の残りのページでは、その成り行きを追って
みよう。

準インターネット人

正インターネット人と同じように、準インターネット人もまた、
1990年代終盤から2000年代初頭にかけて、社会的なインター
ネットの幕開けとともにオンライン世界へと移住した。しかし、正
インターネット人特有の文化的特徴はまったくといっていいほど受
け継いでいない。準インターネット人がオンライン世界に移住した
理由は、正インターネット人とはちがうからだ。一般的に、彼らは
仕事上の必要に迫られてオンライン世界にやってきて、それからほ
どなく、ニュースを読む、情報を検索する、買い物をする、旅行の
計画を立てる、といった実用的な課題へと用途を広げていった。彼
らにとって、社会的な側面というのは、もう少しあとになって、ゆっ
くりとつま先をつけた分野にすぎない。準インターネット人が「準
（Semi）」と形容されるゆえんは、インターネット上の社会生活を
フルに満喫しているわけではないからだ。インターネットを通じて
連絡を取り合っている相手（年下の家族など）もいれば、ほかの手段
で親交を深めている相手（旧友など）もいるが、もっぱらオンライ
ン上だけで誰かと仲良くなることについては、慎重な姿勢を貫いて
いる。なんといっても、手紙や電話だけで人間関係を保つことの難
しさを、鮮明に記憶しているからだ。
　インターネット・ユーザーと非インターネット・ユーザーに関す
る2007年のイギリスの調査で、インターネット利用全般に関す

る最大の断絶は、若者と中年とのあいだではなく、55歳未満とそれ以上とのあいだにある、ということがわかった[43]。55歳以上の人々についてはあとで話すが、55歳未満のユーザーのなかにも、インターネットの利用方法という点で興味深い分断があった。25歳未満のインターネット・ユーザーのおよそ3人にふたりは、少なくともひとつのSNSサイトを使っていたが、25歳から44歳ではふたりにひとり、45歳以上では3人のひとりしか使っていなかった。2007年以降、多くの年配者たちがSNSサイトを使いはじめた。メディアの表現を借りるなら、「うちの親がフェイスブックを始めたよ」というやつだ[44]。2017年のピュー研究所の推定では、50歳から64歳までのアメリカ人の7割以上が、すでにフェイスブックのユーザーになっていた[45]。ほかのソーシャル・ネットワークを含めなくてこの数字である。この結果は、初体験のソーシャル・プラットフォームに関するわたしの調査とも一致する。すでに見たとおり、フェイスブック、ツイッター、ユーチューブ、グーグル・トークのグループ（③）は、面白いことに中年だけがぽっかりと抜け落ちている。それは、これらのプラットフォームを初めて社交目的で使ったユーザーたちが、別のプラットフォームから移行したことによる。ところが、これらのプラットフォームでインターネット上の社交体験を始めたユーザーの山がふたつある。それは50代以降と23歳以下だ。もちろん、2008年に初のソーシャル・ネットワークとしてフェイスブックに加わった13歳と45歳では、利用体験はちがったろうから、若いほうの半分は、本章でのちほど論じることにしよう。

　正インターネット人たちが、1990年代終盤から2000年代初頭にかけて、叩き上げでインターネット言語を学んでいった一方で、同じころにオンライン世界へと移住してきた年配者たちは、イン

ターネット世界の「旅行ガイド」を求めていた。つまり、自分たち
が足を踏み入れようとしている社会的な風景を、誰かに説明してほ
しかったのだ。第一、もし彼らがインターネットの DIY 的側面や、
コンピューターが取り持つ社交の輪に惹かれていたら、とっくの昔
にオンライン世界へと移住し、旧インターネット人になっていたは
ずなのだ。そんな彼らにとって、もっとも頼りになる旅行ガイドと
いえば、何より『Wired Style（未）』だった。

　『Wired Style』は、1993 年創刊のテクノロジー雑誌『ワイアー
ド』向けのスタイルガイドとして生<ruby>生<rt>せい</rt></ruby>を受けた。ふつう、雑誌や新聞
は、『The Associated Press Stylebook（未、AP スタイルブック）』
や『The Chicago Manual of Style（未、シカゴ・マニュアル・オブ・
スタイル）』といったスタイルガイドに従う。それは、オックスフォー
ド・コンマ▼16、頭字語内のピリオドの有無、複数の書き方がある
単語の綴りなどの問題に関して、ひとつの刊行物のなかで表記を
統一するためだ。ところが、既存のスタイルガイドは、『ワイアー
ド』のそもそものテーマである技術革新自体に追いついていなかっ
た。古典的なスタイルガイドの提案は、時代の先駆者を標榜するテ
クノロジー系の出版物にとっては、保守的すぎることが多かったの
だ。ほとんどの読者がウェブサイトや電子メールを「website」や
「email」と綴るようになってから何年も、お堅い新聞紙がいまだ
に「Web site」や「E-mail」と綴りつづけるくらいなら、まだかわ
いいものだ（実際、coöperate などの単語であえて保守的な符号（¨）▼17
を使うのが、『ザ・ニューヨーカー』誌のひとつのアイデンティティになって
いる）。でも、『ワイアード』（や本書）にとって、インターネットの

▼16　3 個以上の項目を列挙するとき、A, B, C and D ではなく A, B, C, and D というように、and の前にコンマを入れる表記法。
▼17　cooperate という綴りが圧倒的にふつうだが、oo を「ウー」と読まないよう、coöperate と綴り、ふたつ目の o が別個の音節だと強調することがある。イギリス英語では、同じ理由から、co-operate という綴りも使われる。

スタイルに遅れを取るということは、信憑性の深刻な低下を意味するだろう。

そこで、同誌編集者のコンスタンス・ヘイルとジェシー・スキャンロンは、「email」の語頭の大文字化やハイフンの有無（両方なし）、インターネット頭字語の大文字化やピリオドの有無（「L.O.L.」でも「lol」でもなく、「LOL」のように大文字化してピリオドは打たない）といった問題について、一貫した指針を提供するための独自の社内スタイルガイドを定めた。出版社はふたりのスタイルガイドが幅広い読者層に受けると考え、改訂と拡大を経て、1996年に『Wired Style』の初版を、そして1998年にはその第2版を出版した。

同じころ、インターネット言語に関する学術論文も書かれていたが、『Wired Style』やジャーゴンファイルなどの文書は、一般読者向けに書かれていたし、インターネット・ユーザーの慣習をありのままに反映するものだったので、特に重要性が高い。もともと、『ワイアード』の社内スタイルガイドは、技術通の読者のために記事を書く、技術通のライターたちの標準化のためにつくられたのだが、一方の『Wired Style』は、主流化したインターネットを念頭に置いて書かれ、新たな「ネチズン」▼18 に言語的な「ネチケット」に関する指針を提供していた。準インターネット人は、初めてオンラインにアクセスした際、必ずしも『Wired Style』を読んだわけではないが、『Wired Style』はコピーされたり、当時の新聞や雑誌の側面記事に印刷されたりして、広く回覧された数多くのスタイルガイドのなかでも、とりわけ網羅的だった。人々はこの本の内容を通じて、すべて大文字の表記は叫び声を表わすとか、B、4、2、U、LOL はそれぞれ「be」「for」「to」「you」「laughing out loud」の略語であるとか、ビジネスメールはビジネスレターほど堅苦しく

▼18　net（ネット）と citizen（市民）を合わせた語で、ネットワーク市民、ネット民のこと。

なくてよろしい、とかいうことを学んでいったのだ。しかし、これらは実用的な知識というより、机上の知識に近いこともあった。というのも、彼らは同世代の人々とメールをすることがほとんどだったからだ。

　デジタル・ネイティブに関する仮説と同じく、オンラインにアクセスすることの機能的な側面を、社会的な側面と一緒くたにしないよう注意が必要だ。もともと、準インターネット人は、根本的なテクノロジー嫌いの傾向や、メールをやたらにプリントアウトしたがるクセを表わして、「デジタル移民」と呼ばれていた。しかし、10年や20年の実践経験を積んだ準インターネット人は、自分が暮らす私的なインターネット空間や職業上のインターネット空間に、おおむね溶け込んでいる。旧インターネット人と同じように、準インターネット人がインターネット・スラングをどれだけ使いこなせるかは、ほかのインターネット・ツールをどれだけ使いこなせるかと関連している。どちらも、オンラインにいる期間や、オンラインに居心地のよさを感じているかどうかを示す指標なのだ。オンラインにアクセスするのがかなり難しかった時代の人々の平均的な技術的知識にかなう世代はないとはいえ、若い正インターネット人たちの知識の「幅」に対して、準インターネット人は「深み」を持つ傾向がある。彼らは長年行なっている2、3の技術的な作業については、名人級のスキルを持っていることも多い。たとえば、職場で10年間使いつづけているフォトショップ、マイクロソフト・オフィスなどのツールがその典型だ。

　慣れ親しんだツールを使いこなし、年下の人々から教えを請うのと同じくらい、高齢の両親や年上の友達のテクニカルサポート役を買う機会も多いにもかかわらず、準インターネット人は自分自身のことを「コンピューターに強くないほう」だと思っている。新たな

技術的課題に直面すると、未成年の自分の子どもや年下の同僚など、オフラインの知り合いに真っ先に助けを求める。ときには、たまたま近くに居合わせただけの人にも。わたしはある日のカフェで、中年夫婦から携帯電話のアプリの不具合を直してほしいと頼まれたことがある。それも、わたしが隣の席に座ってラップトップを広げていたというたったそれだけの理由で。実際、それはなかなかうまい戦略だ。結局、直すことができたのだから。でも、それはわたし自身も今まで遭遇したことがない問題だったので、ウェブコミック・サイト「xkcd」の「Tech Support Cheat Sheet（テクニカルサポートのカンニングシート）」と題する漫画で紹介されている手順に従って、問題を解決するはめになった。その漫画にはこう書かれていた。「あなたのしたい作業と関連していそうなメニュー項目かボタンを探す→クリックする→うまくいったか？→いいえ→（繰り返す）→すべて試した→プログラム名と、あなたのしたい作業に関連する単語を組み合わせてグーグル検索する」[46]。わたし自身、カフェの店員にwifi のパスワードをたずねたり、メニューをくださいと頼んだりしたことはあるけれど、技術的な問題が起きた場合は必ずデジタル世界の住民に頼る。親切な専門家が詳しいハウトゥ記事を書いてくれていることを期待してグーグル検索をするけれど、それが見つからなければ、わたしと同じ問題に遭遇した誰かが5年前に書いた掲示板の記事でも十分だ。

　旧インターネット人を特徴づけていたのが、技術的な知識や、テクノロジーを通じた新たな出会いへの憧れだったのに対して、同年代の準インターネット人を特徴づけていたのは、テクノロジーに対する愛憎相半ばする感情や、オンラインよりもオフラインの人間関係を好む傾向だった。フェイスブックが準インターネット人たちのあいだで成功したのは、インターネットの友達をつくるよう促す代

わりに、オフラインの人間関係をフェイスブック上で再現する機会
をユーザーに与えたからだ。2017 年、わたしは先ほどとまったく
同じ人口統計的な分類を用いて、別の単語についてたずねる追跡調
査を行なったのだが、今回は調査へのリンクをツイッターに貼りつ
けた数日後に、フェイスブックにも同一のリンクを投稿してみた。
ツイッター経由で調査に回答してくれた 40 代や 50 代の人々に不
足はなかったのだが、そのほとんどは、ユーズネット以前の旧イン
ターネット人だった。ところが、フェイスブックにリンクを投稿し
てから数時間とたたないうちに、フェイスブックでオンライン・デ
ビューした人々がおおぜい加わり、最初の調査のときと同じように、
40 代以降の人々の数の帳尻が合った（ツイッターをフェイスブックと同
じグループに分類していたにもかかわらず）。フェイスブックが大学生以
外に公開されて 10 年がたっても、フェイスブックを好む人々は、同
時代のほかのソーシャル・プラットフォームと比べてもなお、オン
ラインの人間関係に対してまったく異なる考え方を持っていたのだ。
　しかし、準インターネット人がフェイスブックで社会的なイン
ターネットを利用しはじめたという言い方は、実は正確ではない。
正しくは電子メールなのだ。ただ、電子メールはインターネットが
主流になる前や最中の時点で、すでに普及していたので、わたしの
調査からはあえて除外しただけのことだ。1995 年のピュー研究所
の調査では、ある程度日常的に電子メールを使うアメリカの成人は、
いちどでもウェブサイトを訪れたことのある人々の 3 倍におよぶ
ことがわかった[47]。そして、電子メールの使用率は、2002 年か
ら 2011 年まで、インターネットの利用人口の約 9 割で飽和状態を
保った[48]。準インターネット人は電子メールが非常に得意で、初期
の電子メールの一流のマナーを今でもよく守っている。巨大で複雑
なフォルダー・システムをつくり、長いメールに返信するときには、

必ず相手の文章を引用してからその部分に対する返信を書き、話題が変わったらメールの件名を変えることさえある（旧インターネット人もよく同じことをするけれど、正インターネット人の多くは、この行動にゾッとする。件名別に電子メールを自動でまとめ、繰り返しの文章を非表示にしてくれる、Gメール風の最新テクノロジーが台無しになってしまうからだ）。準インターネット人の初期のインターネットの文化的特徴といえば、正インターネット人の雑なフラッシュ・アニメとはちがい、面白おかしいチェーンメールが多い。

　進化に時間がかかったとはいえ、現在の準インターネット人はふつう、メール、テキストメッセージ、チャット・アプリ、フェイスブック、スカイプ、フェイスタイム、ビデオ通話などのテクノロジーを通じてつき合いを保っている人間関係をいくつか抱えている。また、インターネット・スラング、特に彼らが初めてオンラインにやってきた1990年代終盤に広まったスラングを知っていることが多い。よりネット好きな集団ほど顔文字を多用せず、せいぜい :-) を使いつづける程度だったが、途中をすっ飛ばして、一気に絵文字まで飛躍した。準インターネット人にとって、インターネット言語は「わたしがインターネットで送っているのはこれこれこういうメッセージです」という意味しか持たず、すべての意味は額面どおりのものだ。もっと繊細な社会的意味を伝えたいなら、声を使って会話すればいい。だって、文章で社会的なニュアンスを完全に伝えることなんて、元から不可能なのだから……。これは、正インターネット人の考えとは正反対だ。

　より詳しく「LOL」と「lol」を見てみると、第二の波に属するこの2集団のちがいが浮き彫りになる。準インターネット人は、すべて大文字の「LOL」を、インターネット・スラングのリストから学んだ。今や「Little Old Lady（小柄な老婦人）」の略でも「Lots Of

Love（たくさんの愛を）」▼**19** の略でもなく、「Laughing Out Loud
（大笑い）」の略なのだと、若者やインターネット・マニュアルから
教えられたのだ。しかし、言葉、特にオンラインの言葉は生き物だ。
正インターネット人は、インターネットという社会的なるつぼのなか
かで、仲間たちから「lol」という表現を学んだ。ネットでは、単語、
特に時間を節約するための頭字語は、強調でないかぎりすべて小文
字で表記される。そして、「lol」はもともと大笑いという意味だっ
たものの、あっという間に言葉が持つ意味が広がった。たとえ、文
字どおり笑っていなくても、相手の冗談に称賛を示したり、少し気
まずい状況を和らげたりする手段として使われるようになったの
だ。実際、早くも 2001 年に、言語学者のデイヴィッド・クリスタ
ルは、「lol」のいったい何割が本当の大笑いなのかという疑問を呈
した **49**。そして、レディットには、大きな話題を呼んだこんな投稿
が寄せられた。「『lol』は『ne（← nose exhale、鼻から息を出す）』に
変えるべきだ。だって、オンラインで面白いものを見たとき、みん
なが実際にしているのはそれだから **50**」

　わたしは 2017 年に「lol」の使い方に関する調査を行なったとき、
言葉の変化を目の当たりにした。「lol」は着実に小文字化されていっ
ているだけでなく、その意味までもが進化していたのだ。準イン
ターネット人の半数以上は、「lol」を大笑いの意味で使うと答えた
が、少なからぬ割合の人々が、必ずしも本当の笑いだけでなく、楽
しさ全般を表わすのにも使えると答えた。皮肉や嫌味といったその
他の意味で使うのは、彼らにとって一般的ではなかった。一方、旧
インターネット人と正インターネット人は、その３つの意味すべ
てで「lol」を使っていた。主な意味をひとつ選ぶよう言われると、
「楽しさ」だと答えたものの、皮肉や正真正銘の笑い（後者の場合は

▼ 19　かつて、家族、親友、恋人への手紙の結びとして、LOL が Lots of love の略語として使われた。

特に「LOLOLOL（笑笑笑）」や「actual lol（マジ笑い）」という形を取る）
の両方の意味にも使えると答えたのだ。さらに、最年少の集団は、
「lol」を大文字にするという考え自体をきっぱりと拒絶し、たとえ
「LOLOLOL」という形を取ったとしても、正真正銘の笑いを指す
ために用いることはないと答えた。代わりに、楽しさ、皮肉、そし
てときには遠回しな攻撃という意味で使うほうを選んだ。この「lol」
の新しく繊細な社会的機能は、さらなる疑問を呼ぶ。皮肉とはいっ
たいどういう意味なのか？　その件については、後インターネット
人のセクションで。

第三の波

インターネット人の第三の波は、国民全体がすでにオンラインへ
と移行し、インターネットが避けては通れないものになったころ、
オンライン世界に到達した。その半数は、幼すぎてインターネッ
トのない生活自体を覚えておらず、読み書きを覚えたとたんにオ
ンラインに移住してきた人たちで、本書では「後インターネット人
（Post Internet People）」と呼ぶ。そして残りの半数は、インターネッ
トなんてなくたって生きていける、と高をくくっていたけれど、
ようやく遅ればせながらこの世界に移住すると決意した年配者た
ちで、本書では「前インターネット人（Pre Internet People）」と呼
ぼう。ちなみに、ここまで来てもやっぱりオフライン世界に残り
つづける人々は、「非インターネット人（Non Internet People）」と
呼べるだろう。
　旧インターネット人、準インターネット人、前インターネット人
の３つは、インターネットとの出会い方が生み出した集団といえ

る。年齢を問わず、テクノロジー好きたちはいち早くオンラインにアクセスし、やや懐疑的な多数派はそれが当たり前になるまで様子を見、とりわけテクノロジー嫌いな人たちはできるかぎり先延ばしした。だが、今後はこういう現象は存在しなくなるだろう。確かに、ひとりの個人を取り出して見れば、テクノロジー嫌いであることは今でもありえる。電気の通っていない山小屋に、あえて住むことを選ぶ人がいるのと同じことだ。しかし、裕福な社会はもちろん、世界じゅうでますます、誰もがある程度はインターネットに触れるようになった。子どもたちは全員同じ年齢でオンライン・デビューし、同年代の仲間がオフラインの生活でとりわけ重要な位置を占めるようになる、10歳前から10代前半ごろ、オンラインの交流を始める。そのため、将来の世代では、年齢、ジェンダー、人種、階級、ネットワークなど、かねてから言語に影響を及ぼしてきた人口統計的な集団のほうが、初めてオンラインにアクセスした時期よりも、重要な意味を持つようになるだろう。

　第三の波に属するふたつの集団を見分ける簡単な方法がある。電子メールとの関係、いや、厳密にいえば電子メールとの関係の欠如に着目すればいい。旧、正、準インターネット人は、ソーシャルメディアがまだ生まれたてで、私的なコミュニケーションと職業上のコミュニケーション、その両方において電子メールが欠かせなかった時代に、初めてオンライン世界にやってきた。そのせいか、彼らの多くにとって、電子メールはいまだに健在だ[51]。一方、2000年代終盤から2010年代にかけてオンライン世界にやってきた人々にとって、ソーシャルメディアはすでにありふれたものになっていた。通常、こうした人々は仕事を引退しているか、職業上の理由で電子メールを使うには年齢が若すぎたので、電子メールをすっ飛ばして、直接ソーシャルメディアやチャット・アプリから始めたのだ。

前インターネット人

最年長集団である前インターネット人は、インターネット上に（とき たま）顔を出すのだが、住んでいるとまではいえない。前インター ネット人は、第一と第二の波、つまりインターネットが誕生したこ ろや主流化したころにも生きてはいたのだが、当時はインターネッ トなしでもやり過ごせると思っていた。ところが、2010年代にな り、あまりに多くの情報や交流がオンラインへと移行すると、ポツ リポツリとオンラインに移住しはじめる。ピュー研究所の報告によ ると、全成人のインターネット利用率が初めて5割を超えた2000 年時点で、インターネットを利用する65歳以上のアメリカ人の割 合は、わずか14パーセントにすぎなかった。ところが、その率は 2012年には50パーセントに達し、以降も毎年1、2パーセント ずつ増加しつづけている[52]。また、高齢者のソーシャルメディア利 用率も、2010年時点ではわずか10人にひとりにすぎなかったも のが、2017年には3人にひとりにまで上昇した[53]。

　前インターネット人の全員が65歳以上の高齢者というわけでは ないし、65歳以上の全員が前インターネット人というわけでもな い（2015年に65歳の人は、1980年時点では現役バリバリの30歳だったわ けで、インターネットに飛びついていたとしてもぜんぜんおかしくないのだ）。 しかし、この最年長層は、インターネットやソーシャルメディアの 普及率の遅れを示す恰好の例といえる。面白いことに、同じ時期に オンライン世界へとやってきた前インターネット人と後インター ネット人には、いくつかの共通点がある。どちらもフェイスブック、 ユーチューブ、wifi、タッチパネルのないインターネットというも のを知らず、家族の電子機器のお下がりを使っている割合が、不釣 り合いなほど高いのだ。

　前インターネット人は、インターネットに詳しい人に設定してもらったアカウントをひとつは持っていることが多い。たとえば、電子メール、フェイスブック、ワッツアップなどのテキストチャット・アプリ、スカイプやフェイスタイムなどのビデオチャットなど。メッセージの送受信など、基本的な使い方は知っているけれど、いったんうっかりログアウトしてしまったり、アプリのインターフェイスが変更されたりすると、また手助けが必要になる。スマートフォンやタブレットのようなタッチパネル式のデバイスでしかインターネットをしたことがないので、コンピューターを使うときには、ご丁寧に「インターネット」や「メール」と書かれたショートカットをデスクトップに置くのだが、そのショートカットに少しでも何かがあると右往左往してしまう[54]。コピー＆ペーストすらできない人もいるし、コーディングなんて論外。ただ、ブラインドタッチができる人ならいる。実物のタイプライターで覚えたからだ。

　インターネット世界に遅れてやってきた人々は、テクノロジー好きの若者や新しもの好きたちほど、研究や関心の対象になっていないが、司書のジェサミン・ウェストは、ひとつの情報源を提供してくれている。旧インターネット人である彼女は、2007年から毎週、バーモント州の田舎で当日参加型のテクノロジー相談会を開いている。そして、彼女はこうした人々への理解がインターネット全体で広がるよう、相談会の様子をオンラインで定期的に記録している[55]。彼女が相談に乗る人々の大半は55〜85歳で、非インターネット利用者の割合は減少しつづけているとはいえ、2015年から2018年まで、アメリカ人全体の約11パーセントという数字を保っている[56]。この割合は、接続速度が遅い地方の人々、英語以外の言語でインターネットを使いたい人々、視力の低下や難聴を抱えている人々のあいだでは、さらに高い。いずれも、高齢者に多い特徴だ[57]。

2010年代の非インターネット利用者は、たまたまそうなるわけではない、と彼女は強調する。コンピューターに触れる機会はある程度ありながら、自分には向かないといちどは決心したのだが、行政サービスや孫の写真など、オンラインでしかアクセスできない物事に直面して、彼女のところに相談にやってくるのだ。彼女の役割は、目の前の作業に対する不安だけでなく、テクノロジー恐怖症や、まぎらわしいユーザー・インターフェイスへの戸惑いまでをも払拭することなのだ[58]。

　準インターネット人は、インターネット・スラングを、テクノロジーを通じたあらゆるカジュアルなコミュニケーションと結びつける。若いインターネット人たちは、インターネット・スラングを、口調を伝えるために使う。でも、前インターネット人は、「LOL」のようなインターネット頭字語（ましてやそのおしゃれな小文字版）なんて使わないし、認識すらできないこともある。あるコミュニティの言語を取り入れるのは、前章で見たとおり、ただそのコミュニティと接するだけでなく、そのコミュニティに属するのは望ましいと信じることでもある。その点、前インターネット人は、インターネットを利用しつつも、それを正当な社会的影響力のみなもとだとはみなしていない。そのため、彼らはいったんインターネット世界に移住したあと、再び去っていく可能性がいちばん高い集団でもある。なぜなら、使えなくなったデバイスを直すことは、彼らにとって優先順位が低いからだ。書き言葉のスラングを用いるとしても、「B（←be）」「U（←you）」「2（←too）」のようなインターネット誕生の前から存在した謎解き形式のスラングや、キーボードの入力予測機能によって自動的に提案され、小さな絵として簡単に判読できる絵文字を使うことが多い●1。彼らにとって、頭字語や顔文

●1　ただし、第5章で見るように、一見すると意味の明確な絵文字に、罠が潜んでいるケースもある。

字といったインターネット・スラングは、なじみがないだけでなく、自分が属したくもない集団に属していることのサインにもなってしまう。あるとき、フェイスブックを使いはじめて1年くらいになる年配者から、こう話しかけられたことがある。「コロンの隣にカッコが書いてあるのをよく見かけるけど、あれはなんなんでしょうねえ？」。わたしが意味を説明すると、「へえ、なるほどね！」と感心した様子だったけれど、結局、その人がスマイリーを使っているところを見かけることはいちどもなかった。

　前インターネット人たちのオンラインの言語規範は、正規のインターネット人とは異なるが、だからといって、彼らがオンラインのほかの人々以上に、新聞風の正式な英語で文章を書いているというわけではない。その性質からして、彼らは大規模なインターネット調査で接触しづらいタイプのネット民なのだが、わたし自身がいちばんよく見聞きする言語的な事例データといえば、なんといっても、区切り文字の使い方に関するものだ[59]。前インターネット人たちは、思考の区切りに、ハイフンや、連続したピリオドまたはコンマをよく使う。一例を挙げると、「i just had to beat 2 danish guys at ping poong.....& ..they were good....glad i havent lost my chops（卓球の相手はふたりのデンマーク人の男でね……そいつらが強いのなんの……まだ腕が衰えてなくてよかったよ）[60]」「thank you all for the birthday wishes -great to hear from so many old friends -hope you all are doing well --had a lovely dinner（誕生日のお祝いありがとう－久しぶりにこんなにたくさんの友達の声が聞けてうれしいよ－みんな元気でやっているといいけど──最高のディナーだったよ）[61]」「Happy Anniversary,,,Wishing you many more years of happiness together,,,,（結婚記念日おめでとう、、、ふたりで末永くお幸せに、、、）」といった感じだ。

　厳密な普及率についての統計はないけれど、汎用的な区切り文字としてダッシュや省略記号を使うのは、少なくとも英語世界ではしょっちゅう見られるようだ。わたしがツイッターでエピソードを募集すると、あるユーザーからこんなコメントが寄せられた。「まさか、うちの義理の両親とメールでもした？」。どうしてこういう人々は、主に若い家族と連絡を取り合うためにオンラインへとやってきたのに、相手じゃなく同世代の人々と同じような書き方をするのだろう？　この疑問の最初の鍵を示してくれたのは、ジェサミン・ウェストが図書館で開いたテクノロジー相談会にやってきたひとりの高齢者だった。ウェストは、その高齢者が生まれて初めて電子メールを送信する様子を動画に収めた。その男性、ドンは、カメラの前で、「人生で初めて文字を入力したよ」と彼女に言うと、一息ついてこう言った。「手書きで何かを書くときのクセなんだが、文章の終わりまで来たら、ふつうの句点じゃなくて、点を３つ書くんだ」。そうして、コンピューターのほうを指差した。「その場合、ピリオド３つでいいのかね？」。ウェストがそうだと答えると、ドンはキーボードのほうへと向き直り、どうだといわんばかりに、点を３つ打った[62]。

　ドンの勝ち誇った表情は、若いインターネット人からたびたび耳にする、区切り文字に関する困惑とは好対照だった。そこで、わたしは思いついて、手書きの文章を集めてみることにした。行き着いた先は葉書だった。特に有益な情報源のひとつが、ビートルズのリンゴ・スターに宛てて、残りの３人から送られた葉書をスキャンして掲載した本だった。ジョン・レノンとポール・マッカートニーは比較的ふつうの句読記号を使い、長めのメッセージを書く傾向があったが、ジョージ・ハリスンの短いメッセージは、転写すると、前インターネット人の文章とほとんど瓜二つだ。1978 年にハリスンがスターに宛てて送った葉書には、なんと５つも点がある[63]。

Lots of Love from Hawaii. . . . .
（ハワイからたくさんの愛をこめて。。。。。）

George+Olivia
（ジョージとオリビア）▼20

この本に掲載されているほかの葉書には、吹き出しつきのクマや署名の下のスマイリー・マークなど、絵文字風のスケッチがある。ほかにも、わたしはオークションサイトでハリソンからの葉書をたくさん見つけた。なかでも、父親への葉書はダッシュ記号のオンパレードだ。また、最後にはキスマークを表わす「xx」もある。イギリスのメールでは今でもよく使われる記号だ。

Hi Dad - Eileen -
（父さんへ－アイリーンへ－）

Hope you are O.K. and had a good drive back. We came to North Sweden for a week - Pretty Cold. But very nice - makes a change - Be back next week - speak to you then
（元気？　無事に帰れたといいけど。1週間の予定で北スウェーデンに来たよ－けっこう寒い。でもいいところだ－気分転換になるよ－来週には帰るから－そのとき話そう）

Love George + Olivia xx
（じゃあ。ジョージとオリビア xx）**64**

▼20　リンゴ・スター『ビートルズからのラブ・レター──4人がやりとりした51通のポストカード POSTCARDS FROM THE BOYS』ザ・ビートルズ・クラブ翻訳・編集、プロデュース・センター出版局、2005年、77ページを参照。オリビアはジョージの妻。

これはビートルズ特有の表現でも、英語特有の表現でもない。1950年代から2010年代までの500通以上のスイスの葉書に関するコーパス調査によると、このジャンルにおけるふたつの共通の特徴が見つかっている。それは、「……」「???」「!!!」といった句読記号の繰り返しと、スマイリーやハートのような顔文字風の落書きだ[65]。実際、この影響は両方向に作用する。フィンランドのティーンエイジャーの葉書とメールを比較した2003年の研究によると、ティーンエイジャーたちは葉書でも :) のような横向きの顔文字を使いはじめていた[66]。

　葉書以外のカジュアルな書き言葉でも、ダッシュや省略記号が汎用的な区切り文字として使われることがある。特に、スペースに制約のある場合がそうだ。たとえば、次に示すのは、ジョイス・ヴィエルという人物がタイプライターで書いた「ボニー・ドーン・オート・ビスケット」のレシピ・カードをスキャンしたものだ。このレシピでは、スペース入りの点の繰り返しが使われている。手書きのレシピでは、手順の区切りにダッシュが使われることもある。

Combine shortening, sugars, eggs, salt, and vanilla
and beat thoroughly . . . Sift flour and soda together;
add to first mixture with coconut and oats and mix
well. . . . Drop level tablespoons of dough on greased
baking sheets . . . Bake in moderate oven (350°F).
10-15 minutes. Makes 3 dozen cookies.
（ショートニング、砂糖、卵、塩、バニラを加え、しっかりと混ぜる...
小麦粉と重曹をふるいにかけ、ココナッツ、オート麦とともに最初の混
合物のなかに加え、よく混ぜる...油を塗った天板に大さじすり切り1杯
の生地をまぶす...オーブンに入れて中火（180度）で焼く。10〜15分

で完成。分量36個。）

葉書やレシピ・カードには、ソーシャルメディアの投稿との重要な共通点がいくつかある。商業出版された料理本や小説とはちがい、ひとりの人物の手で、編集なしで書かれる。文字を書くスペースが限られているので、ある程度の簡潔さが求められる。そして、半ば公開であることが多い。ひとりやふたりに宛てられてはいるが、間接的にずっと多くの人々の目に触れる。テーブルに置いてある葉書やレシピ・カードを手に取って読むのは、特定の人に宛てられた手紙を開いて読むほど、プライバシーの侵害とはいえない。これらの類似性から、汎用的な区切り文字がよく使われていることと、「lol」のようなインターネット頭字語に比べて、絵文字が年配の集団に驚くほど急速に広まっていること、その両方が説明できる。そう、前インターネット人（そして、そうしょっちゅうではないにせよ3点リーダーを使うことのある準インターネット人や旧インターネット人）は、自分たちが使い慣れてはいるものの、困惑する若い読み手たちがデジタル時代にすっかり失ってしまったジャンルの表記規則を、忠実に再現しようとしているわけだ。そうしたジャンルには、ちょっとした落書きを使う思考の「枠」がすでにあったので、絵文字はその枠にすんなりと収まったといえる。この最年長集団は、デジタルとアナログのカジュアルな書き言葉のあいだに、興味深い架け橋をもたらす。物事の技術的な面については半ばちんぷんかんぷんな人たちでさえ、テクノロジーの持つ社会的な構造を正しく認識し、それをおなじみの言語的習慣へと投影することができているわけだから。

　多くの点で、この最年長のインターネット集団は、若い集団よりも興味深い。インターネットでつながる友達がいる若者というのは、ある程度イメージしやすい。1990年代終盤、AOLインスタント・

メッセンジャーでありきたりながらも大事な近況報告を絶えず行ない、マイスペースの友達トップ8人は誰なのか、とかいう社会的なドラマを繰り広げていたティーンエイジャーと、2010年中盤、スナップチャットでありきたりながらも大事な近況報告を絶えず行ない、インスタグラムで誰が誰の写真に「いいね！」しているのか、とかいう社会的なドラマを繰り広げていたティーンエイジャーに、それほどのちがいはないだろう。しかし、年配世代が大規模な通信技術を大挙して取り入れた例というのは、しばらく見かけない。もしかすると、電話の発明以来ないかもしれない。年配者集団全体が長年インターネットを使いつづけたら、いったいどんなことが起こるのだろう？　今のところ、ようやくその最初の兆しが見えはじめたにすぎないけれど、年配者にインターネットの使い方を教える活動がポツポツと行なわれているところを見るかぎり、年配者が今までより社会的なつながりを感じる日も、そう遠くないのかもしれない[67]。ぜひ、若者と年配者の葉書やメールを比較する正式なコーパス調査を見てみたいものだ。さまざまな世代や媒体のカジュアルな書き言葉どうしを結びつけたら、ほかにいったい何が見えてくるだろう？　結果が楽しみでならない。

後インターネット人

子どものころ、わたしの家にはテレビがなかった。そのせいで、仲間たちのあいだでは少し浮いた存在だったけれど、それでも文化の浸透作用やまわりの家々の観察を通じて、わたしはテレビ文化の要点をつかんでいった。リモコンの操作方法。クイズ番組『ジェパディ！』のテーマ曲。「最高の番組」から「赤ちゃん向けの番組」、

そして郷愁を糧にして再び「最高の番組」へと返り咲いた『セサミストリート』の社会的な進展。わたしは、自分自身がテレビを観るか観ないかにかかわらず、ポスト・テレビ世代に育った。前インターネット人は、たとえインターネットを利用していても、インターネットと社会的につながっているとは感じていないけれど、後インターネット人はまったく逆だ。自分自身がどれくらい使っているかにかかわらず、インターネットから社会的な影響を受けるのだ。彼らより前の世代の人たちが、初めてテレビを観たり電話を使ったりしたときのことを覚えていないのと同じで、後インターネット人たちは、初めてコンピューターを使ったりオンラインで何かをしたりしたときのことを覚えていないし、たとえ個人的には何かのプラットフォームのアカウントを所有してしなくても、さらにはソーシャルメディア自体をまったく使っていなくても、フォローや「いいね！」の持つ社会的な意味について話すことができる。それは、社会的風景の一部にすぎないのだ。

　事実上、正インターネット人と後インターネット人とを明確に区別できる質問がある。「あなたがフェイスブックを使いはじめたのは、親の前とあとのどっち？」と訊くのだ。もう少し一般的にいえば、「あなたが社会的なインターネットの世界にやってきたのは、インターネットがすでに広まったあとなのか、それともまだ若者向けのニッチなサービスにすぎなかった時代なのか？」でもいい。わたしが2017年に行なった調査では、13〜17歳の人々が初めて使ったソーシャル・プラットフォームは、「フェイスブック、ツイッター、ユーチューブ、グーグル・トーク」グループ（③）と、「インスタグラム、スナップチャット、アイメッセージ、ワッツアップ」グループ（④）がちょうど半々だった。一方、18〜23歳のおよそ3人にひとりは、「フェイスブック」グループ（③）を選んだ（そして、半数

は「インスタント・メッセンジャー」グループ（②）を選び、正インターネット人と分類された）。

　デジタル世界への移住は、9〜14歳くらいに始まることが多い。幼い子どもは、タッチパネルをメディア・デバイスとして使い、ゲームをしたり、動画を観たりする。でも、コミュニケーションを目的としたインターネット利用は、オフラインの人間関係と同様、まだ保護者が取り持っている[68]。親が子どもたちの約束や公園での遊びを管理するのと同じように、祖父母や別の親の子どもとのビデオチャットを取りまとめるのだ。これには実用的な理由がある。ネット上のコミュニケーションには読み書きの知識が必要なことが多いし、年齢にふさわしい素材にまつわる重大な懸念もある。そして、ほとんどのSNSサイトには、13歳以上という年齢制限が設けられている[●2]。しかし、メールのような誰でも使えるプラットフォームであっても、そして年齢を詐称するユーザーが一定数いるということを加味したとしても、デバイスを常に携帯して自分専用として使えるようになるのは、つまり自律的なコミュニケーションが取れるようになるのは、10歳前から10代前半といったところだろう。この時期は、親たちがほかの大人を通じてではなく、直接子どもと物事の計画を立てることを望み、子どもが自分専用の携帯電話をせがみはじめる時期と重なる。このころから、仲間たちとの社会生活のほうが、親と一緒にいるよりも楽しくなるからだ。

　後インターネット人は最年少集団なので、この集団を、未来をのぞき込む水晶玉のように扱い、彼らのソーシャルメディア習慣から、わたしたちの10年後、20年後の行く末を占いたくなる気持ちはわかる。でも、そうした「ティーンエイジャー占い」には慎重になるべきだ。

●2　児童オンライン・プライバシー保護法では、12歳以下の子ども向けのウェブサイトに、さまざまな規制を課している。この規制に手っ取り早く準拠するため、単純に多くのサイトはユーザーに13歳以上という年齢制限を設けている。

このライフステージに特有の言語的、社会的特徴と、成長したあとも
受け継がれる特徴とを、しっかり分けて考える必要があるからだ。

　数カ月にいちどは決まって飛び出す流行記事のジャンルがある[69]。
そうした記事の記者は、時に親戚のティーンエイジャーにインタ
ビューしたり、代表的だと思われる数人のティーンエイジャーの
人物像を描き出したり、10代後半の若者になりきって友達のソー
シャルメディアの利用方法について考察したりして、ティーンエイ
ジャーの最新のソーシャルメディアの使い方を解説する。そうして
必ず判明するのは、人気者のティーンエイジャーほど、その成人の
記者にはまったく理解しがたいスピードで、一見するとなんの理由
もなくメッセージを送りまくっているという事実だ。月に何千件と
いうメッセージを、高額な通信料金と引き換えに。さらに掘り下げ
れば、シャイで、オタクっぽく、内向的なティーンエイジャーは、
その逆だということがわかるだろう。

　しかし、これはインターネットに限った現象ではない。言語学者
でインターネット研究者のスーザン・ヘリングが指摘するように、
彼女のようなベビーブーム世代のティーンエイジャーは、ショッピ
ングモール、ドライブイン映画館、ソックホップ▼21、学校のスポー
ツ施設、公共公園で、「目的もなく」たむろしていた[70]。インターネッ
ト世代の子どもたちが創意に富んだメール言葉を生み出すのと同じ
ように、暗号をつくったり、逆向きに文字を書いたりして、メモを
回すこともあれば、現代の若者がソーシャルメディアのプロフィー
ルに細心の注意を払うのと同じように、ロッカーや寝室を飾り立て
たりもした。固定電話で長話をするにせよ、莫大な通信料金をかけ
てメールをしまくるにせよ、フェイスブック、マイスペース、イン

▼21　1950年代のアメリカの学校の体育館や食堂などでよく行なわれたダンス・パーティー。床を傷つけないよう、
靴を脱いで、靴下（sock）で踊る（hop）ことから。

スタグラムの「中毒」になるにせよ、どの世代のティーンエイジャーも、たむろしたり、いちゃいちゃしたり、仲間と優劣を争ったりすることに、自由な時間を費やしたいと思っているのだ。

　ヘリングはまた、1981年のフランスの社会学研究についても言及している[71]。その研究によると、社交性はティーンエイジャーと若い成人でもっとも高く、年を取るごとに低下していくことがわかった。「ほかのすべての条件が等しければ、若いユーザーと年配のユーザーとのあいだに見られるデジタルの社交性の差は、ライフステージに関連していると解釈するべきだろう。すべてのデジタルメディア・ユーザーにとって、社交性が増す方向に変化していっている、と考えるべきではない」とヘリングは記している[72]。ティーンエイジャーのほうが20代の人々よりも、あらゆる種類のソーシャル・ネットワークの利用率が高いからといって、ティーンエイジャーがオンラインで遊ぶほうを好む、というわけでもない。実際には、数々の研究で一貫して証明されているように、ほとんどのティーンエイジャーは、面と向かって友達と遊ぶほうを好む[73]。その理由がなかなか面白い。それは、オフラインでの交流のほうが「楽しく」、「相手の本音が汲み取りやすい」からだという[74]。ところが、郊外の孤立、ショッピングモールや公共の場所におけるティーンエイジャーのたむろ禁止、塾や習い事でびっしりのスケジュールが、そんな面と向かった遊びを難しくしている。そこで、ティーンエイジャーは友達がいる（そして親がいない）ソーシャルサイトやアプリに手当たり次第、目を向けるわけだ。ダナ・ボイドはこう述べている。「ほとんどのティーンエイジャーはソーシャルメディア中毒なわけではない。どちらかといえば、友達中毒なのだ」[75][▼22]

▼22　ボイド『つながりっぱなしの日常を生きる』131ページを参照。日本語訳は、本書の文脈を考慮し、新たに訳し直した。

　ショッピングモールのフードコートや固定電話で延々と暇つぶしをしていたティーンエイジャーが、ショッピングモールや電話に適度な時間を費やす大人になったのと同じように、現在のティーンエイジャーがソーシャルメディアや携帯電話に費やす時間から、必ずしも10年後の彼らやわたしたちの行動を占えるわけではない。何しろ、大人には社交の選択肢がずっと多くある。門限なしでバー、パブ、コンサート、レストラン、クラブ、パーティーに出かけることもできるし、友達、ルームメイト、恋人と家にいる選択肢もある。親の許可なしで誰かを家に招き、おまけに寝室のドアを閉め切ることだってできるのだ！

　後インターネット人がインターネットの社会化全般にもたらした真の影響は、単なるピカピカの新しいSNSサイトよりも繊細で、重大なものだった。親たちがすでにいる社会的なインターネットの世界に加わることで、後インターネット人たちは「文脈の崩壊」の特に恐ろしいバージョンに直面した。これはダナ・ボイドの造語で、互いに重なり合うあなたの友達グループが、別々の角度からあなたの共有された投稿をとらえる状況のことだ[76]。同僚の個人的な写真や政治的な投稿をときどき目にする大人たちにとって、文脈の崩壊は、その人が軽率かどうかという程度の些細な問題にすぎないが、若者にとって、文脈の崩壊は集団的な問題だ。若者には、権力者に絶えず監視されていない場所で、自分が誰なのかを見出すための空間が必要なのだ。

　正インターネット人は、親たちが知らないソーシャル・ツールを使うことで、この問題を解決した。数年おきに新しいツールへと飛び移り、人間関係を白紙に戻して、思い出すだけでゾッとするような瞬間を、古いプラットフォームの奥底に葬り去るのだ。実際、フレンドスターはマイスペースに、マイスペースはフェイスブックに

道を譲った。SNS サイトは、プライバシー設定や共有リストの選
択といった機能を通じて、この問題を解決し、ユーザーを引き留め
ようとした。しかし、数年おきにプラットフォームを乗り換え、友
達全員をリストにまとめるのは、骨が折れる。そこで、後インター
ネット人は、3つの原則に基づいた、より持続的な戦略を編み出し
た。

　ひとつ目は、過去の会話が記録に残らないように、情報をなるべ
く記録しないようにする、という原則。読んだら消去されるプライ
ベート・メッセージ、動画のライブ・ストリーミング、古い投稿の
手動消去、24 時間だけ視聴可能なストーリー形式の投稿……。ど
れも、意図した文脈以外でメッセージが読まれる確率を下げるため
の工夫だ。ふたつ目は、すべてのソーシャル・ネットワークが万人
向けである必要はない、という原則。たったひとつの主力のソー
シャル・プラットフォームを利用したり、すべてのプラットフォー
ムにひとつずつアカウントを保有したりするのではなく、自分でう
まく文脈を管理できるプラットフォームを選ぶのだ。たとえば、学
校の友達との交流はインスタグラム、趣味の友達との交流はツイッ
ターで。履歴書に載せても平気な活動は実名の公開アカウント、よ
りプライベートな活動は裏アカウントで、というふうに。3つ目は、
ソーシャル・グループはプラットフォーム全体よりも流動的かつき
め細かいレベルで整理するべきだ、という原則。これには、ハッシュ
タグや公開グループのような大規模で開かれた選択肢と、グループ
チャットやプライベート・グループのような小規模で閉じられた選
択肢、その両方が含まれる。

　また、後インターネット人のあいだでは、「lol」の意味も変化し
つづけてきた。小文字の「lol」が必ずしも大笑いを意味するわけで
ないということは、2000 年代初頭から知られているけれど、フェ

イスブックやインスタグラムを愛用する若者たちは、「lol」に和らげ、皮肉、遠回しな攻撃といった多様な意味があると言っている。それは具体的にどういう意味なのだろう？　言語学者のミッチェル・マクスウィーニーは、その謎を解明すべく、ニューヨーク市に住む18〜21歳のスペイン語と英語のバイリンガル15人から寄贈された、4万5597件のメールのコーパスを作成し、その若者たちと協力しながら、「lol」の使われ方を分析していった[77]。

　マクスウィーニーらが真っ先に気づいたのは、「lol」はワンフレーズにつき1回しか現われない、という事実だ。「feeling a bit sick lol（ちょっと体調が悪いかも（笑））」とは言うけれど、単純な発話を「lol」ではさんだり（「lol sounds good lol（（笑）いい感じ（笑））」）、あいだに置いたり（「sounds lol good（いい（笑）感じ）」）はしなかった。ひとつのメッセージに「lol」が2個以上あるのは、そのメッセージが独立した複数の部分からなっていて、そのそれぞれに「lol」が使われているケースだ。たとえば、「Yeah lol / my mom was annoyed when I said it lol（そうそう（笑）／それを母さんに言ったら困ってた（笑））」という感じだ。もうひとつ、彼女が気づいたのは、「lol」はいちゃつき、共感の要求や提供、明かされていない情報への言及、前のメッセージの修復、対立の和らげといった、特定の種類の感情や対応とともに使われ、愛情表現、情報交換、雑談などでは決して使われないという点だ。たとえば、「got a lot of homework lol（今日の宿題多すぎ（笑））」や「you look good in red lol（赤、似合うじゃん（笑））」と言うことはあっても、「i love you lol（愛してるよ（笑））」や「good morning lol（おはよう（笑））」と言うことはない。若者たちの説明によれば、本当は午後なのに相手をからかうつもりで「good morning lol（おはよう（笑））」と言うことなら、理論的にはありえるけれど（この場合、単純な雑談よりは、明かされていない情報

への言及に近い）、「i love you lol（愛してるよ（笑））」は絶対にありえないのだという。相手をバカにしている感じがするからだ。

マクスウィーニーは、「lol」がそのフレーズ全体に関して、愛情、率直さ、雑談ではなく、いちゃつき、和らげ、共感と関連する意味を伝えているのではないかと推測した。ふざけていちゃつくのと、「愛してるよ」と伝えるのとの最大のちがいは、あとでごまかしがきくかどうかだ。同じように、「lol」は、ケンカを売っているととらえられかねない状況を和らげるのにも使えるけれど（「what are you doing out so late lol（こんな遅い時間に外で何してんの（笑））」）、深刻で率直な発言（「you hurt me so much in our relationship（あなたとつき合って、いっぱい傷ついた）」）を台無しにしてしまう。また、「lol」は、さりげなく共感を求めるのに使えるけれど（「Lol I'm writing an essay :'(（（笑）実は今エッセイ書いているんだ :'()」）、率直な質問をするときは不要だ（「Can you tell me your schedule so I know when to text you（いつメールすればいいか知りたいから、予定を教えてくれない？）」）。

率直な文章もあれば、何重もの意味を持つ文章もある。その点、「lol」は、第二の意味があることをほのめかし、読み手に文字どおりの言葉の奥を見るよう促す。その第二の意味の性質は、第一の意味によって変わる。もともとの文章が失礼、嫌味、対立的ととらえられかねない場合、第二の意味は読み手を安心させる効果があるのだが、「I love you（愛してるよ）」といった表現は、すでにこれ以上ないくらい暖かい言葉なので、第二の意味が加わると、その意味は悪い方向にしか変化しないのだ。

つまり、「lol」の意味は、笑いの持つ本来の意味からそう大きくかけ離れてしまったわけではない。確かに、指を差して「面白いね」と言いたくなるような、直球ジョークに笑うこともあるけれど、引き攣った笑い、社交的な笑い、礼儀上の笑顔もある。コメディを見

ているとき、まわりの人が笑っていると、つられて大笑いしてしまうことがある。なので、スタジオの観客や録音の笑い声でさえ効果的なのだ。自然な会話に関するある研究によると、笑い全体のうち、正真正銘のユーモアに対する笑いは、ほんの１、２割程度しかないことがわかった[78]。いちゃつくときにはこれといった理由もなく笑うことが多いけれど、初めて「愛してるよ」と言ってもらうときは、誰だってたぶん真顔で言ってもらいたいと思うはずだ。というわけで、インターネット上では、正真正銘の笑いを表現するときには、使われすぎて陳腐化していない表現が必要になる。2017年のわたしの調査では、どんどん繰り返しの回数が増えていく「hahahaha（ハハハハ）」のような表現や、「大笑いしてキーボードの上に水を吐き出しちゃったよ」とかいう、大げさで特別なフレーズが好まれるようだ。しかし、当然ながら、正真正銘の笑いを表現する方法は変化しつづけている。

　第三の波のオンライン移民のうち、年配の前インターネット人たちでも、技術的知識なしでオンラインの社会活動に参加できたことからもわかるように、若い後インターネット人たちの社交能力は、技術的なスキルがあることの証左とはいえない。確かに、後インターネット人は、最新の流行アプリを知っているし、おかしなコンマやピリオドの使い方で口調を表現することもできるけれど、技術的知識の水準は、人によって大きく異なるのが実情だ。文書のフォルダー分けの方法や、スプレッドシートの列の数値の合計方法など、デジタルに精通する年配者にとっては基本的とも思える技術的なスキルもなしに、仕事の世界に飛び込んでくる人もいれば、オリジナルのアプリやウェブサイトのコーディング経験がある人もいる。インターネット文化やソーシャルメディア戦略に精通していて、何百万人が見るようなミームやアカウントをつくった経験のある人もいれ

ば、わかりやすい電子メールの件名ひとつ書けない人もいる。ひと
つの分野に詳しいかと思えば、別の分野については自分が何を知ら
ないのかすらわかっていない人もいる。社会格差の多くはそうだが、
最新のデバイスを買い与えたり、子どもをコーディング教室に通わ
せたり、社会人マナーについてアドバイスしたりできる親を持つ子
どもは、中古の携帯電話や、学校や図書館のフィルタリング処理さ
れたコンピューターを使う子どもよりも、総じてスキルが高いのだ。

　こうした、後インターネット人どうしやその内部での高い格差こ
そ、親や教師たちが理解に頭を悩ませている部分だ。オンラインで
の社交能力と技術的なスキルは、旧インターネット人にとっては実
質的に同じものだったし、正インターネット人や準インターネット
人にとっても、まだ緩やかに関連していたが、後インターネット人
にとっては、完全に切り離されている。この事実は、デジタル・ネ
イティブたちが会話の能力と同じくらいたやすく、技術的なスキル
を身につけられるようになる、という予測を裏切る。むしろ、「コ
ンピューター・スキル」というのは今や、「電気を利用するスキル」
と同じくらい無意味な分類になってしまったのだ。オフラインの移
民の子どもと同じように、インターネット移民の子どもたちは、成
長するにつれて仲間と同じコミュニケーション・スタイルを自在に
操れるようになるけれど、教育なしで大人のスキルを習得した世代
というのは、いまだかつてどこにもいない。つまり、ポスト・イン
ターネット時代の喫緊の課題とは、社交の最中に付随して身につく
技術的なスキルと、10年前や20年前とはちがい、きちんと教え
てあげる必要がある技術的なスキル、そのふたつをはっきりと解明
することなのだ。

　年齢的な分断に加えて、後インターネット人は、周囲の年上の人々
がフェイスブックやメールに慣れているように見えるからといっ

て、「lol」や句読記号といったコミュニケーション・シグナルの意味についても、一定の基本的理解を共有していると思い込みがちだ。特に危険いっぱいなのが３点リーダー（...）だ。オフラインでカジュアルな書き言葉の経験がある人々にとって、先ほど見たように、３点リーダーは汎用的な区切り文字にすぎない。ところが、インターネット中心の書き手にとって、汎用的な区切り文字の役割を果たすのは、改行や新規メッセージだ。そのため、３点リーダーは、「言わないでおいていることがある」という別の意味を持つようになってしまった。その結果、年上世代と接するとき、後インターネット人はつい深読みをしてしまう。些細な手がかりから、年上世代がまるで想像もしていなかったような、繊細な感情的意味を汲み取ってしまうのだ。句読記号や大文字表記の選択を通じて伝えられる、こうした微妙なニュアンスは、あまりにもバラエティに富んでいて面白いので、次章でまるまる１章をかけて見ていこう。

　しかし、世代やコホートの議論において、インターネットの書き手どうしを区別するいちばん明確な線引きは、こんなところにある。メールの句読記号の打ち方を選ぶとき、あなたの想像のなかにいる権力者とは、いったい誰なのか？　それは学生時代の英語教師や辞書のような、オフラインの権力者が定めた規範なのか？　それとも、あなたのオンラインの仲間たちの集合的な知恵や、あなたの口調のタイポグラフィに対して相手が見せる感情的な反応への期待なのか？　インターネット時代の人々のコミュニケーション方法のちがいは、煎じ詰めれば、根本的な考え方の問題に集約される。あなたのカジュアルな書き言葉は、オンライン世界とオフライン世界、そのどちらに属する規範に合わせたものなのか？

第 4 章

口調のタイポグラフィ

Chapter 4

Typographical Tone of Voice

「ケイサン フノウ デス」

「ジドウ オンセイ オウトウ システムニ オツナギ シマス」

「モウシワケ アリマセン キキトレマセン デシタ」

ロボットの音声は、一つひとつの単語自体の発音は正しくても、平坦だ。そのロボットの思考や感情を示す抑揚、スピードの変化、音量の上下、単語の強弱、奥に流れる怒りや笑いがない。

ネット上の友達にロボットみたいだと思われたくなんてない（本物のロボットでさえ、典型的なロボットらしくなくなりつつある）[1]。従来、そうした書き言葉と感情とのギャップを埋めるのは、小説家や詩人の仕事だった。登場人物を不愉快ではなく共感できる人間にするような文章を書き、長いあいだ名前のなかった感情をぴったりと表現するような言葉をひらめいた。感情の文章表現は簡単ではないけれど、ある意味、その影響はさほど大きくない。下手な詩やお堅い登場人物を書いてしまったとしても、文章力の改善に励むことはできるし、引き出しの奥にしまい込んで、やっぱり言語学者になると決めることもできる（それがわたし）。でも、文章でうまく社会的交流ができなければ、この時代、自分自身が引き出しの奥にしまい込まれた原稿みたいな気分になり、強烈な疎外感を抱くはめになるかもしれない。

では、平均的なネット民は、カジュアルなインターネットの書き言葉を使って、この何より重要なニュアンスをどう表現すればいいのだろう？　正式な書き言葉なら、途中でいくらでも助けを借りられる。じっくりと見直すこともできるし、ほかの人々に編集してもらったっていい。でも、カジュアルな書き言葉は、リアルタイムに近い。何度も原稿を書き直すなんてムリな話だし、感情が昂ぶっているあいだに、その感情を文章で表現することも必要になる。どんなにプロフェッショナルな書き手でさえ、チャットボックスに入力しはじめた文字が相手に見えるなら、便利なツールやコツの数々な

んて頼りにならない（つまり、詩人や作家にも、日常会話となればほかの
みんなと同じカジュアルで表現力豊かな書き方が必要になる、ということだ）。

　まずは、一種のベースライン、つまりそこから少しでもはずれれ
ば感情的な影響を与える、正常な種類のコミュニケーションを定め
る必要があるだろう。話し言葉の場合、そのベースラインとは「発話」
である。発話とは、前後を休止や中断によって区切られた、ひとま
とまりの言葉の表出である。まるまる1文が発話であることもあれ
ば、そうでないこともある。ほとんどの場合、発話は数珠つなぎの
単語からなるが、途中でさえぎられることもある（「for examp──
（たとえ──）」のように）。周到に準備された正式なスピーチを除けば、
完全な文だけを使って話すのは、あまりにも堅苦しく聞こえる（断
片的な文章！　なんて便利！）。しかし、発話は、カジュアルな書き言
葉でも使われる。インターネット中心の言語規範を持つ人々にとっ
て、発話を示すもっとも中立的な方法は、改行や新規メッセージだ。
会話におけるひと区切りのメールやチャット・メッセージは、自動
的に個別の発話を表わすのだ。例を挙げよう。

hey
（やあ）

how's it going
（元気）

just wondered if you wanted to chat sometime this week
（今週都合のいい時間に話でもしない）

maybe tuesday?
（火曜日は？）

この方法は、デジタル媒体では効率的だ。スクロールダウンするのなんて簡単だし、空間に限界があるわけでもない。紙のムダと同じような、ピクセルのムダなんてものはないし、改行するだけなら無料だ。ピリオドやスペースよりバイト数を消費するわけでもないし、逆に改行を入れたほうがずっと読みやすくなる。「改行」も「メッセージ送信」もキーストローク1回ぶんで、しかも同じエンター・キーであることが多いので、筋肉の動きを頭に覚えさせるのも簡単だ。おまけに、発話ごとに「送信」するほうが、文章全体を書き終わるまで待ってから送信するよりも、会話の流れがスムーズになる。読み手がそれだけ早く返答を考えられるからだ。ニュース記事のような、より正式なオンラインのジャンルでさえ、段落はどんどん短くなっていて、紙面を節約するインデントの代わりに、1行空きで区切られることが増えている。

　一方、オフライン世界中心の言語規範を持つ人々にとって、発話どうしを区切るもっとも中立的な方法は、ダッシュや複数の点だ。各フレーズを別々の電子メールとして送信するなんて考えられないし、ましてやメッセージ単位で課金されていた時代には、別々のテキストメッセージとして送信するなんてもってのほかだった。また、葉書で1文ずつ改行していたら、4倍くらいのスペースが必要になってしまうだろう！　先ほどの例を、オフライン向けの句読記号を使って表わすと、こんなふうになる。

hey...how's it going.....just wondered if you wanted to chat sometime this week......maybe tuesday....?
（やあ … 元気 ..... 今週都合のいい時間に話でもしない ...... 火曜日は .... ？）

この表記法にも、それなりの理屈がある。通常、完全節をつなげる

のにはピリオド、従属節をつなげるのにはコンマがもっぱら使われるが、省略記号やダッシュは、もっとも保守的な表記法においてさえ、どちらをつなげるのにも使えるのだ。なので、カジュアルな文章を書いていて、一連の単語が完全文なのか、ただの断片的な節なのかをわざわざ判断したくない場合には、省略記号やダッシュというあいまいな句読記号を使うのが、ひとつの妥協策といえる。もちろん、省略記号は本来、文章を省略したり、語末を濁したりするのに使われるのだが、この点は問題ない。話し言葉でも、さりげない効果を狙って文章を濁すことはあるのだから。そしてもちろん、省略記号は本来、文の途中では点３つ、文末では４つであり、単純なピリオド３つとは点の間隔が微妙にちがうのだけれど、それはどちらかというと編集者が気にするような規則であって、キーボードに専用の省略記号のキーがあるわけではない、カジュアルなメールの書き手が気にすることではないのだ。オフラインの規範に従うカジュアルな書き手は、前章で紹介した1970年代のビートルズの葉書のように、節の型に応じた正式な句読記号を使うのではなく、点やダッシュをちりばめることによって、肩の力を抜いているということを表現する。これは、改行や新規メッセージで発話を区切る若者たちとまったく同じ動機だ。それと同じ理由で、ジェイン・オースティンは、現代の読者からすれば不合理にも思えるくらい多くのコンマをオリジナルの小説の原稿にちりばめていたし[2]、エミリー・ディキンソンの詩には、山ほどダッシュが含まれている（編集で削除されていない版がうまく手に入れば、の話だけれど）[3]。区切り文字の使用は、純粋に直感的なものであり、それは昔も今もずっと変わらないのだ。

　問題は、複数の規範を組み合わせた場合に生じる。たとえば、年配の親戚からティーンエイジャーへ、またはベビーブーム世代の上

司からミレニアル世代の部下へ、こんなメッセージが送られてきた
としよう。どういう書き方を中立的ととらえるかで、読み方がかな
り変わってくるのがわかる。

> hey.
> （やあ。）
> how's it going....
> （元気 ....）
> just wondered if you wanted to chat sometime this
> week......maybe tuesday....?
> **（今週都合のいい時間に話でもしない ...... 火曜日は .... ？）**

一部の人からすれば、これはメール時代の新しい改行スタイルと昔
ながらの３点スタイルとのあいだの妥協策に見えるだろう。しかし、
あなたが完全な改行派だとしたら、改行や新規メッセージですむは
ずの位置に、余計な点がいくつもくっついていれば、またはピリオ
ドがひとつあるだけでも、何かのメッセージだと勘ぐってしまうだ
ろう。不要な労力をかけるからには、裏の意味をほのめかしている
にちがいない、と。たとえば、「元気（ほかに言いたいことがあるんだ
けど）」というふうに。ティーンエイジャーからすれば、その言わ
ないでおいていることというのは、口説き文句かもしれない。だが、
年配の親戚にとって見れば、そんな考えはバカげている。隠れたメッ
セージとして、ほかにどんな種類が残っているだろう？　ティーン
エイジャーが真っ先に考えるのは、遠回しな攻撃▼1か単純な困惑
だ。

▼1　遠回しな攻撃行動（passive-aggressive behavior）は、「受動的攻撃行動」ともいい、人間関係や仕事において、
怒りや不満などを直接声に出したりして表現するのではなく、態度などで間接的に示そうとする行動。

　ピリオドの持つ遠回しな攻撃性が報告されはじめたのは、2013年の解説記事だ[4]。2013年の『ニューヨーク・マガジン』にリストとして、同年の『ニュー・リパブリック』に詳しい記事として取り上げられると、その後、数々の刊行物にこの話題がのぼった[5]。連続する点については、2018年の解説記事で取り上げられたが[6]、少なくとも2006年以降、いろいろな質問スレッドで取り上げられていた[7]。一方、その仲間であるハイフンや連続するコンマは、それほど広く報告されていないが、ブログやインターネット掲示板の長いコメント・スレッドを生み出してきた[8]。こうした記事が煽る恐怖とは裏腹に、ピリオドの持つ遠回しな攻撃という意味が、その他のピリオドの用途を全滅させてしまったわけではない[9]。3点リーダーを使うピーク世代よりはまちがいなく若い言語学者のタイラー・シュネーベレンは、自分の送受信した15万7305件のメールに含まれるピリオドを調べた。その結果、確かに、カジュアルで短いメッセージ、つまり17文字未満のメッセージや、lol、u、haha、yup（←yes）、ok、gonnaを含むメッセージには、ピリオドがほとんどないことがわかった[10]。その一方で、72文字を超えるメッセージや、told（言った）、feels（感じる）、feel（感じる）、felt（感じた）、feelings（気持ち）、date（デートする）、sad（悲しい）、seems（に見える）、talk（話す）といった単語を含むメッセージでは、いまだに多く使われていた。ピリオドは文章に重みを加える。なので、「重い」話題について話すのには打ってつけなのだ。

　では、あるピリオドが遠回しな攻撃なのか、悲しみを表わすのか、形式に従っただけなのかは、どう判断すればいいだろう？　ピリオドの持つさまざまな意味がはっきりとわかるようになったのは、ピリオドを「口調のタイポグラフィ」として解釈しはじめたときだった。疑問符が疑問文でなくても尻上がりのイントネーションを表わ

せるのと同じように（「Like so?（こんな感じ？）」）、ピリオドはたとえ文を終える役割を果たしていなくても、尻下がりのイントネーションを表わせる（「Like. So.（こんな。感じ。）」）。わたしがニュースキャスターの声まねをするとしたら、すべての文章を尻下がりのイントネーションで読むだろう。重々しく。偉そうに。しかし、日常会話では、完全な文ばかりで話すわけではないし、特に明確な尻下がりのイントネーション（「And now over to: The Weather.（さて次は――お天気です。）」）ですべての文章を終えるわけでもない。むしろ、わたしたちは発話単位で話し、イントネーションは上がりも下がりもしない。通常は3点リーダーや句点なしでの改行のように、平坦に読むか、語末を濁す。

　3点派と改行派はどちらも、句読記号の最初期の時代の考え方へと、わたしたちを直感的に立ち返らせた。最初期の句読記号は、発話間の休止を表わしており、中世の書記官たちが最初に用いたとされる。中世の重要な句読記号のひとつが「プンクトゥス（*punctus*）」、つまり点だった[11]。この点は、現代のコンマの位置に置けば小休止を、中段に置けば中休止を意味した。さらに、アポストロフィーと同じ位置に置いた場合には、長休止を意味した。それまで、古代ギリシアや古代ローマの文章というのは、みんな単語探しパズルのような形式をしていて、句読記号も、段落も、単語間のスペースさえもなく、すべて大文字（彫刻）またはすべて小文字（インク）のどちらかで統一されていた[12]。そのため、単語探しパズルと同じように、どこからどこまでが単語なのかを、読み手が判断しなければならなかった。それも、これまた単語探しパズルと同じように、小声でぶつぶつとつぶやきながら（ただし、幸いなことに、単語探しパズルとはちがって、単語が斜めに並んでいたり、邪魔な文字が交じっていたりはしないけれど）。

　16世紀や17世紀になると、印刷機や辞書の普及により、綴りや句読記号はより複雑になり、標準化されていった [13]。書記官は独自の方法で文字を綴ったり句読記号を打ったりしていたが、印刷機では、印刷しようとしているほかの内容に合わせて、植字▼2中に活字を変更することができた（そして、実際に変更が行なわれた）。とはいえ、人々は私信のやり取りでは、こうした厳密なガイドラインに完全には従わなかっただろう。少なくとも、オースティン、ディキンソン、ビートルズは従わなかったし、著名な作家たちの手書きの文書は特によく分析されている。しかし、印刷機が多数の読み手にメッセージを届けるいちばん手軽な手段になると、編集された正式な句読記号が、多くの人々の目に入るようになった。それから月日がたち、インターネットは、わたしたちの個人的な句読記号の好みをおおやけのものにし、それとともに、今までとはまったく別の優先事項をもたらした。文章は、直感的で、書きやすく、思考や会話と同じくらいスピーディーなものでなければならなくなったのだ。わたしたちはこうした要件をもとに、「口調のタイポグラフィ」というシステムをつくり上げたのだ。

強烈な感情

WHEN YOU WRITE IN ALL CAPS IT SOUNDS LIKE
YOU'RE SHOUTING.
（すべてを大文字で書くと、まるで叫んでいるように聞こえる。）

すべてを大文字にすることで強烈な感情を表わすというのは、口調

▼2　活版印刷において、活字や句読記号などを、原稿の指定どおりに並べ、組む作業。

のタイポグラフィのもっとも有名な例かもしれない。しかし、強烈な感情といっても、その種類はいくつもある。言語学者のマリア・ヒースは、多様なインターネット・ユーザーに、すべて大文字で表記されたメッセージと標準的な文字遣いのメッセージとで、文字から受け取る感情のちがいを評価してもらった [14]。その結果、すべて大文字で表記すると、うれしいメッセージはいっそううれしくなる（「IT'S MY BIRTHDAY!!!（今日はわたしの誕生日！！！）」のほうが、「It's my birthday!!!」よりうれしそうに感じる）が、悲しいメッセージはもっと悲しくなるわけではなかった（「i miss u（あなたがいなくて淋しい）」でも「I MISS U」でも悲しさは同じ）。怒りの感情に関しては、結果が分かれた。すべて大文字の表記によって、怒りの評価値が増すこともあれば、そうでないこともあった。ヒースによると、そのちがいは、「熱い」怒り（「FIGHT ME（なめんな！）」）と「冷たい」怒り（「fight me（なめんな）」）に起因するのだという。一方、1単語だけ大文字にした場合は、単なる強調を意味する。ヒースはツイッター上に見られる大文字の単語の例を調べた結果、1単語だけ大文字にされることがもっとも多いのは、NOT（〜ない）、ALL（すべて）、YOU（あなた）、SO（すごく）や、WIN（勝利、当選）、FREE（無料）といった広告向けの単語であることを発見した。これは、会話やコマーシャルで強調されることの多い単語とまったく同じだ。話し言葉で何かを強調したい場合、声量、速度、イントネーションのどれか（あるいは3つすべて）を上げて発音することが多い。すべて大文字の表記は、それと同じニュアンスを、タイポグラフィを通じて伝える方法のひとつなのだ。

　強調のための大文字は、インターネット上の口調の典型的な例にも思える。実際、これはオンラインの最初期の時代から使われている。言語学者のベン・ジマーは、早くも1984年に、古いユーズネッ

ト・グループのメンバーが、大文字表記が叫び声を表わすと説明していたのを発見した [15]。さらに面白いのは、大文字がインターネットの登場するずっと前から、強調目的で使われていたことだ。言語学者のジョン・マクウォーターは、ピアニストで作家のフィリッパ・スカイラーが 1940 年代から叫び声を表わす大文字を使用していたと述べているし、小説家 L・M・モンゴメリの作品内の登場人物は、1920 年代の架空の日記のなかで、大文字とイタリックの両方を強調のために使い、別の登場人物からまるで「ビクトリア朝初期」みたいだと批判される [16]。つまり、当時から見ても古くさく、大げさすぎたわけだ。さらにさかのぼること 1856 年の新聞は、ある登場人物の会話を、「今回、彼は大文字で叫んだ」と表現している [17]。

　手紙全盛の時代、大文字表記は、イタリック、下線、大きめの文字、赤字などの装飾的な書式と並んで、強烈な気持ちを表現する広大な感情の生態系の一部にすぎなかった。感情を表わすのが最大の目的というわけでさえなかった。大文字表記は、漫画や記入用紙（「ブロック体の大文字で氏名をご記入ください」）、弁護士、建築家、エンジニアによる正式な文書で、崩し文字による誤読を避けるために広く使われた。同じように、前章で見た葉書の一部は、特に住所欄がブロック体の大文字で書かれていた。タイプライターや初期のコンピューター端末では、読みにくい手書き文字の問題は和らいだものの、新たな問題が生じた。イタリックや下線を入力したり、フォントサイズを変更したりできなかったのだ（その点でいえば、現在のソーシャルメディア・サイトの多くも同じだけれど）。その空白を埋めたのが、もともと存在してはいたが、あまり一般的でなかった「叫び声の大文字」だった。

　すると、ひとつの疑問が浮かぶ。ジャーゴンファイル、『Wired Style』、ウェブサイトの FAQ のような初期のインターネット・ガ

イドには、大文字表記に関する記述があった。しかし、**＊太字にア
ステリスク＊**や_イタリックにアンダースコア_ といった表記が強調
を示す書式の欠如を補うために推奨されたり、スマイリーが皮肉や
冗談を促すために推奨されたりしていたのとはちがい、大文字表記
は叫び声を表現するために推奨されていたわけではなかった。むし
ろ、大文字表記は全般的に使用しないよう奨励されていた。という
のも、1980年代や1990年代のコンピューター・ユーザーのなかに、
日常的なメッセージをすべて大文字で書く人々が一定の割合でいた
からだ●1。そもそも、メッセージ全体を大文字で書いてもかまわ
ないという考え方は、いったいどこから生まれたのだろう？　だい
たい、人々は1000年以上前から小文字で文字を書いてきたわけだ
し、どんなに大げさなビクトリア朝初期の人たちでさえ、何もかも
大文字で書いたわけではないというのに。どうして突然、コンピュー
ター上ではすべて大文字で書くなんて習慣が生まれたのだろうか？

　ひとつの責任はモールス符号にあるのかもしれない。そう、電信
に使われる例の気の遠くなるようなシステムだ。モールス符号は、
すべての文字をトン（・）とツー（－）の組み合わせで表わす。電
気回線を通じて、文字を長い信号または短い信号として送信するの
には打ってつけだ。たとえば、Aはトンツー、Bはツートントント
ンという具合に、アルファベット26文字すべてを最大4つのトン
またはツーの組み合わせで表現できる。ところが、小文字を含めよ
うとすると、ぜんぶで52種類の記号を表わす必要があるので、5
つ目や6つ目のトンやツーが必要になり、電信技師は2倍の量の
符号を記憶しなければならなくなってしまう。当然、そこまでする
価値はないと判断された。大文字表記が古代ローマの人々にとって

●1　「あちゃあ、うちの上司はピリオドが遠回しな攻撃を表わすって気づいてないみたい」を1990年代風にいえば、
「あちゃあ、うちの上司は大文字表記が叫び声を表わすって気づいてないみたい」、となる。

十分だったなら、電信にとっても十分だろう。

　初期のコンピューターもそれとよく似ていた。なかには、情報の送信や印字に、電信技師の機械的な子孫であるテレタイプ端末を使用するものもあった。コーディングを始めて最初に学ぶ古典的なコマンドに、「PRINT("HELLO WORLD")」などというものがある▼3。これは、コンピューターに HELLO WORLD という文字列を画面上に表示させるためのコマンドだ。このコマンドは紙の上に HELLO WORLD と印字させるわけではないのだが、かつてそういう時代があった[18]。コンピューター画面の登場前は、テレタイプ端末に単語を打ち込んでコンピューターにコマンドを入力し、その応答をロール紙への印字という形で受け取っていたのだ。コンピューターに画面が搭載されてもなお、記憶容量は電信技師の脳細胞と同じくらい貴重だったので、アップルⅡをはじめとする多くのコンピューターは、すべてを大文字だけで表示した。こうした設定の名残は、いまだに一部の市販のコンピューター・システムに見られる。テレタイプ端末こそ少なくなったけれど、スーパーのレシート、銀行明細、航空機の搭乗券の文字は、光沢のあるロール紙にすべて大文字で印字されることが多い。

　コンピューターで小文字がサポートされるようになると、ふたつの標準が競合するようになる。大文字はコンピューターの通常どおりの表記方法だと考える人々と、叫び声を表わすと考える人々がいた。結局、勝ったのは感情的な意味合いのほうだった。機能の変化は、呼び名の変化と並行して起こった。グーグル・ブックスにスキャンされた無数の本によれば、「all caps（すべて大文字）」や「all uppercase（すべて大文字）」という用語は、1990 年代初頭になって急激に使われはじめた[19]。対照的に、20 世紀前半では、「block

▼3　PRINT( ) は、( ) のなかの値を画面上に出力するための関数。

letters（ブロック体）」や「block capitals（ブロック体の大文字）」
という呼び名が好まれた。「all caps」は、叫び声を表わすときに
使われる傾向があり、「block capitals」は、標識や記入用紙など
の正式な表記を指すのに使われる傾向があった。しかし、口調を示
す大文字表記が加わったからといって、正式な意味合いの大文字表
記がなくなったわけではない。たとえば、「EXIT（出口）」を示す
標識、「CAUTION（注意）」を促すテープ、「CHAPTER ONE（第
1章）」といった見出しはまだ残っている。どれも強調ではあるけれ
ど、特別大声として解釈されるわけではない。むしろ、正式な文章
とカジュアルな文章、どちらとして読むのかによって、解釈が変わ
るようだ。たとえば、ウェブサイトのメニューバーにある「HOME
（ホーム）」は、単なるグラフィックデザイン上の選択にすぎないけ
れど、「ugh I want to go HOME（げっ、家に帰んなきゃ）」というメッ
セージにおける「HOME（家）」は、口調のタイポグラフィである
と解釈するのが自然なのだ。

オンライン上で強調を表現するもうひとつの方法は、文字の繰り
返しだ。特に「yayyyy（わ～～～～い）」や「nooo（ちが～～～う）」
といった感情的な単語に多い。叫び声を表わす大文字と同じで、
この表記の起源もまた、インターネットの誕生から何～～～年も
さかのぼる。わたしは「歴史的アメリカ英語コーパス（Corpus of
Historical American English）」を使って、同じ文字が3つ以上連続
する例を検索してみた（「book」や「keep」などの一般的な英語を除外す
るため）[20]。このコーパスには、1810年から2009年までの文章
が登録されているのだが、驚いたことに、この期間の前半は、該当
する単語がほとんど見当たらなかった。数少ない例も、その大半が
「commmittee」といった単純な誤字や[▼4]、「XXXIII」などのロー

マ数字だった。わたしが見つけた正真正銘の最古の例は次のものだ。1848 年刊行の小説のなかで、ある登場人物がお菓子屋のふりをしている。

"Confectionary, confectionary," he cried, bursting into a louder tone of voice, which rang forth clear and deep-toned, as a bell. "Confectionary!" and then he added with grotesque modulations of his voice, "Confecctunarrry!"
（「お菓子だよ、お菓子はいらんかね」と、彼は急に大声を張り上げ、叫んだ。その声は、まるで教会の鐘のように、はっきりと深く響き渡った。「お菓子だよ！」と言うと、おかしな声色を使ってつけ加えた。「お菓子だよおおお！」）

"By Jove, how this reminds me of the little fellow in London. I'll go the complete candy-seller. I might as well."
（「なんてこった、ロンドンにいた例のチビを思い出すぜ。せっかくだから、菓子屋になってやろう。そのほうがいい」）

"Ladies and gentlemen! Here's your fine candy, lozenges, apples, oranges, cakes and tarts! Heeeere's your chance!"
（「さあさあみなさん、寄ってらっしゃい、見てらっしゃい。キャンディー、のど飴、リンゴ、みかん、ケーキにタルト、なんでも御座い！　さあさああああ、お買い得だよ！」）**21**

この 1840 年代の偽お菓子屋の「おかしな声色」というのは変則的なもので、時代の先を行っていた。著者は、間延びさせた

▼4　正しい綴りは、committee で m がふたつ。

「confectionary」の綴りをわざわざ「confectunary」と綴り直している。現代の作家なら、単語を構成する文字はそのまま残しておくだろう。今ではすっかり当たり前になった「ahhh（あぁぁ）」「oooh（ぉぉぉ）」「hmmm（んんん）」「ssshh（し〜〜〜っ）」といった音の伸長でさえ、この歴史的コーパスに登場しはじめるのは1900年前後のことで、その後の100年間で、「ahem（エヘン）」や「hush（黙れ）」といった単語風の表現を着実に置き換えていった。「confecctunarrry（お菓子だよぉぉぉ）」「evvveryone（み〜〜〜んな）」「damnnn（超〜〜〜）」など、完全な単語が伸ばされる珍しい事例もある。こうした例が増えはじめるのは、それからさらに数十年後、1950年代から1960年代のことで、1990年代や2000年代になって本格的に広まりはじめる。単語の伸長が広まった時期は、蓄音機、レコード、カセット、CDなど、会話の記録媒体が広まった時代と重なる。単なる偶然かもしれないが、録音された会話を何度でも再生できるようになったおかげで、音の忠実な表現に注目するようになった、という可能性もあるだろう。いずれにせよ、文字を繰り返す目的が、話し言葉を書き言葉で表現することにあるというのは明白だ。なぜなら、初期の例は、特に劇の脚本や小説など、架空の対話によく現われるからだ。

　文字の繰り返しは、インターネット上だけでなく、カジュアルな書き言葉のなかで1世紀以上にわたって成長しつづけてきた表現手段のひとつだ。そして、それは偶然ではない。ツイッター上でもっともよく使われる単語の引き延ばしについて調べたある研究では、引き延ばされるのはやはり感情的な単語が多いことがわかった。引き延ばされる単語のトップ20を挙げると、「nice（素敵）」「ugh（ゲッ）」「lmao（爆笑）」「lmfao（大爆笑）」「ah（ああ）」「love（大好き）」「crazy（おかしい）」「yeah（そう）」「sheesh（ちっ）」「damn

（めっちゃ）」「shit（クソ）」「really（ホント）」「oh（おお）」「yay（やった）」
「wow（うわあ）」「good（いい）」「ow（おお）」「mad（イカれている）」「hey
（やあ）」「please（お願い）」という具合に、感情的な単語のオンパ
レードだった **22**。いくつかの研究によると、言語学者のタイラー・
シュネーベレンが「表現的長音（expressive lengthening）」と名づ
けたこの現象は、社会的文脈に敏感である、ということがわかって
いる **23**。広く公開される投稿よりもプライベートなメールやチャッ
ト・メッセージでのほうが、音を伸ばす傾向にあるのだ **24**。

　また、人々は言語的な手がかりにも敏感だ。わたしが言語学者
のジェフリー・ラモンターニュと行なった研究によると、人々は
単語の右端の文字を伸ばす傾向があり、さらにより小さな音の単
位の右端にある文字を伸ばすケースもあることがわかった。たと
えば、「dream（夢）」という単語における「ea」の部分は、この
ふたつで母音を形成しているので、この単語は「dreaaam」とも
「dreammm」とも伸ばされることがある。ところが、「both（両方）」
という単語はどうだろう？　中間にあるふたつの文字「ot」は、こ
れでひとつの単位とはいえないので（「t」は「h」に属する）、「bothhhh」
や「boooth」と伸ばすことはあっても、「botttth」は決してありえ
ない。ただし、人々は必ずしも音として成り立つかどうかを気にし
ているわけではない。たとえば、「stahppp（やめて〜〜）▼5」や
「omgggg（なんたこった〜〜）」と書かれることは多いけれど、本来、
ppppp や ggggg という音を長く保つことなんて、物理的にでき
ないはずだ。もっとありえないことに、「dumbbb」や「sameee」
のように、黙字を「伸ばす」という荒技をやってのける人もいる▼6。

しかし、表現的長音がすばらしいのは、もともとは伸ばした音をありのままに表現したものだったにもかかわらず、今では、話し言葉で表現しようのない、色とりどりの感情的表現を生み出したという点だ。この点は、タイポグラフィのいとこである、大文字表記やイタリックと似ている。

　全体として見ると、強烈な感情を表わす方法は、インターネットの初期の時代から、そして過去100年間のほとんどの時期を通じて、驚くほど安定を保ってきた。カトゥルスやチョーサー▼7なら困惑しただろうが、1920年代のL・M・モンゴメリなら、現代のメールが、どういうときに興奮を、どういうときに強調を表現しようとしているのか、難なく読み取れただろう。この安定性の理由は？ 強烈な感情に支配されているとき、人間がクリエイティブな気分にならないからかもしれないし、強烈な感情があまりにも重要すぎて、なんらかの表現方法を見出す必要があったからかもしれない。

優しくなったインターネット

インターネット研究者たちが、初期の電子的コミュニケーションの炎上合戦、大文字の罵詈雑言、皮肉の誤解などを見て、インターネットは怒号や疎外に満ちた、戦々恐々とした場所でありつづける運命にある、と考えたのは、ムリもないのかもしれない 25。しかし、初期のインターネットの冷たさは、恒久的な状態というよりも、むしろ一時的な学習段階だった。ともにストーニーブルック大学心理学部出身のスーザン・ブレナンとジャスティーナ・オハエリによる1999年の研究では、人々の集団が面と向かった会話で、またはメッ

▼7　ガイウス・ウァレリウス・カトゥルスは古代ローマの詩人。ジェフリー・チョーサーは14世紀の詩人。

センジャーによるチャットで、ある物語について全員で語り合う様子が分析された[26]。話し言葉では、全員がほぼ同じ量ずつ話し、まるでそれが唯一の正解だといわんばかりに自分の意見をズバッと述べるのではなく、「kind of（〜みたいな）」や「thingy（〜なやつ）」といった丁寧な垣根表現[8]を用いた。ところが、書き言葉では、丁寧な垣根表現は話し言葉と比べると全体的に少なかった。一見すると、人間は単純に文字を書くときにはぶっきらぼうになり、炎上を招きやすくなるように思える。ところが、研究者は分析を掘り下げ、個人に着目した結果、まったく別の事実を発見した。単語の入力数と礼儀正しさの度合いは、人によってかなりまちまちだったが、入力単語の多い人々ほど、丁寧な単語の割合も大幅に高かったのだ。

　つまり、文字入力が流暢にできる人ほど、その高い能力を使って、話しているときと同じくらい丁寧な表現に努めていたわけだ。もちろん、人々を実験室へと閉じ込め、何ドルか払って、物語を語ってもらうのは、失礼な行動を促すようなシナリオとはいえないけれど、わたしはこの研究結果に希望を感じる。人々は明確に意識しなくても、タイピングの技術を手に入れたとたん、なるべく礼儀正しい表現を目指していたのだ。口調を伝える方法は、文字か会話かによって変わるけれど、インターネットだけが無礼で怒号に満ちた場所でなければならない必然性なんてない。

　より大きなスケールでいうと、わたしたちはみな1999年以来、タイピングの練習をたくさん積んできた。20年も経験を積めば、どんなにのろまな「自己流タイピング」だって、2本の指を使った高速の曲芸タイピングへと進化する。目的が退屈なレポートを書くことではなく、誰かと会話することなら、なおさらそうだろう。わたし自身の経験は、正インターネット人にとっては一般的だ。昔、

▼8　発話を和らげたり、断定を避けたりするための表現。

わたしは学校の小論を早く書けるように、正式なブラインドタッチのプログラムを受講したことがあるのだが、本当の意味で超すばやくタイピングができるようになったのは、メッセンジャーで友達の会話に遅れまいと必死でがんばっていたときだった。

　タイピングが上達するにつれて、わたしたちはオンライン上で優しく、ユーモラスで、礼儀正しいカジュアルな書き言葉を生み出し、そのニュアンスを理解できるようになっていった。礼儀正しさに関する文献は、相手に優しく接するためのふたつの主な戦略を提案している。ひとつは、ひと手間かけて、垣根表現や敬語を使うという方法。単純に、使う単語の数を増やすだけでもいい。「先生、お手数ですが窓を開けていただけませんか？」のほうが、「窓開けて！」よりは丁寧だ。もうひとつは、呼びかけ語や仲間内の語彙を使って、自分が相手の味方であること、緊張する必要なんてないことを伝え、連帯感を示すという方法。「あなた／君／お姉さん／お兄さん、窓を開けてくれない？」などがその例だ。ふたつとも、オンラインではよく見かける。インターネット頭字語を使えば、どんなに入力の遅い人でも、「btw（←by the way、ところで）」「iirc（←if I recall correcty、わたしの記憶が正しければ）」「imo（←in my opinion、わたしの意見では）」「afaik（←as far as I know、わたしの知るかぎり）」といった丁寧な垣根表現が使える。と同時に、単語をフルで綴らず、頭字語で書くことは、仲間内の語彙を使うことにもつながる。つまり、「ここにいる人はみんなネット民。きっと理解してくれるよね」と言っているのと同じだ。

　インターネット・コミュニティにおける礼儀正しさの研究によると、ネットにおける礼儀正しさの要素の多くが、オフラインの礼儀正しさをそっくりそのまま反映していることがわかる。礼儀正しさが権力に比例して減少していくことは、十分に裏づけられている。

あなたも、部下より上司に対して礼儀正しく接するはずだ。ある研究者グループは、ウィキペディアのボランティア編集者どうしで交わされるメッセージや、Q&A サイト「スタック・エクスチェンジ」上の質問に見られる、「thanks（ありがとう）」や「nice job（お疲れさま）」といった礼儀正しい単語や、「sorry（すみません）」や「by the way（ところで）」といったさりげない礼儀作法について調べた。オフラインの権力関係と同じで、有力なウィキペディア管理者や「ランク」が高いスタック・エクスチェンジのユーザーほど、一般のユーザーと比べて無礼な傾向があった[27]。さらに、オフラインとオンラインの礼儀正しさは、どちらも状況に依存していた。ランクに関する調整を行なうと、スタック・エクスチェンジでなされる質問の文章は、回答の文章より礼儀正しかった。オンラインの礼儀正しさにも実質的な影響がある。ウィキペディア管理者は、管理人に選任される前、つまり単なる一編集者だった時代のほうが礼儀正しかった。それどころか、管理人に立候補して落選した編集者仲間よりも礼儀正しかったのだ。

　また、感嘆符は、単なる興奮ではなく、温かさや真心を示すために使われることがよくある。第一、誰かに会いたいとか、手を貸したいと心から思っているから、興奮するわけでしょう？　この変化は、すでにかなり進行している。司書のキャロル・ワゼレスキーによる 2006 年の調査で、メール内の感嘆符が興奮の意味で使われるケースは少なく、全体の 9.5 パーセントしかないことがわかった[28]。たとえば、「These damn programs are out of touch with reality!（このクソプログラムは現実離れしてる！）」といった罵り言葉や、「Thank you so much for your comments—they are very, very helpful and the list of resources is wonderful!（コメントどうもありがとうございます。本当に、本当にタメになりますし、この参考文

献リストはすばらしいです！）」といった興奮気味の感謝がこれに当たる。対して、感嘆符の 32 パーセントは親しみを表わしていて（「See you there!（じゃあ当日また！）」「I hope this helps!（参考になれば幸いです！）」）、29.5 パーセントは事実の強調だった（「There's still time to register!（まだ登録は間に合います！）」）。

　風刺新聞『ジ・オニオン』はある記事で、真心を表わす感嘆符が半ば義務的なものであることを、面白おかしく誇張している。

　　この上なく残酷で極悪非道な省略と言うほかないが、情報筋が
　　月曜日に確認したところによると、石の心を持つ氷の魔女、レ
　　スリー・シラーが、感嘆符ひとつない冷徹なお礼メールを友達
　　に送信したそうな。「おはよう、昨夜は最高に楽しかった」と
　　血も涙もない老婆は書き、句読記号を出し惜しんだ信書で、千
　　冬ぶんの寒気を巻き起こした [29]。

この問題を解決するために、石の心を持つ氷の魔女にインストールをお勧めするのが、グーグルのアドオン「エモーショナル・レイバー」だ [30]。このアドオンは、主にすべての文末に感嘆符をつけ加えることで、「電子メールのトーンを明るくする」という優れもの。打ち明けると、わたしは最近、感嘆符なしのメールを送ってきた相手に対して、わざと感嘆符なしで返信するのを密かな楽しみにしている。普段、職業上のメールでは 2 文に 1 回は感嘆符を使うようにしているわたしにとって、最初は、少し堅苦しい感じがしていたけれど（今、わたしって冷酷な老婆みたいかしら？）、しばらくすると、自分の文章に重々しさが加わるのが楽しくなってきた。だいたい、どうしてわたしばっかりが活字で感情表現をがんばらなくちゃいけないの？　不公平じゃない？

　複数の感嘆符をめぐる状況は、大文字表記と比べると不安定だ。大げさな形容詞は、使いすぎると力を失う（「awesome（すごい）」はもはや「awe-inspiring（畏敬の念を抱かせる）」とは天と地ほどの差がある▼9）。大げさな句読記号もそれと同じようだ。複数の感嘆符は、「リートスピーク」と呼ばれる初期のインターネット・スラングの一部と考えられていた。リートスピークは、数字や特殊文字をそれと似た文字に代用するのが特徴で（「1337」で「leet」、「1 4m l33th4x0r!」で「I am an elite hacker!」を表わす）、一般的な誤字（「the」ではなく「teh」、「own」ではなく「pwn」）が含まれる。感嘆符の一般的な誤字といえば、数字の1だ。たいてい、英語のキーボードでは、「1」と「!」のふたつの記号が同一のキーに割り当てられているからだ。その後、「!!!!1!11!」のような誤字は、「!!!one!!eleventy!!」のように、「1」と「11」をフルの単語として書くことによってパロディ化されることになる。リートスピークと複数の感嘆符は、1980年代と1990年代のネット語の世界では、それぞれコンピューター・スキルと興奮を示す正真正銘の証（あかし）だったが、使われつづけるにつれて、少しずつ皮肉の意味へと変わっていった[31]。リートスピークやオンライン・ゲーマーのスラングに関する2005年の論文によると、「OMG, D@T is teh Rox0rz!!!111oneeleven（← oh my god, that rocks!!!!、なんてこった、最高！！！！）」のような文章を使うのは、「初心者や上級者気取り」であると説明されている[32]。グサッ。ところが、しばらくの休眠期間を経て、複数の感嘆符は正真正銘の興奮を示す記号として復活した、と2018年のあるトレンド記事は説明している（「いいね！！！」などのように[33]）。だが、歴史を見るかぎり、意味はこれからも変わりつづけるだろう。

▼9　もともと、awesome は awe-inspiring と同じように、「畏敬の念（awe）を生じさせる（some）」という意味だったが、近年、awesome が「すごい」「ヤバい」を表わす万能スラングになったため、もともとの意味を表わしたいときにはもっぱら awe-inspiring が使われる。

　礼儀正しさを表現するもうひとつの方法は、こちらが歯を食いし
ばりながら言葉を搾り出していると誤解されないよう、明るく笑い
ながら言葉を発しているところを直接イメージさせる、というもの
だ。前章で見たひとつの例が「lol」の使われ方だ。「lol」は純粋にユー
モラスな機能ではなく、社会的な潤滑油としての礼儀的な機能を帯
びつつある。言語学者のエリカ・ダリクスが行なった、職場のコミュ
ニケーションにおける顔文字の研究から見て取れるように、スマイ
リーにも同様の効果がある。彼女が職場のメッセージのコーパスか
ら作成した例のひとつに、上司からのこんな架空の締切勧告メール
がある [34]。

　Everyone else has already submitted their report. You
　are the LAST!:)
　（ほかのみんなはもう報告書を提出しているよ。君が最後だ！:)）

しかし、ダリクスはこう述べる。「上司との関係が非常に良好だと
しても、ここでの顔文字は笑顔やジョークとして機能しているわけ
ではないし、大文字は叫び声を意味しているわけでもない。むしろ、
気さくな催促やからかいとして読み取れる。この顔文字は満面の笑
顔を伝えているのではなく、メッセージのトーンを和らげているの
だ [35]」。なお、顔文字については、次章でより詳しく説明する。
　書き言葉の礼儀正しさというのは、決して電子的なコミュニケー
ション特有の現象ではない。しかし、インターネットの登場前は、
明るく、カジュアルで、日常的な要求は、口頭か紙に書いたメモ
でなされるのがふつうだった（「頼まれていた本だよ！──GM（グレッ
チェン・マカロック）」「ワンちゃんにエサやっておいたから」）。付箋のメ
モを残すような相手とは、ある程度よい関係（ともちろん物理的な空間）

を共有している可能性が高いのだが、それでもなお、人々が家族や
ルームメイトに残したメモのスキャンを調べてみると、署名ととも
にハートマーク、スマイリー、「xo」▼**10** があることが多い。わた
したちの陽気で社交的なタイポグラフィのレパートリーが、見えな
い他者とリアルタイムに近いコミュニケーションを築く必要性とと
もに広がっていったのは、決して偶然ではないのだ。

オンラインで結束を築くもうひとつの方法は、仲間内だけで理解で
きる冗談を言い、共通の知識に言及する、というものだ。仲間内の
冗談は、決してインターネット特有の現象ではないけれど、いかに
もインターネットらしい形で表われることがある。ハイパーメディ
ア化されたテキストの機能的で技術的なツールをねじ曲げ、より社
会的な目的へと拡張して、自分たちがお遊びに使えるほどそのツー
ルを理解している人間だということを誇示するのだ。
　仲間内の冗談を生み出す方法のひとつとして、コンピューター
の言語そのもので遊び、プログラミング言語風のユーモラスな擬
似的コードを書くというものがある。たとえば、あるテキストを
HTML 言語でイタリックに指定したいとする。その場合、イタリッ
クを開始したい位置に <i>、イタリックを終了したい位置に </i>
を置けばよい（たとえば、<i> こんなふうに </i>）。この規則は、当然
クリエイティブな用途に役立つ。たとえば、「<sarcasm>I fail to
see the problem with this</sarcasm>（< 皮肉 > これのどこが問
題なのかさっぱりわからん </ 皮肉 >）」とか、もう少し省略した形だと、
「THIS IS TERRIBLE /rant（こりゃあクソだな /暴言）」というふうに。
コンピューターは、ユーモアのない生き物なので、「/sarcasm」や「/
rant」といったコマンドは認識できない。でも、コンピューターの

▼ **10**　キス（x）とハグ（o）の意味。

言語に慣れているあなたの友達なら、その斬新な使い道を見つけたあなたを賢いと思ってくれるかもしれない。ひとつ、ものすごくマニアックな例がプログラミング用語のLISPにある。LISPでは、「はい」か「いいえ」を返す関数の末尾に「-p」を付加する習慣がある。そこから派生して、TRUE-P（Is this true?、それは本当？）というように、文末に「-p」を付加し、「はい」か「いいえ」の質問をするようになった。あるとき、数人のLISPプログラマーでレストランに出かけた際、そのなかのひとりが、「誰か、2人前の料理を自分とシェアしない？」という意味で、こうたずねたという。「Split-p soup?」**36**

　前章で見たとおり、平均的なインターネット人は、もはやコーディングの方法を知らないので、コードに由来するインターネット・スラングをまだ使っているのは、旧インターネット人や、その後の世代の技術的なサブカルチャーに関心のある層くらいのものだ。より一般的なタイポグラフィ用のツールといえば、正式な太字やイタリックをサポートしていない環境で、語句の強調として用いられる＊アステリスク＊や＿アンダースコア＿だ。しかし、アステリスクは小さな星にも見えるので、初期のネット民たちは、特におしゃれな～チルダ～と組み合わせて使うアステリスクの装飾性に飛びついた。1990年代終盤から2000年代初頭にかけてのメッセンジャーのプレーンテキストのステータス・メッセージは、まさしく装飾記号の渦だった。アステリスクとチルダを、～＊ひとつずつ＊～、～～～～～～＊＊＊＊＊～～～～～多数～～～～～～＊＊＊＊＊～～～～～～、～＊～＊～＊～交互～＊～＊～＊～に並べたものから、その～＊＊～～＊～～組み合わせ～～＊～～＊＊～～まで。それに加えて、大文字と小文字が交互に並んだ単語（wOrDs iN mIxEd cAPiTaLiZaTiOn）、余分なスペースの入った単語（e x t r a s p a c e s）、そのほかの星の記号（✧·゚:

☆＊✧・゚:＊ ★）も用いられた。テクノロジーの進化に伴い、人々は美的な効果を狙って、カラー、ｔｉｎʎ ɓⅰʞ、絵文字、組み込みフォント（𝐛𝐮𝐢𝐥𝐭-𝐢𝐧 𝐟𝐨𝐧𝐭𝐬）、丸囲み文字（ⓔⓝⓒⓛⓞⓢⓔⓓ ⓛⓔⓣⓣⓔⓡⓢ）、特殊な記号（øBSCURe sYMbolS）も使うようになった●2。そう考えると、こうした美的なタイポグラフィが、メッセンジャー、マイスペース、タンブラーで、後世のティーンエイジャーに大人気となったのは不思議ではない。いわば、授業中に生徒たちのあいだで回された、手の込んだ落書きやメモのデジタル版だ。こうした装飾の最盛期は1990年代から2000年代初頭にかけてだけれど、文脈によっては今もなお姿を現わすことがある。次の2017年の例では、あるツイッター・ユーザーが、とある登録用のドロップダウン・メニューに、「Mr/Ms」に加えて、Group Captain（空軍大佐）、His Excellency（閣下）、Professor Dame（デイム○○教授）▼11などの幅広い肩書きが含まれているのを目にしたときの興奮をこう表現した。

registering for a conference in the UK is
（イギリスのカンファレンスに登録するのって）
,-~*ˉˊˋ```ˋ*·~-MAGICAL-~*ˉˊˋ```ˋ*~-,
（,-~*ˉˊˋ```ˋ*·~- 魔法みたい -~*ˉˊˋ```ˋ*~-,）37

共通の知識への言及もまた、プログラミングや体裁というよりは、社会的交流に重きを置くことがある。その最たる例がハッシュタグだ。ハッシュタグは、似たような話題に関するソーシャルメディア上の会話をグループ化したり、見つけたりする実践的な手

●2　また、文字の上下にマークをいくらでも積み重ねられるというユニコードの特性を利用した、ザルゴ（z̓a̔l̐g̈ó）やグリッチ（ɡ̫l̝i̍t̹c̪h）と呼ばれるインターネット特有の表記もある。

▼11　イギリスにおける敬称であるサー（Sir）の女性版。

段として始まった。わたしが「Just arrived at #EmojiCon（たった今、# 絵文字会議 に到着）」と投稿すると、このハッシュタグをクリックした人や検索した人は、わたしが実際に出席した絵文字会議に関連するタグのついた投稿（それと、#emoticon（# 顔文字）と入力しようとして誤った人々の投稿）にすべて目を通せる。また、わたしが「Watching #superbowl!（# スーパーボウル、観戦中！）」と投稿すれば、あるアメフト大会についての会話に参加したり、わたしの最高のフクロウ写真コレクションへと注目を促したりできる▼12。また、<sarcasm> や </rant> と同様、自分の文章に #sarcasm（# 皮肉）や #awkward（# 気まずい）などのタグ、あるいは #NovelWittyHashtag（# 斬新で巧妙なハッシュタグ）などのメタコメンタリー▼13 をつけることもできる。こうしたラベルは、分類というよりも、ちょっとした皮肉をつけ加えるために使われる。

　このハッシュマークは、番号記号、ポンド記号、シャープ記号などとも言い、その起源は数百年前までさかのぼる。もともと、この記号は、「〜ポンドの重さ」を意味するラテン語の *libra pondo* の略である *lb* を、手書きで慌てて書いたことから生まれた。たとえば、3# potatoes @ 10¢/#（1ポンド当たり 10 セントのじゃがいもを 3 ポンド）という具合だ。インターネットの初期、標準的な QWERTY キーボードのなかで比較的使用頻度の少なかったハッシュマークは、さまざまな技術的機能へと転用されることになる。そのひとつが整理的な機能だ。チャットルームで「join #canada」や「join #hamradio」と入力すれば、カナダ人やアマチュア無線ファンと話ができた。初期のソーシャル・ブックマーク・サイトであるデリーシャスや、初期の写真共有サイトのフリッカーでは、シャツにつけ

▼12　superbowl は、super bowl と区切ると「スーパーボウル」（アメフト最高峰の大会）だが、superb owl と区切ると「最高（superb）のフクロウ（owl）」と読める。
▼13　注釈（コメンタリー）に対する注釈。

られるタグが価格やメーカーに関するメタデータを表わすのになら
い、リンクや写真に #funny（＃面白）や #sunset（＃夕日）といっ
たカテゴリーを「タグづけ」することができた。そういうわけで、
ツイッター・ユーザーが同類のツイートをグループ化する方法を探
りはじめたとき、技術者のクリス・メッシーナが 2007 年 8 月 23
日のツイートで＃記号にその答えを求めたのは、自然な成り行き
だった [38]。ツイッターがハッシュタグを正式にサポートするのは、
2009 年になってからのことだったが [39]、メッシーナの提案のほぼ
直後から、#sarcasm などのジョーク・ハッシュタグが姿を現わ
しはじめた [40]。

　分類のためのハッシュタグを声に出して言うのは、あまり意味が
ない。声による会話のすべてをキーワード検索できるテクノロジー
は、（今のところ）存在しないからだ（プライバシーにとっては幸いなの
だろうけど）。しかし、メタコメンタリーのハッシュタグはそもそも
検索用のものではないので、声に出されて読まれることもある。プ
ライバシーにとって幸いなことは、裏を返せば、歴史学にとっては
あまり幸いとはいえない。初めて「ハッシュタグ」が声に出して読
まれた例を突き止めるのは、とてつもなく難しいからだ。ひとつわ
かっているのは、2009 年の時点ではもう一部の人々によって使わ
れていたということだ。その年、ブロガーのマリアーナ・ワグナー
はこう振り返った。「ほかのツイッター・ユーザーと実際に会って
いるとき、『ハッシュタグ（気のきいたフレーズをここに挿入）』と言っ
て、自分の言ったことを強調または分類することがある。バカみた
いだって？　ええ、そのとおり。でも、わたしのツイッター友達は、
みんな一瞬で『理解』して、面白がってくれる [41]」

　2010 年代中盤になると、「ハッシュタグ」を声に出してメタコ
メンタリーであることを強調する行為は、オンライン以外へも広

がっていった。実際、多くの親たちが、7、8歳の子どもからそういう用例を聞いたと報告している[42]。ある言語学者の親は、子どもが「ハッシュタグ、オバサンギャグ」と言うのを聞いて感心した[43]。だが、別の親は、自分の子どもが「ハッシュタグ」という言葉を使ったのを、こう冗談めかして嘆いている。

　　たった今、娘が文末に「ハッシュタグ、気まずい」ってつけたの！8年かあ。よくがんばった、わたし。でも、娘には孤児院のほうが合ってるのかも[44]。

一見すると、こうした言葉の転用は、純粋なインターネットの発明にも思える。実際、インターネットなんてものが生まれる前には、話し言葉に断片的なコードやハッシュタグを織り交ぜる人々なんて存在しなかったという点では、そのとおりだ。しかし、英語には、句読記号を声に出してきた長い歴史がある。たとえば、「that's the facts, period（それが事実だ、以上）」▼14 や「these quote-unquote experts（こうしたいわゆる『専門家』たち）」▼15 といった表現を思い出してほしい。また、危険なくらい現代的な10年間だった1890年代には、こんなふたつの例がある。「He would not flinch one comma of the law（彼はコンマひとつたりとて法律にひるむことがなかった）」[45] と「There was a very big question mark in [her] voice（[彼女の] 声には非常に大きな疑問符が浮かんでいた）」[46] である。口に出す「ハッシュタグ」は、何かを直接言わずに言ったり、文脈をつけ加えたり、情報の流れをコントロールしたり、何かが多少なりとも重要であることを示したりするためのクリエイティ

ブな戦略のなかで、最新のものであるというだけのことなのだ。話し言葉には、わきぜりふ、滑稽な声、訛り、ひそひそ話、変わった姿勢での話し方、といった選択肢もある。本来のイントネーションをまねて、曲や映画の一節を再現したことがない人なんているだろうか？　考えられない！

　クリエイティブなタイポグラフィのすべてが、幼児の口へと広がるわけではない。なかには、あるコミュニティの社会的な絆を強化するためだけのものもある。たとえば、日本語の話し言葉では、語末や文末の長音は、かわいい響きや遊び心と結びつけられる。しかし、日本語の書き言葉では、アルファベットとはちがい、各文字がひとつの音だけを表わすとはかぎらない。そして、日本人はふつう、音節全体の繰り返しを表現しようとはしない。なので、英語の書き手は同じアルファベットを繰り返し綴ることで音を伸ばすのだが、日本語の書き手は専用の記号、全角の波ダッシュ「〜」（または、キーボードでサポートされていない場合は、半角のチルダ（~））をつけ加える。英語の「yes」に当たる日本語の単語は、「はい」だが、英語の「yesss」や「haiii」に相当するものを、波線を使って書こうとすると、「yes~~」や「hai~~」、つまり「はい〜〜」となる。この語末の波線を使って単語を伸ばすという方法は、日本語、中国語、韓国語、さらにはラテン文字で表記されるタガログ語やシングリッシュ▼16等の近隣の言語など、東南アジア全体で人気となった。しかし、英語には、音を伸ばす方法がすでにあったので、長音を表わすチルダは、英語とこれらのいずれかの言語とのバイリンガル、アニメや漫画などの日本文化好き、あるいは言葉の長さではなく単なるかわいい装飾との二次的な結びつきを示すようになった。

　遊び心のある注釈を付加するために転用された、もうひとつ

▼16　シンガポール英語のこと。シンガポールの（Singaporean）英語（English）より。

の技術的ツールが、感嘆符複合語（exclamation!compound）と呼ばれるものだ。感嘆符複合語は、past!me（過去のわたし）やCAPSLOCK!Harry（キャプスロック状態のハリー）●3 のように、ある人物のいろいろな人格を指すのに使われる。感嘆符複合語は、テクノロジーの歴史の興味深い一画（いっかく）へとわたしたちをいざなう 47。全員が今のように完全な網の目状のインターネットの一部ではなかった時代、誰かに電子メールを送信するには、相互接続されたコンピューターのパスを厳密に指定する必要があった。たとえば、プリンストン大学の数学科のアレックスに送信するなら、princeton!math!alex という感じになる。この場合、コンピューターはまずプリンストン大学の巨大なサーバーにメールを送信し、そのサーバーが「数学科」のコンピューターへと経由して、ようやくそのなかの「アレックス」アカウントへとメールが届けられるわけだ。このシステムはまたたく間に個人を記述するのにも広がった。何人もいるアレックスを、趣味や関心で区別できるように（数学者のアレックス、芸術家のアレックスなど）、コンピューターのパスで区別することができた（art!alex、math!alex）●4。

　技術的にいうと、このシステムは使いにくかった。誰がメッセージを送信するためだけに、ネットワーク・コンピューターのパスをいちいち暗記したいと思うだろう？　ほとんどの人々がオンラインにアクセスしだしたころには、インターネットの構造は深い網の目状になり、ユーザーには見えなくなった。ドメインとユーザー名を指定するだけで、隠れたテクノロジーが適切なパスへとメッセージを送り届けてくれるようになったのだ。しかし、1990年代の大ヒッ

●3　大文字固定（キャプスロック）の状態でずっと叫びつづける、第5巻『ハリー・ポッターと不死鳥の騎士団』のハリー・ポッターのこと。
●4　このシステムは、Alex Smith（Alex the Smith＝鍛冶屋のアレックス）や Alex Wood（Alex who lives by the Wood＝森のほとりに住むアレックス）など、多くの一般的な姓を生み出したシステムからそうかけ離れているわけではない。

ト・テレビ番組『X-ファイル』のファンたちは、このバングパス方式▼17 の電子メール全盛の時代に、ユーズネットの掲示板で会話を始めた。そこで、ただの立ち話の場面と区別するために、この番組の主役たちのいろいろな人格を、Action!Mulder（アクション場面のモルダー）や Action!Scully（アクション場面のスカリー）などと表現しはじめたのだ。やがて、『X-ファイル』の放送が終わり、ファンのコミュニティはユーズネットからライブジャーナル、タンブラーへと移り、メールアドレスは user@domain.com という形式になったが、ファンたちはその後も、人々や登場人物のいろいろな人格を angst!Draco（苦悩のドラコ）や future!me（未来のわたし）などと表現する、社会的表記を使いつづけた。もっとも、ドラコ・マルフォイが登場する『ハリー・ポッター』や近年の物語作品のファンの多くは、バングパス方式のメールアドレスなんていちども見たことがないのだが。

　声に出されるハッシュタグや装飾的な句読記号のように、すっかり主流になったタイポグラフィ表現もあれば、ジョークのコード、長音のチルダ、感嘆符複合語のように（ここに挙げていない表記や未発明の表記も含め）、あるコミュニティのなかでしか広まらない表現もある。それでも、技術的なツールを仲間内の社会的ジョークに転用することには、大きな意味がある。インターネットを、冷たくよそよそしい場所、怒号の飛び交う場所、単なる社交儀礼だらけの場所から、誰もが自分の居場所に感じられる場所へと、様変わりさせつつあるのだから。

▼ 17　電子メールを経由させる最初のホスト、次のホスト……等々を、感嘆符（!）区切りで順番に指定していくアドレス指定方式。バング（bang）とは感嘆符のこと。

そこにない意味

皮肉とは、オンラインであれオフラインであれ、自分が思っているのとは逆のことを、真意が伝わるような形で述べることだ。たとえば、悪いニュースを聞いて「へえ、そりゃたいへんなこと！」と言ったり、ごくごく当たり前の推理をした人に対して「ありがと、シャーロックさん！」と言ったりする[18]のがその例だ。ただ、書き言葉では、誰かと面と向かって話しているときに使える、多くを語る間、語形変化、眉の吊り上げ、唇の歪み……等々が使えないので、真意を伝えるのは難しくなる。皮肉は、文脈に基づく繊細なものであり、究極の仲間内の冗談なのだ。

　多くの人々がインターネット誕生のはるか昔からこの問題に気づき、修正を試みてきた。その歴史は、変わった句読点について研究しているキース・ヒューストンの著書『Shady Characters（未）』に詳しくまとめられている。1575 年には、イギリスの印刷職人のヘンリー・デンハムが、修辞疑問文[19]を通常の疑問文と区別するために左右反転させた疑問符（⸮）を使ったし、1668年には、イギリスの自然哲学者のジョン・ウィルキンスが、皮肉を表すために上下反転させた感嘆符（¡）を用いた。その後の３世紀にわたり、何人ものフランスの作家たちが、いろいろな形の皮肉記号を提唱した。哲学者のジャン＝ジャック・ルソーは、1781年にそうした記号の必要性を指摘したし、詩人のアルカンテ・ド・ブラームは、1899 年に⸮記号の別バージョンを提唱した。さらに、作家のエルヴェ・バザンは、1966 年にギリシア文字のψの下に

▼18　「Thanks, Sherlock!」は、当たり前すぎることやわかりきっていることを言った人をバカにして、「シャーロック・ホームズばりの名推理だね」と皮肉を言うときの表現。「no shit, Sherlock」ともいう。
▼19　疑問文の形をしてはいるが、断定的な意味を述べるときに使われる文。反語。たとえば、「どうしてわたしがそんなことを知っているだろう？」など。

点がついたような記号を提案した。近年では、20世紀後半にア
メリカの新聞の数人のコラムニストによって、「ironics（皮肉体）」
や「sartalics（皮肉斜体）」と呼ばれる逆イタリック体が提案され
たし、2004年にはこんどは『ジ・オニオン』の元ライターによって、
上下反転の感嘆符（¡）が再び提案された。2010年には、真ん中
に点のある渦巻き記号が SarcMark という名称で特許を取得し、
非営利使用に対して1ドル99セントという破格（૭）の値段で販
売された。

　そして、そのすべては徒労に終わった。

　皮肉記号の最大の問題は、あなたの書いた記号を読み手が理解
できなければ、ないも同然だという点だ。新しい皮肉記号を使っ
ているとあとになって明かすのは、まるでジョークの意味を説明
するくらい野暮なことだ。そして、そのジョークを説明してもら
うのに、あなたの皮肉なメッセージを受け取る相手が2ドルを払
い、新しいフォントをインストールしなければならないなんて最
悪だろう。

　おふざけの </sarcasm> コードや #sarcasm ハッシュタグな
ら、説明も、料金も、フォントのインストールも不要だし、実際に
ある程度は広まっているけれど、どちらも少しあからさますぎる。
そもそも、皮肉の意義は、二重の意味、当てこすり、言外の含意に
あるのだ。すべてのメッセージを完全に明快にしたいのなら、その
ための超効果的な手法がすでにある。名づけて、「皮肉を言わない」
法だ。しかし、わたしたちに必要だったのは、皮肉な文章に印をつ
ける、たったひとつの鮮やかな記号なんかじゃない。むしろ、パッ
と見ただけではわからない深い意味が隠れていることを、さりげな
く示唆する方法なのだ。

　幸い、その役割を果たす表現力豊かな句読記号はたくさんあった。

皮肉の引用符や TM 記号[20]のように、タイポグラフィを通じて権威を示す皮肉の記号は、インターネットの登場前から存在していた[48]。皮肉を示す大文字は、次の 1926 年の『クマのプーさん』からの引用のように、そうとう昔から使われていた可能性もある[49]。

"Thank you, Pooh," answered Eeyore. "You're a real friend," said he. "Not like Some," he said.
（「ありがとう、プー」とイーヨーは答えた。「君は真の友だ。どこかの誰かさんとはちがって」）

社会的なインターネットが発明したものだと胸を張って言える皮肉記号といえば、皮肉のチルダ（~）だ。この記号は、おおまかにいうと、AOL インスタント・メッセンジャーや MSN メッセンジャーのステータス・アップデートや、マイスペースやザンガのプロフィール・ページを彩った熱狂的な ~* 装飾記号 *~ に由来する。この記号が、いったいどうして皮肉の意味を持つようになったのか？　それを掘り下げるには、この社会的な界隈の歴史散策をしてみる必要がある。その足がかりとなるのが、ユーザー寄稿型のスラングのウェブサイト「アーバン・ディクショナリー」だ。とうとう白旗を揚げて、意味不明な新しい頭字語をグーグル検索する人々が行き着く先は、十中八九このサイトだろう。

　ただし、アーバン・ディクショナリーをデータとして利用するには、まずその限界を認めなければならない。アーバン・ディクショナリーの項目は、スパムや完全な支離滅裂を排除する、最小限のボ

▼ 20　皮肉の引用符とは、それに囲まれた単語や語句が文字どおりの意味でないことを示す引用符（たとえば、「" 専門家 " と呼ばれる人々」など）。TM 記号は、読み手の注目を促したい語句や画像に、ユーモラスな形でつけられることが多い。

ランティア編集者のチェックをくぐり抜けているけれど、同じユーザー編集型のプロジェクトであるウィキペディアとはちがって、「要出典」のマークがついたりはしない。このオープンさこそが、アーバン・ディクショナリーの最大の強みでもあり、最大の弱点でもある。新しい単語が、伝統的な辞書が参照する主流な情報源へと到達する何年も前、つまりたったひとつの友達グループのなかで流行っているにすぎない段階で、アーバン・ディクショナリーに追加されることもある。その一方で、一向に広まる気配のない単語や、最初から冗談だった単語が追加されることもある。要するに、アーバン・ディクショナリーに載っているからといって、ある用語が本当に巷で使われていることの証明にはならないのだ。実際、ほとんどどんな名前を調べても、その名前をやけに持ち上げるような定義や、ひどく侮辱するような定義が見つかるだろう。おそらく、「見ろ、お前はこんなやつだと辞書に書いてあるぞ！」とまわりの友達が言いたくなるような人たちを、ターゲットにしているのだろう。

　この問題は、多くの人々がときどきするように、すでに見覚えのある単語を調べてみることで避けられる。辞書の定義を、自分の持っている文脈と比べることができるからだ。ただし、それを差し引いたとしても、重大な注意点がある。あからさまな人種差別やジェンダー差別、そうでなくとも不愉快な定義が多いのだ。それは友達へのいたずらにとどまらない。黒人、女性、あるいは黒人女性の有名人の名前に関する項目は、ユーチューブのコメント欄なんて比じゃない辛辣さに満ちている。同じことは、若い女性やアフリカ系アメリカ人に関連するスラングにもいえる。たとえば、「bae」の項目には、「babe」や「before anyone else（誰よりも先に）」との関係性について正確に指摘する定義もいくつかあるけれど、*bæ* がデンマーク語で「うんち」の意味であるということを、わざわざ指摘

して楽しむ愉快犯たちもたくさんいるようだ。ある単語の真の普及度と、アーバン・ディクショナリー執筆者によるその単語や使用者への嫌悪感とのあいだには、一定の相関があるように思えてならない。

　皮肉のチルダに関していうと、わたしはもう一歩進んだアーバン・ディクショナリーの活用術に興味がある。皮肉のチルダの場合、辞書項目とその意味の両方があらかじめわかっている。そこで、この項目と意味が初めて結びつけられた日のタイムスタンプ、それもごまかしようのない自動生成のタイムスタンプを探るというわけだ。アーバン・ディクショナリーのサイトが1999年に開始され、一定数の項目が集まるまでに数年かかったことを念頭に置けば、ソーシャルメディア・サイトに火がつく数年前、つまり2000年代初頭以降に英語の語彙へと加わったスラングの歴史を追跡する、唯一無二の視点が得られるだろう。ここで重要なのは、アーバン・ディクショナリーには、数々の特殊文字についての項目があるという点だ。長く別の目的で使われてきた記号の意味の進化を追うのに、これ以上便利な方法はない。

　実証のため、あまり知られていない「lol」とピリオドの遠回しな攻撃という用法について、アーバン・ディクショナリーのタイムラインを比べてみよう。それは、遠回しな攻撃を表わす「lol」とピリオド記号の用法だ。2003年、あるユーザーはピリオド（.）記号を、「文章を終わらせるんだバカ野郎」と定義していた。しかし、2009年になると、別のユーザーが、「（ふつうは不機嫌野郎の）皮肉を強調するための最近流行りの方法」と定義した。ここには、流行への軽蔑が見て取れる。その軽蔑は、2003年にはスラングの意味なんてない句読記号をわざわざ検索する読者へと向けられていたけれど、2009年にはこのスラングを使う人たちへと変わっていた。かつて存在していた皮肉の意味は、ほかのユーザーの定義にも再び

現われ、その流行が定着しつつあることを示唆していた。ピリオド
の持つ遠回しな攻撃性に関する解説記事が『ニューヨーク・マガジ
ン』誌に掲載されるのは、それからたっぷり数年後、2013 年になっ
てからのことだった。対照的に、前章で紹介した「lol」には、同じ
ような変化は起こらなかった。「lol」は 1980 年代に生まれたが、
2001 年時点ではもう、何割が本心なのかわからなくなっていた。
実際、最初期の定義で、「lol」は正式には「laughing out loud（大
笑い）」の略であるが、「実際に言うときに大笑いする人はいない」
と書かれていた。

　チルダ（~）記号については、2008 年以前からアーバン・ディ
クショナリーにいくつかの項目があり、たとえば 2007 年には「語
末で音を伸ばすのに使われる」と定義されていたが、皮肉の意味に
ついて触れたものはひとつもなかった。アーバン・ディクショナリー
の項目に、皮肉の意味が初めて載ったのは 2008 年で（例文として
「OMG that's soo cool~（ぎょええ、超かっこいい~）」が挙げられた）、
2009 年にはもうふたつ、皮肉の意味について触れた項目が追加さ
れた。これがタイムラインだ。しかし、意味についていえば、~ 皮
肉のチルダ~ の進化に関して面白いのは、アーバン・ディクショ
ナリーになんて頼らなくても意味を推測できたという点だ。

　実際、その証拠がある。ライブジャーナルの 2010 年と 2012
年のふたつのスレッドでは、「Well, isn't that ~special（まあ、
すばらしいこと~）」や「Every character on that show has a
~tragic past~（この番組の登場人物にはみな~悲劇的な過去~がある）」
といった文脈で、この新しいチルダの用法が論じられた[50]。どちら
のスレッドも、たびたび見かけるこの新しいチルダの用法の意味に
ついてたずねる人々が立ち上げたものだが、質問文のなかで、ふた
りともその意味を正しく理解していた。ひとりは「発言にある種の

皮肉や反論を込めているように見えるんだけど……」と言っているし **51**、もうひとりは「たぶん皮肉の引用符と同じようなものだと予想しているんだけど……」と言っている **52**。何人かの回答者は、その後の討論スレッドでも、依然としてこのチルダを主に「約」の意味（「~20（約20）」など）、楽しげな ~*~ 装飾 ~*~ の一種、または少し前に流行った日本語のかわいい長音（~~~）だと解釈していたが、多くの人が皮肉だとも認識していた。いったいどうして皮肉のチルダは、6世紀にわたる哲学的な提案より勝（まさ）ったのだろう？そして、؟や¡などの同類の記号がことごとく失敗したのに、なぜこの記号だけがこれほど急速に広まったのか？

　その理由は単なる入力のしやすさではなく、意味の多層性にある。皮肉の装飾記号は興奮の装飾記号に由来するのだが、その源流には、こんな半ば無意識的な計算がある。「相手はこの単語を真面目に使ったのかもしれないが、興奮気味に使ったのではないようだ。それでもなお、装飾記号をつけ加えたということは、まちがいなく真面目な意味ではない。本心でもなく、真に興奮しているわけでもないとしたら、皮肉な興奮にちがいない」。「lol」と同じように、装飾記号は不真面目さの印であり、その不真面目さの厳密な性質を、文脈から判断する余地を残す。この意味や計算ステップこそ、正式な皮肉記号の提案がことごとく失敗した一方で、皮肉の装飾記号が皮肉の引用符や皮肉の大文字とともに生き残っている理由なのだ。そう、この記号は皮肉そのものと同じように、あいまいで、文脈に依存しているわけだ。

　ではなぜ、よりにもよってチルダなのか？　第一、アステリスクだって、~*~ 装飾記号体系 ~*~ の重要な一部のはずだ。しかし、単独のアステリスクは、「*bold*（＊太字＊）」や「*narrates own actions in the third person*（＊自分自身の動作を三人称で語る＊）」

といったように、古くから別の意味で使われてきた。いずれも、「皮肉－興奮」の尺度とは無関係だ。もっと面白いことに、チルダは皮肉を言うときのある種の抑揚に、視覚的に似ている。この点も普及の助けになったのだろう。2010 年のライブジャーナルのスレッド投稿者は、チルダのことを、「歌をうたうような皮肉の声」と一貫して表現している [53]。わたしも同感だけれど、「歌をうたう」というのは正式な言語学の用語とはいえない。そこで、わたしはこの表現をもう少し具体的に掘り下げてみた。そうして、ひとつのアイデアをひらめいたとき、わたしは興奮で椅子から転げ落ちそうになった。「sooooo」のような単語を、歌をうたうような皮肉な抑揚をつけて言うとき、声のピッチは文字どおり上昇して、下降して、また少しだけ上昇する。そう、抑揚がちょうどチルダ（~）の形状と同じになるのだ。

　すっかり一人前となった皮肉の装飾記号について、オンラインメディアのバズフィードの記者は 2015 年に、「皮肉と、ある単語やフレーズの使い方に対する一種の穏やかな自虐を、足して 2 で割ったもの」と表現している [54]。理論上、皮肉の装飾記号には、興奮の装飾記号と同じくらい多くのタイポグラフィのバリエーションがありうる。しかし現実には、どちらかというと控えめになる傾向がある。~ チルダのペア ~ か、せいぜいがんばっても ✦ キラキラ絵文字 ✦ や ~* アステリスクとチルダ *~ がいいところで、多くの場合は、単に語頭のチルダで済ませてしまう。能面のような顔をして言う嫌味に、~*~* 派手な装飾 *~*~ はあまり似つかわしくないのかもしれない。

　さらに無感情なタイプの皮肉は、句読記号や大文字のいっさいないところに生まれる。わたしはそれを「ミニマル・タイポグラフィ（minimalist typography）」と呼んでいる。大文字表記や複数の感嘆

符とは真逆のものを、いったいどう検索すればいいのだろう？　すべて大文字の表記（またはブロック体の大文字）は、幸いにも確立した呼び名がいくつかあって、何十年も前から、インターネットのアドバイス・マニュアルの関心を惹きつけてきた。だが、ミニマル・タイポグラフィは、まだそういう状況にない。アーバン・ディクショナリーやジャーゴンファイルに項目はないし、だからこそ、わたしは唯一この単語の呼び名だけを提唱する必要があったのだ。そこで、わたしは、ミニマル・タイポグラフィに不満を述べる人々と分析する人々、そのふたつの情報源に目を向けてみることにした。まずは不満のほうに目を向け、時系列を確立してみよう。

　先ほど説明したように、テレタイプ端末に基づく1960年代と1970年代のコンピューターは、大文字しかサポートしていなかった。しかし、少しして70年代、80年代、90年代になると、人気のコンピューターOSであるUnixは、大文字と小文字を区別するようになった──それも厳密に[55]。あなたのユーザー名が「foobar」なのに、「FooBar」でログインしようとすれば、別人とみなされてはじかれてしまう。インターネット・ブラウザーを開くためのコマンドが「netscape」なのに、「Netscape」とコンピューターに入力してしまったら、「firefox」や「chrome」と入力したも同然だった（当時は、どちらのブラウザーもまだ存在しなかった）。大文字と小文字を区別するUnixのユーザー名やコマンドはすべて小文字だったので、Unixユーザーは、たとえ文頭であろうと、そうした専門用語を小文字のままにする習慣を身につけた。何より、ソーシャル・メッセージのなかでさえ「foobar should've used netscape（foobar は netscape を使うべきだった）」と書けば、あなたの投稿を読んだ初心者が誤解し、大文字と小文字をまちがえて端末に打ち込む可能性はぐんと減るだろう。

　大文字は叫び声だという共通認識ができあがってもしばらく、テレタイプ端末やアップルⅡの影響を受けたコンピューター・ユーザーが、すべて大文字で入力を続けていたころ、Unix ユーザーはその逆、つまり毎回すべてを小文字で入力するタイプの人間（それから、「ハッカーというのはただのコンピューター好きのことで、ハリウッド映画に出てくるサイバー犯罪者は厳密には『クラッカー』と呼ぶんだ」と熱弁するタイプの人間）として知られるようになった [56]。Unix のコーディングとは無縁な一般の人々にとって、ミニマル・タイポグラフィはまた、テクノロジーと関連したものに少しずつ変わっていった。メールアドレスや URL はすべて小文字で書くのがふつうで、ユーザー名もその傾向にならうことが多かった。

　しかし、まる 10 年間、インターネット掲示板に投稿してきた人たちに言わせれば、標準的な大文字化のルールを破る人々こそ、最悪のサイバー犯罪者だったのだろう。1990 年代の「ネチケット」ガイドから [57]、2000 年代の掲示板の投稿まで [58]、たびたび不満の矛先を向けられたのは、すべてを小文字で入力するインターネット・ユーザーたちだった。小文字表記が好きな人と嫌いな人、その両方が話題にしたのは、入力に手間がかからないという点だった。小文字表記が気に食わない人は、小文字入力する人々を「怠慢」と呼んだし、擁護する人は、「しょっちゅうシフト・キーを押すのは、使い古した手にはかなりの負担なんだ」と説明した [59]。ただ、この不満自体はたいした問題ではない。ブロッコリーの個人的な好き嫌いが食品科学とは関係ないように、ある言葉遣いへの個人的な嫌悪感は、言語学とはなんの関係もないのだ。むしろ、食物史家が歴史上の人物のブロッコリー批判を、ある時代にある場所でブロッコリーが実際に食べられていたという事実の立証に使えるのと同じで、人々が不満をこぼす言語形態は、いつ、どのような言語形態が広ま

りはじめたのかを教えてくれる。いちども聞いたことのない野菜や、いちども見かけたことのない単語を、わざわざ弾劾する人なんていないからだ。

　ここで面白いのは、2006年以降、大文字で表記しない人々への不満がめっきりと減っていることだ。それはたぶん、顔文字やインターネット頭字語が流行りだした当初と比べて、人々が冷静になったのと同じように、小文字表記に慣れただけだろう、と思うかもしれない。ところが、その数年後、大文字嫌いの新たな極悪人たちが、サイバースペースで猛威を振るいはじめた。今回、不満を述べていたのは掲示板の投稿者たちではなく、『ティーンヴォーグ』誌、バズフィード、ハーバード大学の学生新聞『クリムゾン』といった、若者向けの刊行物であった。そして、今回、小文字表記と結びつけられた犯罪は怠慢ではなく、遠回しな攻撃性だった。遠回しな攻撃的メールについてのトレンド記事は、2013年ごろに出回りはじめると、2015年と2016年に大流行した[60]。それらの記事の指摘によると、こうしたミニマル・タイポグラフィは、「この人、どうして怒っているんだろう？」と相手を心配させる罪を犯しているというのだ。小文字入力は、もはや怠慢や効率性の問題ではなかった。その人の態度を示す方法へと変わったのだ。

　では、2006年から2013年までのあいだに、何が起きたのだろう？　その答えはスマートフォンの隆盛にある。巨大なタッチパネルに、インターネット・アクセス。そして、1世代前のタッチパネルのないボタンだらけの携帯電話とは比べ物にならないほど、入力予測に長けた画面上のキーボード。スマートフォンの隆盛は、先ほどの期間とぴったり重なる。2007年に初代アイフォーンが発売されると、2011年にはアメリカのスマートフォンの売上が初めてスマートフォン以外の携帯電話の売上を上回り、2013年には世界

じゅうで同様の変化が起こった **61**。

　入力予測機能つきのキーボードは、メッセージの冒頭とピリオドのあとに、自動的に大文字を挿入し、辞書にある単語だけを予測する。こうして、突然、すべて小文字で入力するのは、むしろ手間になった。わたしは、2016年にツイッターで非公式の投票調査を行ない、「携帯電話で文章を書くとき、美的な効果のために、自動で大文字化された文字を小文字で打ち直すことがありますか？」とたずねた **62**。その結果は歴然としていた。500人あまりの回答者のうち、半数以上がしょっちゅう、3人にひとりが「たまに」行なうと答え、「まったく」行なわないと答えた人はわずか14パーセントにとどまったのだ。何人かは、携帯電話の設定ページにアクセスして、自動の大文字化機能を恒久的にオフにしたことがある、と自分から教えてくれた。2006年以前の小文字派たちの「怠慢」なイメージとは雲泥の差。女優のドリー・パートンの名言を借りるなら、「こんなに安っぽく見せるのにだってお金がかかるのよ」といったところだろう。もちろん、ある日、思いつきで開かれたツイッター投票に回答する人々というのは、たぶん偏りのないインターネット住民の標本とはいえないので、この割合をうのみにはしないほうがいいだろう。それでも、少なからぬ人々が、特別な効果を狙って、ミニマル・タイポグラフィをあえて選択していることは明白だ。では、わざわざそんな手間をかける人々は、いったい何を伝えようとしているのか？

　ミニマル・タイポグラフィの社会的な意味について問うというのは、コーパスや辞書にとっては、あまりにも漠然とした疑問だ。ミニマル・タイポグラフィは、文または発話レベルで機能しているので、大文字化されていない単語だけを検索すればすむ話ではない。そのため、正式な文章のなかから、大文字や句読記号のない無数の

単語、それもなんの変哲もない単語たちを、ふるい落としていく必要があるのだ。さらに、特別な口調を伝えるためでなく、効率性の理由から大文字や句読記号を使わない初期の時代もあった。当然、こうした古い理由から、いまだに小文字表記を使っているインターネット・ユーザーもいるだろう。先ほどの疑問に答えるために必要なのは、小文字表記をしている人々の心のなかをのぞき込むことなのだ。

　こうした初期のトレンド記事が掲載された場所から考えると、ミニマル・タイポグラフィは若者特有の現象である可能性が高い。ところが、若者言葉を分析しようとすると、必然的にあるジレンマと直面する。若者言葉に対する直感と、若者言葉について書き記す能力は、反比例するのだ。わたしは、1990年代と2000年代のスラングについては自信をもって主張ができるけれど、2010年代のものになるとだんだん怪しくなってくる。若者言葉について書く場は広がるのに、それと逆行するように、若者言葉への直感をどんどん失っていくのだ。若者言葉に対していちばん鋭い直感を持ち、若者のサブカルチャーにもっとも深く入り込んでいて、投稿やメールを喜んで分析させてくれるような同年代の友達がいる、ネイティブ・スピーカーの時代というのは、運がよい人でも、やっと最初の研究論文や学会向けのプレゼンテーション資料を書いているような時代だ。世の中で今、何が流行しているかは知っていても、誰にも名前を知られていないし、論文を読んでもらえる理由もないのだ。

　若者言葉を研究する言語学者のなかには、教え子の大学生に協力を仰ぐ人もいれば [63]、地元の学校と手を組む人もいる [64]。わたしの場合はインターネットだ。わたしは大学院時代に「All Things Linguistic（言語学あれこれ）」というブログを立ち上げ、過去のミーム・ブログを通じてなじみのあったブログ・サービス「タンブラー」

で公開した。当初、このブログは象牙の塔に閉じこもりすぎないよ
うにするための手段だった。わたしはさっそく、教え子の学生たち
に向けた助言、読んでいる論文へのリンク、日常生活のなかで出会っ
た言語的な雑学を投稿しはじめた。学術論文よりも一般の人向けの
文章を書くほうが楽しいことに気づき、一般の人に向けてフルタイ
ムで言語学の記事を執筆しはじめると、ブログやソーシャルメディ
アは、学界から外の世界をのぞき込むための小窓だけでなく、学界
へと戻る命綱の役割も果たすようになった。つまり、出席すべきカ
ンファレンスや目を通すべき論文について知る手段になったわけ
だ。
　このブログはまた、インターネット言語の引用における溝を埋め
る重要な手段でもある。わたしはブログを開始したまさにその週、
一連の投稿を「インターウェブ上の言語」というタグにまとめて整
理した。遠い将来、わたしが本書を書くなんて、そしてそのタグが
わたしの研究にとって重要な役割を果たすなんて、当時は知る由も
なかった。本書の執筆時点で、このタグには３００件近い投稿があり、
言語学全般と「言語学者のユーモア」に次ぐ３番目に大きなタグと
なっている。投稿のなかには、わたし自身の未解決の疑問もあれば、
学術論文や大衆向け記事へのリンク、言語の使用について考察した
ほかのインターネット・ユーザーのリブログもある。ときには、タ
ンブラーを閲覧していて、若手の学者が共有する研究に行き着くこ
ともあるし、インターネット言語学に関するプリント、卒業論文、
学会の配布資料を送信してほしいと投稿することもある。だんだん
と、多くの人々がわたしの評判を聞きつけ、学会やメールで、関連
するプロジェクトについて情報を提供してくれるようになった。本
書のほかのセクションの参考になった論文もあれば、結局、引用で
きずじまいだった論文もあるけれど、どれひとつとして役立たな

かったものはない。論文の著者がひとりの話者として、調べる価値があると思うコミュニティはどれなのか？　著者が全体を代表する標本として選んだのは？　新しいコミュニティでのデータ収集にどう取り組めばいいのか？　こうした疑問について、毎回、新たな視点が得られた。こうして、わたしはインターネット言語学の伝統を積み重ねていっている。英語学の研究者デイヴィッド・クリスタルは、2011年の著書『Internet Linguistics: A Student Guide（未）』で、「インターネット言語に必要なのは、ほかの何を差し置いても、質の高い記述だ」と呼びかけている。この言葉が多くの学生の論文で、研究の動機として引用されているのを見るに、次のステップはまちがいなく、そうした論文を言語学研究に織り込んでいくことだと、わたしは思っている。このインターネット時代、学術誌に載っている研究結果ばかりを引用する必要なんてないのだ。

　ミニマル・タイポグラフィに関していうと、特に重要な言語学の修士論文がふたつある。ひとつはハーリー・グラントによる2015年の論文[65]、もうひとつはモリー・ルールによる2016年の論文で[66]、どちらもタンブラーについてのものだ。タンブラーは、ツイッターと比べると研究が進んでいない（というより、ツイッターがほかのソーシャル・ネットワークと比べて、研究されすぎている）。というのも、研究者にとって、ツイッターはたくさんのツイートを無作為に収集し、投稿日に基づいて検索するのが非常に簡単だからだ。タンブラーは、少なくとも投稿が一般に公開されているという点では、フェイスブックやスナップチャットよりも研究しやすいのだが、無作為標本を抽出する方法がいっさいない。みずから能動的な参加者となり、自分のフォローしている相手が投稿または共有する内容を逐一観察するか、分析する具体的なサブコミュニティを自分で選ぶか、そのどちらかしかない[67]。どちらの手法を選ぶにせよ、言語学的に見て

面白いコミュニティに、あらかじめ当たりをつけておく必要がある
のだ。

　タンブラーが特に興味深いのは、ミニマルな句読記号が発達しつ
つあった時期、つまり2006年から2013年に関してである。と
いうのも、当時のタンブラーのユーザー層は若く（2013年のユーザー
の半数近くが16〜24歳）[68]、インターネットをコミュニティのより
どころにしており（既存の友達とつながれるところが人気のインスタグラ
ムやスナップチャットとは対照的）、みずからの言葉遣いについてよく
言及するからだ。グラントは論文で、タンブラーの言語スタイルに
関する2012年のメタコメンタリー的な投稿をいくつか引用してい
る。それらはミニマル・タイポグラフィについて自己言及している
例でもある。そうした投稿のなかでも、50万件を超える「いいね！」
やリブログを集めた一番人気の投稿は、こう始まる[69]。

> when did tumblr collectively decide not to use
> punctuation like when did this happen why is this a thing
> （いつからこうなったんだそれはどうしてなんだみたいに句読記号を使わ
> ないことをタンブラーのみんなが決めたのはいつなんだろう）
> it just looks so smooth I mean look at this sentence flow
> like a jungle river
> （あまりにもよどみなく見えるほらこの文章を見てごらんジャングルの川
> みたいに流れてる）[70]

こうした投稿者たちは、ユーザー仲間のあいだで広く認識されてい
た現象を、外部の人たちに説明しようとしていた。そして、疑問符
なしの疑問文は修辞疑問文や皮肉の意味になることなどを伝え、新
規ユーザーをタンブラーの規範へと順応させるのに役立っていた。

そのことは、この種の投稿の人気ぶりを見ればわかる。モリー・ルールもまた、自己言及的で、広く共有された、複数の著者がいる投稿を引用している。次は2016年の投稿だ。一見すると、さまざまな種類の強調の例を紹介しただけにも思えるのだが、そうした例が、中立的でミニマルな文章のなかに散在していることがわかる。

> i think it's really Cool how there are so many ways to express emphasis™ on tumblr and they're all c o m p l e t e l y different it's #wild
> （タンブラー上で強調™を表現する方法がこんなにたくさんあるなんて本当にすごいと思うしおまけにどれもま っ た く意味がちがうんだ＃すごすぎ）
> #E m p h a s i s™
> （＃強調™）
> WHAT HAVE YOU DONE
> （なんてことしてくれたんだ）[71]

ハッシュタグがついていて、先頭が大文字で、間隔が広がっていて、おまけに商標マークまでついているひとつ目の返信（#E m p h a s i s™）は、ちょっとした箸休めだ。要素の詰め込みすぎで、もはや冗談以外には解釈できない。しかし、すべて大文字の「WHAT HAVE YOU DONE」という返信は、強調であると同時に、ミニマリズムでもある。大文字表記によって強烈な感情を、疑問符なしの疑問文によって修辞疑問文であることを伝えているからだ。

　タンブラーのユーザーは、ミニマル・タイポグラフィについて自己言及するのが特に好きだったようだが、それはタンブラーだけの

現象ではなかった。同じころ、ツイッターでも同種の現象が花開きはじめた。ミニマリズムは、不条理コメディアンのジョニー・サン（第2章で紹介した誤字に優しいコメディアン）の2014年のこんな超現実的なツイートに、詩的な効果をもたらしている。

"i just want to go home" said the astronaut.
（「帰りたい」と宇宙飛行士は言った。）
"so come home" said ground control.
（「じゃあ帰っておいで」と管制センターは言った。）
" s o c o m e h o m e " said the voice from the stars.
（「じゃ あ 帰 っ て おい で」と星々からの声は言った。）[72]

装飾的な句読記号があからさまな芸術的装飾だとするなら、ミニマルな句読記号はまっさらなキャンバスであり、見る者にその隙間を埋めるよう誘いかける。このサンのツイートは、わずか140字足らずで、既知のものへの憧れと未知のものへの憧れとのあいだにある葛藤、人間と星屑というわたしたちの二面性について、物語を語っている。そしてまた、拡張されたユニコードの文字セットを使って、口調を伝える例を示している。この場合、全角文字を使って文字を幅広く、字間たっぷりに見せることで、まるで声が星々からこだましているかのような効果を生み出している。この不気味で、旋律的で、魅力的な物語に刺激を受け、ほかのツイッター・ユーザーは50以上のオリジナルの絵を制作した[73]。
　わたしがジョニー・サンに、この独特のスタイルを使いはじめた時期をたずねると、彼は2012年だと答えた。多くの人々が、タンブラーで彼のようなスタイルに気づきはじめたのと同じ年だけれど、

実のところ、彼はタンブラー・ユーザーではなかったのだという。代わりに、彼は人々が当時のツイッターで用いていた柔らかな（または奇妙な）美的スタイルを挙げるとともに、なんでも小文字にする1990年代のメッセンジャー文化について言及した[74]。皮肉の装飾記号を興奮の装飾記号から計算によって導き出せるのと同じように、ミニマル・タイポグラフィの美的で皮肉な効果は、従来の意味（怠慢、反権威主義）に関する知識や、自動大文字化の時代にあえて小文字を採用するという選択から導き出される。高解像度のカメラやスムーズなインスタグラム・フィルターが当たり前の時代に、粗く、ぼやけていて、お粗末な加工のインターネット・アートの人気が復古したのと同じように、感情の矛盾を映し出すスタイル化された言葉の矛盾もまた、人気を取り戻したのだ。

　ミニマル・タイポグラフィに関するインターネット言語学の論文を探していたとき、わたしは図らずも有益な例をみずから生み出すことになった。2018年、わたしはフェイスブックの言語学ミーム・グループで、学生論文について質問をした。というのも、言語学ミームの情熱がタンブラーからフェイスブック・グループへと移りつつあることに気づいていたからだ（ミームについて詳しくは、第7章で）。するとある人物が、もう少しでわたし自身の論文をわたしに送りつけるところだった、とコメントをくれた。その人物は論文の著者名とわたしの名前を見比べ、やっとふたりが同一人物だということにはたと気づいたそうだ。それを聞いて、わたしはそれほど深く考えずに、「my Brand is Strong（わたしのブランドって絶大なのね）」と返信した。何人かがユーモアを理解してくれて、そのときはそれで終わった。

　その後、わたしはこのやり取りについて振り返った。わたしは携帯電話から返信したのだけれど、そのためには余分な手間をかける

必要があった。もしわたしが携帯電話のデフォルトの書式を変更できず、「my Brand is Strong（わたしのブランドって絶大なのね）」と書かずに、「My brand is strong（わたしのブランドって絶大なのね）」と入力していたら、わたしの皮肉は正真正銘の傲慢さと解釈されたかもしれない。少なくともわたしが、後者の標準的な字体の文章を送りつけられたら、薄ら笑いを浮かべる相手の顔をぐちゃぐちゃにしてやりたいと思わずにはいられないと思う。だから、わたし自身からそんなメッセージを送るわけがないのだ。もちろん、正式な表記を使って、正直で謙虚な文章を書くこともできただろう。でも、この皮肉にはメリットがある。「brand」の部分を皮肉の大文字に変えることによって、自己表現におけるソーシャルメディアの奇妙なプレッシャーに直面しているネット民たちと、わたし自身を重ねられるのだ。文頭にミニマルな小文字を使うことによって、わたし自身を親しみやすい人間に見せられる。スピーチの冒頭の自虐的なジョークと同じように、誰かに突っ込みを入れてもらえるような側面を先に見せることによって、自分が相手の文体についてお説教を垂れるような立場にあるわけではない、ということを伝えるわけだ。一方では、わたしは自分が有名人であることを認めている。でも、それと同時に、わたしが自分自身のことを偉いとは思っていないと示唆することで、その場の気まずさを和らげている。大丈夫よ、わたしは人間のブランド力に対するごくふつうのインターネット・ユーザーの皮肉な葛藤をちゃんと理解しているから、と。

　皮肉は、皮肉にも、誠実さの息づく余地を生み出す。あなたとわたしが、ひとつのことに対して複雑な姿勢を共有できるなら、ほかの物事に対するもっと率直な姿勢も共有できるはずだ。先ほどのやり取りでは、皮肉がまさにその役割を担った。例の投稿者は、再び誠実に返信し、若者のスラングを真剣に受け止めてくれたことに感

謝した。一見すると、わたしはそんなことをしていないように思えるかもしれない。わたしの返信の目的は皮肉を言うことだけだったんじゃ？　しかし、もう少し深いレベルで見てみると、わたしが真剣に取り組んでいたのは、インターネットに流暢な人々と自分を重ねあわせ、その流暢さをみずから実証し、タイポグラフィで口調を伝えられることがどれだけ重要かを理解していると伝えることだったのだ。

　その瞬間、このやり取りは、ルソーから『ジ・オニオン』まで、作家たちの数世紀越しの夢を叶えた。ふたりの赤の他人どうしで、書き言葉による皮肉を伝えること。それは、そのコメント主とわたしだけではない。今では、多くの人たちが毎日、毎分、この皮肉のダンスを踊っている。わたしたちが皮肉を伝えることに成功したのは、わたしたちが独りではないからだ。わたしたちが皮肉記号の抽象的な提案を書き上げる孤高の知識人ではなく、自分のメッセージがどう受け取られるかに細心の注意を払い、相手もきっと意図を持ってタイポグラフィを選んでいるにちがいないと信じる、社会的な人間だからだ。そして、わたしたちふたりの言語規範が、命令的な赤ペンではなく、社会的なインターネットのほうを向いていたからなのだ。

　皮肉というのは、いわば言語的なトラストフォール▼21だ。わたしは二重の意味を持つ言葉を書いたり話したりするとき、きっと相手が受け止めてくれるだろうと信じて、後ろ向きに倒れる。もちろん、リスクは高い。的をはずした皮肉は、会話をずたずたにしてしまうこともある。けれど、報酬も高い。それは、1点の曇りもなく意図を理解してもらえたという無上の喜び、相手が自分の味方だとわかっているときの安心感だ。大昔から、人々がなんとか皮肉を文

▼21　相手が受け止めてくれると信じて、人々の腕のなかへと後ろ向きにまっすぐ倒れ込む信頼づくりの演習。

字にしようとしてきたのもうなずける。

　もし礼儀正しいタイポグラフィが、前にも見たとおり、余分な手間をかけ、文頭の大文字やフレンドリーな感嘆符を使って、心地よい距離や正真正銘の興奮を伝えるものだとしたら、皮肉のタイポグラフィは、その両方の面で正反対だ[75]。皮肉のタイポグラフィは、読み手に二重の意味を必死で探させるような、ちょっとした不協和音をもたらす。期待されるベースラインからの逸脱なら、なんでもいい[76]。小文字表記、皮肉の装飾記号、疑問符なしの修辞疑問文、時代遅れなスラングの皮肉な使用。何度もリブログされたあるタンブラー上の投稿によると、「great」という形容詞は何かが本当にすばらしいことを指すのだが、「gr8」は後ろめたい喜びや風刺的な称賛を指すそうだ[77]。ところが、ここが肝心なのだが、皮肉を言うには、そもそもそのベースラインが必要だ。先に、叫び声や興奮といった単純な口調を表わすタイポグラフィを確立してからでないと、その意味をクリエイティブに破壊することはできないのだ。

　コンピューターを介したさまざまな種類のコミュニケーションを、短文のメールと長文のブログ記事という具合に、プラットフォーム別に分析するのは易しい。わたしたちが考えることが少ないのは、時期の重要性だ。実際、CU L8R（← see you later、またあとで）と＃Ｅｍｐｈａｓｉｓ™は、まったく別の時代のネット語に属する。ミニマル・タイポグラフィは、時代に依存するインターネット・スタイルの主たる例だ。その始まりは、タンブラー、ツイッター、メール、いずれも共通して、2012年または2013年前後に記録されている。対して、心理学者のジェフリー・ハンコックは、その10年前に行なった大学生対象の研究で、皮肉を誘うようなシナリオ（イタいファッションなど）について、書き言葉によるコンピューターベースのコミュニケーションと、話し言葉による面と向かったコミュニ

ケーション、その両方で語ってもらった[78]。その結果、驚いたことに、大学生はどちらの状況でも同じくらい、皮肉を用いる傾向にあった。ただし、当時は皮肉を伝えるタイポグラフィのツールがそう多くなく、ハンコックの報告した唯一の皮肉の表現が、3つの点だった。わたしは、皮肉のタイポグラフィが全盛の現代に、ぜひともこの研究を再現してほしいと願っているけれど、この研究は、ひとつの貴重な事実を思い出させてくれる。インターネット言語は、ほかの言語スタイルと同じように、時代時代で変化していくのだ、ということを。もしかすると、将来、今よりもずっと繊細な意味を表現する手段が生まれ、現在の皮肉の表記体系が単純な3点リーダーと同じくらい、どんくさく思える日が来るのかもしれない。

　左右反転の疑問符や上下反転の感嘆符が、皮肉記号として提案されたときのことを振り返ると、その多くが、もう少しで二重の意味を獲得するところまで行ったことがわかる。こうした提案の最大の問題は、説明の必要な目新しい記号を押しつけようとした点だけではなく、夢がちっぽけすぎたという点にもあったのかもしれない。たった1種類の句読記号で、皮肉を完璧に伝えることなんてできない。皮肉のタイポグラフィが複雑なのは、皮肉自体が複雑だからだ。皮肉の持つ言語的シグナルは、叫び声を表わす大文字や、尻上がりのイントネーションを表わす疑問符ほど単純ではないのだ。皮肉に関する文献が教えてくれるとおり、二重の意味は、純粋に文脈のみから得られることもある。外がどしゃぶりなのに、「ああ、なんていい天気なんだろう！」と言うのは、その典型だ。あるいは、誇張によって皮肉が伝えられることもある。たとえば、「本当にありがとうございますね」は、シンプルな「ありがとう」より皮肉である可能性が高いだろう。しかし、多くの場合、皮肉は、笑顔、笑い声、眉の吊り上げ、重厚な話し方など、声や表情のさまざまな特徴

によって伝えられる。いずれも、皮肉のタイポグラフィが補うような特徴だ。面と向かった会話でさえ、何世代も使われてきたにもかかわらず、皮肉が必ず伝わるとはかぎらない。皮肉屋でさえ、二重の意味が確実に伝わったことを確かめるため、笑顔や笑い声といったフィードバックや、皮肉の繰り返しに頼るくらいなのだ。

　皮肉のタイポグラフィは、書き言葉の皮肉に成功の望みを与えるだけにすぎない。どの媒体を使うにしろ、皮肉には信頼が必要だ。明快な句読記号を使わずに自分の感情を伝えるという行為は、相手がすでに友達や同じ言語共同体の仲間だから意図を誤解したりはしないだろうという信頼の証であるか、それとは逆に、「誤解されたってかまわない」という部外者排除の手段であるか、ふたつにひとつだ。愛称が親密さの証にもなりうる一方で、肝心の親密さがなければただの無礼にもなりうるのと同じだ。礼儀正しい社交的なメールに感嘆符をつけないのは、その人が石の心を持つ氷の魔女である証かもしれないけれど、相手が親友なら、そもそも礼儀正しい社交的な連絡メールなんて送る必要はないだろう。

　しかし、この口調のタイポグラフィ・システムは、見事な発展を遂げている一方で、脅威にさらされてもいる。音声文字起こしやスマートリプライ▼22 といった技術言語的なツールの未来について考えるときには、そのツールをどう利用しうるかだけでなく、どう破壊しうるかについても問わないといけない。つまり、ユーザーが意図を伝えるのをデザイナーがどう手助けできるかだけでなく、ユーザーがデザイナーの意図する以上のことを伝えるのをどう手助けできるか、についても問うべきなのだ。音声アシスタントにその日の天気をたずねるくらいなら、皮肉なんていらない。しかし、他者にメッセージを書くのを支援しようとするテクノロジーにとって、次

▼ 22　メッセージへの返信を自動的に作成してくれる機能。

なる難問は、わたしたちの発する言葉そのものではなく、その言い方にこそある。結局、無条件の大文字化が破壊されたおかげで、皮肉のミニマリズムが誕生したわけだし、手書きによる伝統的な注意喚起の方法が破壊されたおかげで、#Ｅｍｐｈａｓｉｓ™とかいう表記が生まれたのだ。口調のタイポグラフィの場合、本や新聞といった正式なデータセットを使ってツールをトレーニングするだけでは、十分とはいえないだろう。書くことを支援する未来のシステムをつくろうと思うなら、この種の微妙なニュアンスも読み取れるようにしなければならないのだが、その効果的な方法ははっきりとしないのが現状だ。かつて、ＩＢＭは、実験的にアーバン・ディクショナリーのデータを自社の人工知能システム「ワトソン」に追加したのだが、コンピューターが暴言を吐きはじめると、データを再び消去するはめになった**79**。

　一方で、変化を強調しすぎないことも大事だ。インターネット上の口調の表現方法は、1984年のユーズネットの投稿を開始点とするなら、その多くがもう30年以上にわたって存在している。それでも、詩人のＥ・Ｅ・カミングスや小説家のＬ・Ｍ・モンゴメリが、現代の本や新聞を手に取ったら、ふたりの1920年代の目にはかなりおなじみの、編集済みの散文が目に入ることだろう。正式な書き言葉では、いまだにピリオドは感情的に中立で●**5**、疑問文と疑問符は常にセットで、大文字は文頭と固有名詞を表わし、皮肉を伝えるには巧妙な言い回しが必要なのだ（あららヾ）。

　書き言葉は完全に変わったわけではなく、むしろ正式な書き言葉とカジュアルな書き言葉、そのふたつに分岐したと考えるべきだ。しかし、この分岐はインターネットの発明、もっというとコンピュー

●**5**　少なくとも、わたしはそうだと願いたい。でなければ、わたしは本書をここまで読んでくれた読者の方々に、ずっと遠回しな攻撃を続けていることになるから。ご気分害されたらごめんあそばせ。

ターの発明と同時に起こったわけではない。大文字表記、表現的長音、~ 皮肉記号 ~、ミニマル句読記号、大文字と改行の組み合わせは、どれも 21 世紀どころか、20 世紀初頭に直接の源流を持つ。E・E・カミングスのミニマル句読記号や大文字、小文字の使い方を思い浮かべてほしい▼23。あるいは、ジェイムズ・ジョイスが小説『ユリシーズ』の最終章で用いた意識の流れ▼24 はどうだろう？　この章は合計 2 万単語以上あるのだが、ピリオドはたったの 2 個しかない。意識の流れを表わす文体にとって、いちばん大切な原則とは、きっちりと様式化された正式な文章よりも正確に、その人の思考の流れを表現する、ということだ。なので、文章をなるべく思考に近づけようとするなら、結果的にモダニズム風やポストモダニズム風の文章になってしまうのは、自然なことなのかもしれない。

　さらに、この分岐は、文法に沿ったタイポグラフィの幕開けまでさかのぼることもできる。文法学者たちが、書記官の使っていた休止に基づく句読記号を、ラテン文法にならって改良する必要があると判断したとき、学校教師や編集者の習慣は変えられたかもしれないが、私信、手書きの貼り紙、キッチンテーブル上のメモまでは変えられなかった。将来的には、印刷機の発明からインターネットの発明までの書き言葉の時代は、変則的な時期とみなされるようになるかもしれない。つまり、書くことと読むことの難しさに、大きな隔たりが生まれた時代だ。別の言い方をするなら、書き言葉のカジュアルで編集されていない側面に注目するのをやめ、タイポグラフィを静的で肉体のないものへと変えた時代ともいえる。

　インターネットはカジュアルな書き言葉を生み出したわけではな

▼23　E・E・カミングスは、句読記号の散らばりや省略、小文字のみの使用、文法に従わないフレーズ、語の不思議な配置など、革新的なスタイルの詩で知られる。
▼24　20 世紀のモダニズム文学の作家たちが用いた実験的な手法。登場人物の心理の動きをできる限り直接的に表現することを指した文学用語。

いけれど、それまでの話し言葉でのやり取りを、リアルタイムに近い文字でのやり取りへと変えることで、より一般的なものにした。と同時に、キーボードは、何重もの下線、カラーインク、装飾的な枠線、くだらない落書き、そして書き手の気分を推測させる肉筆の微妙な変化など、それまでの表現力豊かな書き言葉のレパートリーの一部を奪い去った。しかし、わたしたちが文字で感情のニュアンスを伝えるために編み出した拡張システムは、あまりにもニュアンスが繊細で、一人ひとりに固有のものだ。もし、わたしが誰かの代わりに個人的なメッセージを代筆するとしたら、いったいどうなるだろう？　たとえば、わたしが車の助手席に座っていて、運転手の携帯電話に届いたメールに今すぐ返信しなければならないとしたら、わたしはその運転手になんと入力すればいいのか、一言一句たずねるはめになるだろう。発話の終わりは、ピリオド、感嘆符、ただの改行、どれがいい？　大文字はどれくらい使う？　文字の繰り返しは？　同じように、わたしが別の人の代筆したメッセージを受け取ったら、たぶんちがいに気づくだろう。表現的なタイポグラフィは、電子的なコミュニケーションを実に人間らしいものへと変えるのだ。

　わたしは、個人的には、この変化はすばらしいと思う。口調のタイポグラフィへの注目が高まった結果、標準的な句読記号の使い方が廃れるとしても、わたしはもともと独善的でエリート主義的な人々がつくった標準の衰退を喜んで受け入れるだろう。そして、仲間たちともっと深くつながれるほうを選ぶと思う。第一、赤ペンはわたしを愛し返してくれない。句読記号の打ち方の規則に完璧に従えば、ある種の権力は手にできるかもしれないけれど、愛は手に入らない。愛は、規則のリストから生まれるわけではない。わたしたちがお互いに注目し合い、相手に及ぼす影響を心から気にかけたと

き。規則を習得するのではなく、自分の口調を伝えられるような方法でものを書けるようになったとき。書くという行為を、自分の知的な優越性をアピールする手段ではなく、お互いの声により深く耳を傾ける手段として見られるようになったとき。権力のためではなく、愛のためにものを書くことを覚えたとき。そんなとき、どこからともなく、新しい愛が生まれる。しかし、わたしたちの微妙な声の変化を、仮にタイポグラフィで表現できたとしても、わたしたちは声だけでできているわけではない。そう、普段わたしたちが全身を使って送っているメッセージを、文字で伝える手段も必要だ。

第 5 章

絵文字とその他の
インターネット・ジェスチャー

Chapter 5

Emoji and Other Internet Gestures

肉体は、人間のコミュニケーション方法の大きな一部だ。

　誰かが難しい顔で部屋にずかずかと入ってきて、ドアをバタンと力任せに閉め、「怒ってないよ」と言ったとしても、あなたは言葉ではなく肉体のほうを信じるだろう。

　誰かがすすり泣きをし、涙をぬぐいながら、「いやいや、大丈夫だから」と言ったとしても、あなたは「それはよかった、ホッとしたよ。さ、踊りに行こう」とは答えずに、「どう見たって大丈夫じゃなさそうだけど……。でも、話したくないなら、無理しないで」などと言うはずだ。

　親友があなたの目を見て、にっこりと笑い、「あなたって今まで会ったなかで最悪の人間！」と言ったとしても、「ひどい、友達だと思っていたのに……」とは思わずに、「すごい、わたしたちって冗談で罵倒し合えるくらいの仲なんだ。もちろん、本気で言っていないなんてことは、ふたりとも承知しているけど！」と思うだろう。

　同じように、感情に関する言葉の多くは肉体化されている。心臓は高鳴り、眉は吊り上がり、頬は紅潮し、胃は締めつけられ、喉はしわがれる。書くという行為は、その言葉から肉体を取り除く技術だ。それが書くという行為の最大の利点といっていい。単語を生きた人間やそのホログラムのなかにまるまる具現化するよりは、単語だけを引っ張り出して、紙やバイトに記録するほうが簡単だ。ときには、肉体的な部分をむしろ望まないこともある。わたしがプラトンの『国家』をトイレの脇に置いておこうと勇猛果敢に決意したからといって、プラトンの師ソクラテスのゾンビを洗面所に居候（いそうろう）させたいだなんて、夢にも思わない。

　しかし、肉体の欠如は書き言葉の最大の欠点でもある。特に、感情や心理状態を表現しようとしたときに、その欠点が顕著になる。オンライン化の初期の時代、仮想的な肉体化という問題へのはっき

りとした答えが、とうとう見つかったように思えた。ニール・スティーヴンスンが1992年の小説『スノウ・クラッシュ』で思い描いた未来や、2003年に誕生した3次元の仮想世界『セカンドライフ』を思い浮かべてほしい。誰もが両手、両足、髪型までばっちりと揃った自分自身の完全なアバター（分身）をつくり、仮想空間でお互いに肉体的な交流ができるようになる、と期待された。そうしたアバターがわたしたちの物理的な世界での行動（物理的な行動であれ感情的な行動であれ）をサイバースペースへと投影することによって、仮想世界で部屋に入ったり、握手したり、床で笑い転げたりできるようになる、と。

　技術的なレベルでいえば、わたしたちは仮想的な肉体を投影し、操るのがすごくうまくなった。それこそが、一人称シューティングから『シムピープル』まで、ビデオゲームというジャンル全体の大きな特徴を支えているといえる。ところが、社交全般に関しては、そのレベルまで達することはついになかった。確かに、『セカンドライフ』は数々の記事を賑わせたけれど、インターネット・ユーザーの小さなサブコミュニティのなかだけで人気を博すにとどまっている[1]。そして、似たような試みはいっそう不発に終わっている。ほとんどの人が保有しているもののなかで、社会的なアバターにいちばん近いのは、ソーシャルメディア・アプリのプロフィール写真だけれど、『セカンドライフ』や『スノウ・クラッシュ』が想像した大胆な3次元グラフィックスからは程遠い。確かに、プロフィール写真は、話し相手の雰囲気や、その人（や飼い犬）のルックスをある程度つかむのには役立つけれど、静的だ。わたしのプロフィール写真は、わたしがその横に入力しているメッセージとは無関係に、いつもお決まりの写真向けの笑顔をたたえている。そう、本当に必要なのは動的なシステムなのだ。句読記号は口調を表現するのには

長けているけれど、それでも何かが足りない。それは肉体だ。その隙間にうまく入り込んだのが、言わずもがな、顔文字や絵文字である。そう、句読記号を組み合わせてつくられたスマイリーや、顔、ハート、動物、いろいろなモノのミニ画像だ。

　わたしが絵文字の言語学に初めてかかわったのは、2014年のことだった。わたしはミーム言語学やインターネット言語学について、何本か論文を書いたことがあったので、絵文字が大々的なブームになると（2014年だけで、絵文字に関する記事や論文が6000件以上も発表された[2]）、ジャーナリストやテクノロジー企業から、絵文字分析の依頼が届くようになったのだ。わたしはスマートフォン用のキーボード・アプリ「スウィフトキー」と共同で、テクノロジー文化とカルチャーに関するカンファレンス「サウス・バイ・サウスウエスト」で講演を行ない、スウィフトキーの数十億件にもおよぶ匿名データに基づき、人々の絵文字の使い方の全体像を分析した。2015年に提案をまとめ上げたとき、わたしはまる8カ月後のカンファレンスまでに、絵文字ブームが過ぎ去っているのではないか、と少し心配になった。ところが、そんな心配とは裏腹に、絵文字はいっそう人気になっていた。わたしたちの講演を聴きに来た超満員の聴衆や、この講演についてのちに報道した6カ国の新聞も同感のようだった[3]。

　全員の頭にあったのは、「なぜ？」という疑問だった。なぜ絵文字はこれほど急速に広まったのか？　多くの人々は、言語学者を呼び、この疑問に答えてもらう前から、その答えは「絵文字が新しい言語だから」だと内心ほぼ結論づけていた。しかし、当の言語学者であるわたしには、そこまでの確信がなかった。わたしはみんなと同じくらい絵文字ブームに魅了されていたけれど、言語学者には言語の厳密な定義というものがある。そして、絵文字が言語の定義に

当てはまらないことは、明々白々だ。

　そのひとつの証明はこうだ。サウス・バイ・サウスウエストの講演の企画を練っていたとき、まるまる絵文字だけで講演ができないか、という案が出た。でも、その案は30秒くらいですぐにボツになった。絵文字だけでは、役に立つ内容や面白い内容を伝えるのはムリだと気づいたからだ。せめてスライドだけでも、まるまる絵文字にできないか？　それも難しそうだった。グラフにラベルをつける必要があったし、聴衆に答えを考えてもらうような疑問を提示する必要もあった。対して、わたしはフランス語も話せるので、いくつかの単語を調べながらにはなるが、まちがいなくフランス語で講演を行なうこともできただろう。スペイン語やドイツ語で講演に挑戦することだってできた。わたしが世界の残りの7000言語で講演ができないのは、言語自体に欠陥があるせいではない。わたしの語学力不足のせいだ（悲しいかな、言語学者だからって、すべての言語が話せるようになるわけじゃないのだ）。しかし、わたしたちや聴衆がどれだけ「絵文字に流暢」でも、まるまる絵文字だけでプレゼンテーションを行なうことなんてできない。まる1時間かけて絵文字を暗唱するのは、大道芸としては面白いかもしれないけれど、わたしたちが約束した楽しくて役に立つ講演には、どうやったってならない。実際、絵文字で「絵文字」と言う明確な手段すらないし、ましてや、この段落を絵文字に翻訳する方法もないのだ。正真正銘の言語は、メタレベルの語彙を扱い、新しい単語に適応することがすんなりとできる。ひとつ顕著な例を挙げれば、すべての言語にはその言語を表わす名前があるし、近年、多くの言語が「絵文字」に当たる単語を獲得した。だが、絵文字ではそのどちらもできないのだ。

絵文字はなんのためにあるのか？

絵文字は単語と同じではないけれど、明らかに、コミュニケーションにとって重要な何かを行なっている。それがなんなのかを明確にすることが、わたしの役目だった。顔と手の絵文字が常に一番人気であるという事実から、わたしは絵文字をジェスチャーとして語りはじめた。わたしは、一般的なジェスチャーと絵文字のリストをつくり、対応関係を見つけていった。そのリストは膨大な量になった。肩をすくめる、親指を立てる、指を差す、目をぐるりとさせる、中指を立てる、ウィンクする、拍手する……等々。これらはどれも、ジェスチャーと絵文字、両方の形態で存在するけれど、そうでないものもたくさんあった。ナスや炎の絵文字には対応するジェスチャーがないし、「うん」とうなずく仕草や「ちがう」と首を振る仕草には絵文字がない。こうして、わたしは行き詰まってしまった。

　わたしが書きかけの絵文字分析をオーストラリア人言語学者のローレン・ゴーンに送ったのは、そんなときだった。わたしの親友であり、ポッドキャスト「Lingthusiasm」で共同ホストを務める彼女は、わたしのリストに蛍光マーカーを引っ張り、こう指摘した。「この種類のジェスチャーには、学界の文献内で特別な呼び名があるのは知っているわよね？　エンブレムってやつ」

　知らなかった。

　なんてことだろう、ゴーンがジェスチャー研究を行なっているのは知っていたけれど、あまりその話をしたことがなかった。第一、ポッドキャストではジェスチャーが使えないから。わたしは彼女がジェスチャー研究について話したくないのだと思い込んでいたし、彼女は彼女で、わたしがジェスチャーにあまり興味がないと思い込

んでいた。でも突然、すごく興味が湧いてきた。

　あなたにも、「シャーデンフロイデ」という単語を初めて聞いて、「あるある！」と思った経験があるだろう。シャーデンフロイデとは、いわゆる「他人の不幸は蜜の味」というやつだけれど、そんなひどい感情を抱くのはあなただけではない。先人がいたということだ。わたしは数カ月、数年と絵文字の分類や分析を続けてきて、エンブレムという単語を知ったとき、一気に突破口が開けた気がした。先人たち、実際には何十何百人という学者たちが、すでに研究を尽くしていたのだ。わたしはジェスチャーの文献群へと頭から飛び込んだ。翌朝、ゴーンがメルボルンで再び目を覚ますころには、わたしはウィキペディアを読みあさり、十数個の質問を送りつけていた。彼女は大喜びで、特別ジェスチャー講座のための文献リストをわたしに送ってくれた。

　翌週を、わたしは朦朧とした状態で過ごした。わたしは、言語学に初めて出会った13歳の少女に逆戻りし、公共の場所に行っては、まっさらな耳と目で人々の会話を観察した。昔、図書館に行き、ヒソヒソ声で文章を発声してみたのと同じように、日々カフェに出かけては、自分自身の手や指の位置をじっくりと調べた（おかげで、ジェスチャーの分析に気を取られ、正常な会話ができなくなってしまった。単語だけに気を取られているときでさえ、会話に苦労したというのに）。言語学と出会って、わたしは言語というものが、単なる意見や印象のごった煮なんかじゃないということを知った。わたしが無意識のうちにずっと従っている、れっきとしたパターンが存在するのだ！　そのすべてのパターンが解明されているわけではないけれど、原理的には解明可能だし、解明することを使命にしている人たちがおおぜいいる。わたしがそのときまで気づいていなかったのは、ジェスチャーもまた同じであるという事実だ。ある人の母音の発音を聞

いて、言語学の知識をもとに、口のどの部分を使ってその音が出されるのか、その人がおそらくどこの出身なのかを描き出せるのと同じように、さまざまなジェスチャーを見て、その意味を探り出すことができる。

　ジェスチャーについて何も知らないまま、どうやって言語学に関する学位をふたつも取り、何十という言語学のカンファレンスに参加できたのか、とお思いかもしれない（わたしも、自分自身に対してそう思った）。でも、それはわたしだけではない。ジェスチャー研究は前進してはいるけれど、いまだに小さなサブ学問のひとつにすぎないのだ。ジェスチャー言語学者がおり、課程や単位を提供している大学もいくつかはあるが、そう多くはない。ゴーンはたまたまジェスチャー研究を行なっている大学に行き、わたしはそうでない大学に行っただけのこと。わたしの出席したカンファレンスで、ジェスチャーに関する講演があったとしても、わたしは出席したほうがいいと判断するだけの背景知識を持ち合わせていなかった。それは、ほかの多くの言語学者も同じだと思う。絵文字とジェスチャーの類似性を指摘する人に出会ったことがないからだ。そこで、彼女はわたしの収集した例に基づいて学術論文の執筆に取りかかり、わたしは彼女の紹介してくれた文献に基づいて本章を書き直した[4]。

　わたしは常々、日常生活のなかの物事を効率的に分類する方法に目がない。そして、ジェスチャーは絶好の分類法を与えてくれた。しかし、それよりいっそううれしかったのは、同じ分類法が、人々の絵文字の使い方を記述するのにも、同じくらい効果的だったという点だ。それこそが、欠けていたピースだった。絵文字の大統一理論みたいなものを探していたら、わたしはまちがいなく彷徨していたと思う。絵文字はたったひとつの機能ではなく、幅広い機能を持つからだ。ところが、重要なことに、その幅というのはジェスチャー

と同じであり、それこそ、絵文字がこれほどすばやく、しかもあまねく広まった理由でもある。絵文字は、わたしたちのカジュアルなコミュニケーションにとって重要なジェスチャーの背景にある機能を、手軽に表現できる手段だからだ。ジェスチャーや絵文字が体系的なものである、という可能性に気づきもしないまま、何十億というインターネット・ユーザーが無意識的に、集団的に、そして自発的に、ジェスチャーの機能を絵文字の機能へと投影していたのだ。

　さて、わたしに突破口を与えてくれた単語、エンブレムの話へと戻ろう。わたしは、親指を立てる、手を振る、ウィンクする、肩をすくめる、両手のひらをヒラヒラさせる、目をぐるりとさせる、中指を立てる、架空の襟を引っ張って気まずさを伝える、架空の小さなバイオリンを弾いて偽りの同情を示す▼1、肩から架空の埃（ほこり）を払う、架空のマイクを落とす▼2、両手の指でハートをつくる……等々、さまざまなジェスチャーのリストをつくっていた。その多くには、ピースする🖖、親指を立てる👍、指を交差させる🤞、目をぐるりとさせる🙄、ウィンクする😉、といった具合に、絵文字に一対一で対応するものがあった。

　さらに、もうひとつわたしが無意識に行なっていたのは、英語で一般的な呼び名を持つジェスチャーのリストをつくることだった。ウィンクが、片目を意図的に閉じる行為だとか、親指を立てる仕草が、親指以外の4本の指を握り、手のひらが自分側を向くようにして、親指を空に向かって立てることだというのは、わざわざ説明するまでもない。英語の話者なら、誰でも知っているだろう。わたしが英語で一般的な呼び名を持つジェスチャーをリストアップしていたのは、純粋に実用的な理由からだけれど（ジェスチャーを事細か

▼1　「世界最小のバイオリン」と呼ばれる、親指と人差し指をこすり合わせる欧米特有の仕草。相手の愚痴などにうんざりした際、指でバイオリンを弾いて慰める風を装うときに使う。
▼2　スピーチやパフォーマンスの最後に、勝ち誇ったようにマイクを落とす仕草。

に記述するのはたいへんだ）、こうした命名可能なジェスチャーには重要な共通点があることがわかった。多くの理論家たちは、海賊旗が海賊の象徴であるのと同じように、命名可能なジェスチャーをエンブレムと呼んでいるのだ [5]。エンブレムは言語的な枠組みにすんなり収まるが（たとえば、「時間に遅れたら○○する」という文章に、どれかのエンブレムを当てはめてみてほしい）、発話がなくても完璧に意味を持つ。同じことは、多くの絵文字に当てはまるが（「時間に遅れたら📧する」と「時間に遅れたら😳する」、どちらも言える）、親指を立てる絵文字や目をぐるりとさせる絵文字だけでも、返信としては十分なこともある。

　エンブレムは、厳密な型と安定した意味を持つ。言語よりも幅広い地域をカバーすることが多いので、一見すると普遍的に思えなくもない。中指（ラテン語で *digitus impudicus*）は、古代ギリシアや古代ローマでも無礼と考えられていた。一方、手のひらを自分側に向けた V サインは、一部の英語圏の国々では「くたばれ」という意味になるけれど、ほかの国々ではちがう [6]。しかし、結局のところ、エンブレムは恣意的で文化固有のものだ。世界じゅうの卑猥なエンブレムとして、親指を立てる仕草（多くのアラビア語圏の国々では「この上に座れ」の意味）、OK サイン（多くのラテンアメリカ諸国では「お尻の穴」の意味）、手を開いて前に突き出す仕草（ギリシア語で *mountza* [▼3]）、握りこぶしをつくって親指を人差し指と中指のあいだにはさむ仕草（ロシアやトルコで「性行為」の意味）、ブラ・ドヌールやイベリアン・スラップと呼ばれる仕草（片方の腕を伸ばし、手のひらを上に向けて握り、もう一方の手を上腕の曲げた部分に当てる仕草で、多くのロマンス語系の国々では侮辱の意味）などがある [7]。それぞれの地域でこうしたジェ

▼3　数字の5を表現するときのように手を開き、指を広げ、手のひらを相手に向けて突き出す仕草。ギリシアでは伝統的な侮辱のジェスチャーであり、両手を重ねるように行なうといっそう攻撃的な意味合いになる。

スチャーを行なえば、無礼なジェスチャーが返ってくるか、最悪の場合にはわいせつ罪による法的起訴まで待っているかもしれない。しかし、それ以外の地域で同じことをしても、誰も気にとめないだろう。最近、あるアメリカ人から聞いた話だけれど、彼女は日本を訪れたとき、人々が何気なく中指でエレベーターや電子レンジのボタンを押すのを見て仰天したらしい。また、微妙にまちがった方法でジェスチャーを行なえば（たとえば、手のひらを自分側ではなく相手側に向け、中指を立てるなど）、町じゅうの笑い物になるだろう。

　また、トレンド記事になるような絵文字（「今すぐ使いたい10種類の絵文字！」）のなかには、タブーの意味が隠されたものもある。ナスの絵文字 🍆 はその最たる例だ。男根の象徴として広く用いられるナスは、先ほどの卑猥なジェスチャーの自然な子孫といえる[8]。もうひとつの例が、笑顔のうんちの絵文字 💩 だ。この絵文字をＧメールに搭載するかどうかを決めるに当たって、日本のエンジニアたちは、その重要性を本社に訴える必要があった。彼らはこう説明する。「うんちの絵文字は、やんわりと『イヤだ』と言う方法なのです。『言いにくいですが、今のご発言は不愉快だと念を押しておきます』とね。いわば、逆『いいね！』なんです[9]」（個人的には、うんちの絵文字を「ちょっとクソ」と読むのがしっくり来る）。しかし、エンブレムの絵文字に関して特に重要なのは、厳密な型を持つという点だ。当初は、うんちの絵文字を笑顔なしで実装するデザイナーもいたのだが、それだとこの絵文字の持つ意味の本質的な部分が損なわれてしまう。絵文字が世界で初めて流行したとき、驚くほど大きな問題になったのが絵文字の統一性のなさだった。アプリやデバイスのメーカーによって、同じ絵文字が別々のデザインで表示されてしまっていたのだ[10]。初期のプラットフォームは、友達に赤いドレスの女性の絵文字を送ったつもりが、ディスコで

踊る男性や、口にバラをくわえたふくよかな人物の絵文字が相手に届いてしまうのが、どれだけ不愉快なことなのか、想定していなかった。デザイナーたちは一般的な「ダンサー」の概念を、企業側が自由に解釈してかまわないと思っていた。その結果、手のひらを逆向きにして中指を立てたり、別の２本の指で幸運を祈ったりしてしまったときのように、まちがったダンサーの絵文字などを送って恥をかく人々が続出した。結局、引き下がったのは企業の側だった。実際、ブログ「Emojipedia（絵文字ペディア）」は、2018年を「絵文字統一の年」と名づけている [11]。本来、こうした絵文字をエンブレムと考えるならば、誤差の許容範囲はすごく狭いはずなのだ。

　ある種の絵文字をエンブレムと考えれば、絵文字が言語に対して果たす役割もいっそう明確になる。エンブレムの重要な特徴は、命名可能なジェスチャーであるという点だ。当然ながら、辞書には英単語として、「wink（ウィンク）」や「thumbs up（親指を立てる仕草）」といったジェスチャーに関する項目がある。同じように、（すでに英語の単語や語句になっている）一部の絵文字の名前も、絵文字発祥ではあるが、必ずしも絵文字自体を必要としない新しい意味を帯びつつある。わたしは、絵文字へのいっさいの言及なしに、料理以外の文脈で「ナス」という単語が使われているのを、何回か見たことがある。ある歌手が「自分のナスの写真をインスタグラムでうっかり共有」した、という見出しはその一例だ。この用法が継続するなら、辞書の「ナス」の項目に、新たな下位の定義を加える必要があるだろう（すでに婉曲的な意味を持つ「バナナ」や「ソーセージ」などの単語と同じように）。だからといって、エンブレムでないジェスチャーと同じように、エンブレムでない絵文字をすべて辞書に掲載する必要はないのだ。

　絵文字は、インターネットのコミュニケーションでエンブレムを

表現する、唯一の手段ではない。あるスナップチャットの初期のファンは、撮影したばかりの写真にメッセージを重ね合わせて送信することの魅力について、こう説明した。「メールと似ているけれど、実際の顔文字の代わりに、自分の顔を顔文字として使えるのだ[12]」。つまり、エンブレムをつけてメールを送れるわけだ。GIF アニメもまた、実際にはエンブレムを表現するために使われることが多い。GIF アニメとは、技術的にいえば、どんな画像でも表示できる無音のアニメ化された画像ファイルのループだ。なかでもいちばん魅力的なのは顔入りの GIF であり、その点はユーザー・インターフェイスに反映されている[13]。ツイッターで GIF を挿入しようとすると、ツイッター内蔵の GIF カテゴリーが表示される。たとえば、パチパチ、げーっ、やれやれ、あちゃー、グータッチ、バイバイ、歓喜のダンス、ハート、ハイタッチ、ハグ、キス、勝った！、ダメ、あらら、OK、興味津々、怖い、ショック、知らないよ、ため息、ウィンク、あくび……等々。いずれも、人間、漫画のキャラクター、ときには動物による、定型的で命名可能なジェスチャーだ。GIF のなかには、あまりにも象徴的なので、親指を立てる絵文字やナスの絵文字と同様、画像ファイルがなくても名前だけで想起できるものもある。たとえば、誰かのドラマチックな人生を見て、興奮した気持ちを伝えたいなら、マイケル・ジャクソンが暗い映画館でスクリーンに釘付けになりながら、ポップコーンを食べている GIF を送ることもできるけれど▼4、ただ単に #popcorngif や *popcorn.gif* と言うだけでも伝わるだろう[14]。

　とりわけ象徴的なポップコーン GIF が、マイケル・ジャクソンの画像なのは偶然ではない。エンブレムは、ジェスチャーとデジタ

▼4　マイケル・ジャクソンの楽曲『スリラー』のミュージック・ビデオで、マイケルが興味津々な様子でホラー映画を観ながら、ポップコーンをほおばっているシーンのこと。

ルの両方において、アフリカ系アメリカ人の文化の盗用の繰り返しで成り立っている[15]。たとえば、ハイタッチは、ロー・ファイブまたは「giving skin」[▼5]と呼ばれる1920年代のジェスチャーが、スポーツチームを介して広まっていったものだし[16]、グータッチはベトナム戦争中に黒人兵士たちのあいだで交わされた「dap」という拳と拳を合わせる挨拶に由来する[17]。同じように、マニキュアの絵文字は、遠回しで痛烈な侮辱を表わす「throwing shade」という黒人ドラァグクイーンの表現との結びつきから主流になった[18]。文化批評家のローレン・ミシェル・ジャクソンは、「リアクション系GIFにおけるデジタルの黒人扮装について話そう（We Need to Talk About Digital Blackface in Reaction GIFs）」と題する記事で、黒人は非黒人の使うGIF、とりわけ極端な感情を示すGIFのなかで、不釣り合いに多く登場している、と指摘した。彼女はこうしたステレオタイプを、ミンストレル・ショー[▼6]の誇張した演技や、黒人の行動を大げさだととらえる長年の傾向を示す「animatedness」という文化理論家のシアン・ネイの造語と結びつけた[19]。

そのほかにも、一般的な呼び名がなく、言葉で表現しにくいのでわたしがまるまる無視していたジェスチャーもある。しかし、わたしたちは、そうしたジェスチャーをエンブレム以上に多く使う。なぜなら、わたしたちの発言のほとんどすべてについて回るからだ。たとえば、「この道をまっすぐ言って、信号のところを曲がって……」とか、「こんなにデカい魚を釣ったんだ」とか、「隣の席の人がペラペラペラペラしゃべりつづけて……」とか言うとき、あなたはたぶんジェスチャーを使うだろう。でも、そういうジェスチャーは、決

まった呼び名がなく、文章で説明することしかできない。道案内なら、「この道」がどの道なのか、信号でどの方向に曲がるのかを示すだろうし、大きさを示すなら、両方の手のひらどうしをある程度の距離で向き合わせるだろう。「ペラペラペラペラ」と言うときには、手を軽く開いて、ぐるぐると回しつづけるかもしれない。

　試しに、両手を縛ったまま話をしてみてほしい（あとでほどけるよう、友達に縛ってもらうように！）。きっと苦労するだろう。実際、研究者たちは、そのとおりの実験を行なっている。彼らは被験者に、ワーナー・ブラザース・アニメーション『ルーニー・テューンズ』のワイリー・コヨーテがロード・ランナーを追いかけ回すカートゥーンを見せ、別の人に見たものを説明するよう頼んだ。被験者の半数は、生理学的な測定のためという名目で、椅子に両手を縛りつけられたのだが、真の目的はジェスチャーができないとどうなるかを確かめることだった。案の定、ジェスチャーができないと、物語の視覚的な部分や空間的な部分を伝えるのに苦労することがわかった [20]。話す速度が落ち、たびたび言葉に詰まり、「うーん」「えーっと」と言うことが増えたのだ。

　調査の結果、すべての文化にジェスチャーがあり [21]、電話中など、意思疎通にとってジェスチャーが無意味な状況でも、わたしたちはしゃべりながらジェスチャーをすることがわかっている [22]。生まれつき目の見えない人々も、同じく目の見えない人と話をするときでさえ、ジェスチャーを使う [23]。しかし、わたしたちには、ウィンクしたり、中指を立てたりする、抑えきれない欲求があるわけではない。むしろ、わたしたちがせずにいられないのは、具体的な呼び名がないほうのジェスチャーなのだ。そのため、「発話に伴うジェスチャー（co-speech gesture）」や「図解的ジェスチャー（illustrative gesture）」 [24] と呼ばれるこの種のジェスチャーは、聞き手の理解

よりも話し手の思考に重点を置くものである、と言語学者たちは考えている [25]。実際、ジェスチャーを使うよう促された人々は、数学的な問題解決や心的回転▼7の能力が向上するという [26]。

　次にレストランを訪れたら、ほかのテーブルにいる人々を見回してみてほしい。おそらく、エンブレムはあまり登場しないだろうが、まちがいなく発話に伴うジェスチャーは多少現われるはずだ。声の聞こえない遠くのテーブルの人を見てほしい。ジェスチャーをしている人を見れば、誰が話しているかがわかるはずだ。おそらく、どれくらい仲がよいのか、楽しく笑っているのか、これから気まずいケンカが起こりそうなのかが、だいたいわかるだろうが、発話に伴うジェスチャーは話の内容に依存するので、会話の内容はわからないままだろう。たとえば、親指を立てる仕草は、「上」を表わす発話時のジェスチャーとしても使える [27]。しかし、「上」は、片手や両手の人差し指や手全体、目や眉の吊り上げ、またはその組み合わせでも指し示せる。だが、どのジェスチャーも、親指を立てるエンブレムの代わりにはならない。

　この柔軟性は、誕生日のお祝いメッセージを絵文字で彩る際にも見て取れる。ロウソクを立てたケーキ🎂、ショートケーキ🍰、風船🎈、包装されたプレゼント🎁、花束💐、またはハート、キラキラ、笑顔、紙吹雪などのポジティブな絵文字、親指を立てる仕草やグータッチなどのポジティブな手の形。こうした絵文字は、スウィフトキーのデータセットにいろいろな組み合わせや順序で登場した。言葉にイラストをつける場合、人々は「誕生日」「ビーチ」「楽しみ」「危険」を表現するいろいろな絵文字を、選択肢として受け入れる。誕生日ケーキは、プラットフォームによって、チョコレート、バニラ、イチゴとさまざまだし、ロウソクの本数もちがう。それでも、「絵

▼7　心に思い描いた 2 次元や 3 次元の物体を、想像のなかで回転させること。

文字統一の年」はその共通化になんの役割も果たさなかった。

　人々がダンサーの絵文字の形のちがいに不快感を抱いたのは、この絵文字がエンブレムの役割を果たしていて、エンブレムが付随する言葉に独自の意味をつけ加えるものだからだ。一方、人々が誕生日ケーキの絵文字の形のちがいに平然としていたのは、この絵文字が一種の説明であり、図解的な絵文字がすでに存在するトピックを強調して強化するものだからだ。なので、イラストが厳密に合っていなくても問題はない。周囲の単語が、その絵文字の意味を正しく解釈するのに十分な文脈を与えてくれるからだ。エンブレムの絵文字の場合、わたしたちはその絵文字をほかの人が使うのを先に見ているので、どういう絵文字を探せばいいのかが正確にわかっていることが多い。しかし、図解的な絵文字の場合、どういう絵文字を使おうかと、キーボードのなかを探し回ることが多いのだ。

　しかし、イラストを探し回っていて、ぴったりと合うものがなくて驚くこともある。「えっ？？　なんで○○の絵文字がないの？？」というケースだ。いちばんの問題は、絵文字は意味空間全体をカバーするために体系的にデザインされたわけではなく、歴史的な互換性の問題や個々の要望を経て、断片的に追加されていったという事実だ（詳しくは、このあとの絵文字の歴史に関するセクションで）。誕生日は、絵文字のイラストのなかでは比較的充実している分野だけれど、あまり充実していない分野もある。特に、日本にルーツのある初期の絵文字、アメリカに移植された最初の絵文字以外では、その傾向が顕著だ。

　発話に伴う図解的な絵文字は、額面どおり解釈できる。もちろん、ケーキや風船を解釈するのに、誕生日の習慣に関する文化的知識は必要だけれど、特別なインターネット・リテラシーがなくても、こうした絵文字を送信するのは誕生日を祝うためだとわかる。図解的

な絵文字は、インターネットの文化規範になじみがない人々でも気軽に使える。「ネコちゃんにもうエサはあげてくれた？」というメッセージに、ネコの絵文字をつけ加えるのはたやすい。しかし、ナスの絵文字を、思わせぶりなエンブレムでなく、他意のない図解的なイラストだと思い込んでいた人が、不用意な当てこすりのメールを送ってしまうケースはあとを絶たないのだ。

絵文字に関する最後の疑問は、絵文字どうしを組み合わせた使い方だ。大きな注目を集めている絵文字列のひとつが、おなじみの物語の絵文字版だ。『Emoji Dick』は、『白鯨（Moby-Dick）』の絵文字版だし、#EmojiReads というハッシュタグは、『蝿の王』や『レ・ミゼラブル』といった物語を絵文字に翻訳したものにつけられる。絵文字カラオケは、曲が終わるまでに、誰がその曲の最高の絵文字版を考え出せるかを競うゲームだ。こうした試みは、絵文字がジェスチャーであるという考え方とうまくなじむことがすぐにわかる。いわば、デジタル版のジェスチャー・ゲームや、騒がしいバーで友達相手に行なうパントマイムみたいなものだ。こうした絵文字のパントマイムや「曲芸」的な利用は面白いけれど、わたしが知りたかったのは、それが本当に絵文字の汎用的で日常的な使い方を反映しているのか、という点だった。絵文字は、わたしたちのごくふつうでカジュアルな書き言葉とどう噛み合うのだろう？
　この疑問に答えるため、わたしはスウィフトキーのエンジニアに、ふたつの照会を頼んだ。ひとつ目にわたしが知りたかったのは、人々の書く文章のなかで、絵文字の物語として説明できるものは何パーセントあるか、という問題だった。つまり、最低でも5個または10個の絵文字だけで成り立っている発話は、どれくらいあるのか？絵文字の物語がまぎれもなく普及していて、（数々の見出しが言うよう

に）絵文字が英語を乗っ取ろうとしているなら、絵文字のみのメッセージがたくさん見つかるはずだ。が、見つからなかった。メッセージの圧倒的大多数は、文字のみだったのだ。絵文字入りのメッセージの圧倒的大多数では、絵文字が言葉と並べて使われていた。そして、絵文字のみのメッセージの大多数は、絵文字1個か2個だけで構成されていた。おそらくは返信だろう。絵文字の物語の最低条件を満たす長さのメッセージは、千にひとつもなかった[28]。実際、長い絵文字の列を使って定期的にコミュニケーションしている唯一の人々は、読み書きのできない子どもたちだった。多くの親たちが、恐竜や動物の絵文字だらけのメッセージを送ってくる2〜5歳の娘や息子の話を聞かせてくれた[29]。でも、その子どもたちでさえ、読み書きを覚えたとたん、絵文字ではなく言葉でメールを送るようになるそうだ。

　というわけで、長い絵文字の列の使用は広がっていなかったが、何しろデータセットは巨大だ。その千にひとつもない絵文字の物語というのは、いったいどんな感じなのだろう？

　それがわたしのふたつ目の疑問だった。わたしはスウィフトキーのエンジニアたちに頼んで、もっとも一般的な2個、3個、4個の絵文字の列を抽出してもらった。これは大規模な文例を分析する一般的な方法だ。単なる単語のリストと物語とのちがいは、物語の単語が、文章や段落という形で並んでいることだ。物語の集合には、その一般的な単語のなかに、その言語の基本的な構造そのものを反映するサブパターンがある。たとえば、5億単語からなる現代アメリカ英語コーパスにもっとも多い2個、3個、4個の単語の列を調べれば、「I am（わたしは）」「in the（〜のなかに）」「I don't（わたしは〜しない）」「a lot of（多くの）」「I don't think（わたしは〜とは思わない）」「the end of the（〜の終わり）」「at the same time（と

同時に）」「as well as（〜と同じく）」「for the first time（初めて）」「one of the most（もっとも〜のうちのひとつ）」「some of the（いくつかの）」といった文字列が見つかるだろう。これ自体は、心をつかむ散文ではないけれど、より面白い物語をつなぎとめる接着剤のような役割を、見事に果たしているのがわかるだろう。人々が絵文字を使って広く物語を書いているとしたら、パターン化された絵文字の列を探すことによって、絵文字の物語を見つけられるはずなのだ。たとえば、真ん中に線の引かれた赤い円🚫は否定文を表わすとか、👩や👨のような人間を表わす絵文字のあとには、その人がどこかへ行くことを示す矢印の絵文字➡️が続くことが多い、という風に。

　だが、代わりに見つかったのは、繰り返しだった。それぞれの長さの絵文字の列、上位200例を見てみると、その半数はうれし泣きの絵文字2個😂😂、大泣きの絵文字3個😭😭😭、赤色のハートの絵文字4個❤️❤️❤️❤️といったように、絵文字の純粋な繰り返しだった。単純な繰り返しでない場合は、雪だるまを囲む雪❄️⛄❄️や、見ざる聞かざる言わざる🙈🙉🙊、キスの顔とキスマーク😘💋😘💋など、複雑な繰り返しが多かった。どれだけ異種混合の絵文字の列でも、目がハートの顔とキスの顔😍😘、一粒の涙と大泣き😢😢😭😭、誕生日🎂🎁🎉やファストフード🍕🍟🍗などの関連したモノの絵文字、色や大きさの異なるハートマークの列❤️💕💜💕など、必ずテーマが共通していた。

　この点で、絵文字は単語のようにふるまっているとはいえない。現代アメリカ英語コーパスの2個、3個、4個の単語の列の上位200例のなかに、繰り返しはまったくない。さらには、テーマの共通する絵文字の列とはちがい、名詞や形容詞ばかりの単語の列、なんてものすらなかった。もちろん、単語が繰り返し使われることはあるし（「very very very higgledy-piggledy（すごくすごくすごくめちゃ

〈ちゃ）」）、絵文字が繰り返されないこともあるけれど（🚫❄で「雪じゃない」、🖤🍕で「ピザが好き」の意味）、上位ではない。似たような形容詞をいくつか繰り返して、強調することはあるけれど（「big bad wolf（大きくて悪いオオカミ）」）、それらを組み合わせて複雑な繰り返しをつくることはない（「big bad big wolf（大きくて悪くて大きいオオカミ」とはいわない）。さらに、絵文字の順序はあまり重要でないが（ハートマークや誕生日関連の絵文字は、いろんな順番で現われる）、単語の順序は重要であることが多い（「bad big wolf（悪くて大きいオオカミ）」や「red small car（赤くて小さい車）」は、なんとなく違和感がある）。絵文字がわたしたちのコミュニケーション・システムとどう噛み合うのかを理解したければ、何がよく使われるのかを調べることが不可欠だ。何より、絵文字がほかの小さな写真とちがうのは、何十億人もの人々が、日々使っているという点だろう。真に問うべき絵文字の疑問とは、何十億人もの人々が現在、絵文字をどう使っているかであって、広告主や哲学者が考える理論上の絵文字の使い道ではない。その点でいうと、わたしたちのコミュニケーションのなかで、四六時中、繰り返される部分は、わたしたちの言葉ではなくジェスチャーにある。

　もういちど、架空のレストランにいる架空の客たちを見渡してみよう。ある人は、手を軽く丸め、手のひらを上に向け、上下に動かしながら、何か主張をしている。ある人は、しきりにうなずいている。ある人は、強調するように指で何度か空中に円を描いている。ある人は、退屈そうにテーブルを指でコツコツと叩いている。テレビに映るある政治家は、演壇の上で開いた手を何度も何度も下に振り下ろしながら、何かを訴えている。こうした繰り返しのジェスチャーは、ビートと呼ばれる[30]。相手に何度も力強く中指を立てるのであれ、ふつうの会話中に開いた手を振るのであれ、どんな形のジェス

チャーも、ビートを刻むことができる。ビートで大事なのはリズム
だ。声がどもれば、ビートもどもる。母音を長〜〜〜く伸ばせば、ビー
トも静かな叫び声を上げつづけるだろう。

　絵文字もまた、ビートと同じリズミカルな特徴を持つ[31]。繰り返
しが教えてくれるのはその点だ。😘😘😘と入力するのは、何回も
投げキスをすることがあるからだし、👍👍👍👍と入力するのは、親
指を立てるジェスチャーをするとき、リズミカルに繰り返したり、
何秒間かそのままにして強調したりすることがあるからだ。たとえ
発音不能でも、強調のために単語内の文字を伸ばすのと同じように
(「sameeeee」)、ドクロ💀、笑顔のうんち💩、輝くハート💖など、
直接対応するジェスチャーがない絵文字も繰り返すことができる。
なぜなら、わたしたちは、この行動を絵文字というカテゴリー全体
に一般化してきたからだ。

　明らかにビートと関連している絵文字の使い方のひとつが、
「WHAT 👏 ARE 👏 YOU 👏 DOING 👏（な👏に👏し👏て👏る👏の👏）」
というように、各単語のあとに拍手の絵文字を挿入するというもの
だ。これはアフリカ系アメリカ人の女性のあいだでよく使われる
ビートを、絵文字で表現したことから始まった。コメディアンのロ
ビン・シーディーは、トーク番組『The Nightly Show』の「Black
Lady Sign Language」コーナーで、「音節ごとに拍手する女性」
を表現した[32]。しかし、ライターのカラ・ブラウンは、このジェス
チャーが主流ニュースの見出しを賑わせはじめたとき、「強調のた
めに単語ごとに手を叩くというこの仕草は、わたしが怒りっぽい若
者だったころから、よくやっているわ」と述べた[33]。2016 年、こ
のジェスチャーは、それがオフラインのアフリカ系アメリカ人の行
動に由来することを知らない、主流のツイッター・ユーザーにまで
広がりはじめた[34]。しかし、オンラインであれオフラインであれ、

それがビートであることに変わりはないのだ。

この絵文字の組み合わせの話は、わたしがスウィフトキーのデータの分析中に遭遇した疑問についても説明してくれる。ナスの絵文字が見当たらないのはどうして？　人々が男根の象徴としてナスの絵文字を気に入っているということはわかっていた。実際、ナスの絵文字のぬいぐるみやキーチェーンはどこにでも売っている。にもかかわらず、もっとも一般的な２個、３個、４個の絵文字の列の上位200例を見てみると、ナスはどこにも見当たらなかった。あまり知られていないほかの性的な絵文字の組み合わせ、たとえば舌と水滴👅💦、人差し指とOKサイン👉👌などは見つかったのだが、ナスの絵文字は、上位200例には単純な繰り返し🍆🍆🍆としてしか現われなかった。同じことは、これまた無数のグッズとして売られているもうひとつの古典的な絵文字、笑顔のうんちについても当てはまる。この絵文字は繰り返されることはあっても💩💩💩、あまり組み合わされることはなかった。どうして？

　この古典的な絵文字が見当たらないという謎は、エンブレムと発話に伴うジェスチャーの列の扱い方のちがいを考えると納得がいく。発話に伴う図解的なジェスチャーは、柔軟で、ひとつのジェスチャーから次のジェスチャーへとスムーズに流れ、意味はほとんど同じでも、いろいろな形やバリエーションを取りうる。あなたが今日たどった道を説明するとしたら、きっといろいろなジェスチャーを連続して使うだろうし、数分前に別の人に説明したときとはほんの少しちがうジェスチャーを使っても、簡単に同じ内容が説明できるだろう。図解的な絵文字も同じだ。「誕生日おめでとう」のメッセージや天気は、日によって別の絵文字の列で表現しうるし、それでなんの問題もない。一方、エンブレムは、一つひとつ意味の異なる別

個のジェスチャーだ。繰り返すことはできるが、組み合わせはきかない。長く拍手したり、何度も相手に中指を立てたりすることはできるけれど、たとえノーという意味で広く認知されている、首を横に振るジェスチャーと組み合わせたとしても、「拍手しない」とか「中指を立てない」という意味を表わすことはできないのだ。同じように、ナスと笑顔のうんちは、両方ともエンブレムの絵文字だ。字義的な由来からはすぐにわからない慣習的な意味を持つし、容易に組み合わせることもできない。だからこそ、誕生日パーティーの絵文字で見たように、面白い絵文字の列のなかには見当たらない傾向があるのだ。誕生日パーティーに関連する絵文字は、送れば送るだけ心がはずむ。最高だ！　ところが、男根に関連する絵文字（たとえば、ナス、キュウリ、トウモロコシ、バナナ🥒🍆🌽）を、思いつくかぎり送ったらどうなるだろう？　もっとセクシーになるだろうか？　とんでもない。気味の悪いサラダができあがるだけだ。ジェスチャーにも絵文字にも、いろんな種類がある。いろんな絵文字どうしがどう噛み合うのかに注目すれば、わたしたちが日々使っているジェスチャーについて、きっと新たな理解が得られるだろう。

絵文字はどうやって生まれたのか？

絵文字をジェスチャーとして考えれば、急速に広まった理由がはっきりとする。ところが、そうするとその逆の疑問が残る。ジェスチャーを書き記す方法が見つかるまで、どうしてこんなに時間がかかったのか？

　実は、その試みはあった。

　書物には、昔からイラストがついていた。中世の書記官たちは、

古典的な装飾の施された大文字のアルファベットから、騎士がカタツムリと剣で戦うという、どういうわけか人気のモチーフ▼8まで、写本に装飾を施していた35。本を主に文字だけで構成すべきだという考えが広まったきっかけは、印刷機の登場だった。文字は絵よりも圧倒的に印刷がしやすくなった。何より、いったん金属の活字を鋳造してしまえば、どんな配列の単語でも入力できるが、絵の場合、印刷のたびに一から彫る必要がある。理論上、初期の印刷工たちは、小さく多目的な金属の絵を制作することもできたはずだ。しかし現実には、新しい活字をつくることに対して、保守的な傾向があった。イングランドの最初の印刷工たちは、英語の文字þ（ソーン）が使われていないヨーロッパ大陸から印刷機を輸入したため、ソーンを文字列「th」（ほとんどの場所で生き残った）や、見た目の似た文字「y」（「Ye Olde Tea Shoppe」などのごく限られた文脈だけで現存する▼9）で代用した36。印刷工たちが真に重要な文字さえ鋳造しようとしないなら、絵が本の表紙や口絵、児童書ですら使われなくなったのも、まあうなずけるというものだ。しかし、ルネサンス期の楽しい絵文字が存在しないもうひとつの要因は、心理的なものだった。わたしたちと当時の人々とでは、文章に求めるものがまったくちがっていたのだ。正式な文脈には印刷を、カジュアルな落書きには肉筆を使う。つまり、標準化された植字と同一の場所に感情表現を求める、という感覚がまだ存在しなかったわけだ。

　長年、ジェスチャーを書き記すのに使われた主な方法が、指示マーク☞だ。特定の文章への注目を促すため、原稿の余白に描かれた（または植字された）人差し指の記号だ。指示マークは、12世紀から18

▼8　中世ヨーロッパの写本に頻繁に登場するモチーフで、その理由については、カタツムリが6世紀後半にイタリア半島の大部分を支配したランゴバルド人を象徴しているからだとか、カタツムリ対騎士という形で貧民対貴族の闘争を描いているから、などの説が提唱されているが、いずれも定説とまではいえない。
▼9　Ye olde... は、The old... を古風に表現するときに今でも使われる。

世紀にかけ、注釈を書き加える中世の修道士、修正や追加に注意を促す印刷工、覚えておきたい文章をマーキングするビクトリア時代の読者によって、広く使われた[37]。このマークが使われなくなったのは、19世紀初頭、抽象化された矢印記号が開発されたのと同じころだった[38]。

　しかし、カジュアルな書き言葉には、文章を装飾する幅広い方法が残った。作家に人気だったのが落書きだ。作家のルイス・キャロルは、『不思議の国のアリス』の最初の手書き原稿に、自分でたくさんのスケッチを描いたし[39]、詩人のシルヴィア・プラスは、自分自身の日記や所有する本の余白に絵を描いた（特にお気に入りだったのは牛）[40]。絵を描くのが苦手でも、カラーインクや、モノグラム、縁取り、加工、あるいは香りのついた紙を使い、個人的な手紙を装飾することで、美的感性を表現することもできる。また、18世紀や19世紀の防備録、現代のステッカーやスクラップブックのように、印刷した写真や文章をページに貼りつけることで、他人の画像を拝借することだってできる。実際、前章で紹介した1970年代の葉書の一部には、手書きのスマイリーや動物の落書きがあった。

　初期のコンピューターは、前章で見たとおり、かつての印刷機と五十歩百歩で、文字やフォントの選択肢は今よりも格段に少なかった。それでも、人々は句読記号を使って枠線、単語、絵を生み出していた。この手法は、初期のコンピューターのアスキー（ASCII）文字コード・システムによって定義される95文字の印刷可能な文字にちなんで、「アスキーアート」と呼ばれるが、利用可能な文字が増えると意味が広がり、文字ベースの記号を使ってつくられるすべてのアートを指すようになった（文字ベースのアート自体は歴史が古く、グラフィックス機能が限られていたタイプライター時代までさかのぼる）。たとえば、以下のアスキーアートは、スラッシュ、バックスラッシュ、

アンダースコア、さらにところどころでカッコやアポストロフィーを使い、白抜き文字の「ASCII art」の文字を描いたものだ。また、二重引用符や等号といった少し幅広い記号を使って、シンプルなうさぎの絵も描いている [41]。もっと本格的な例になると、何千という記号を使い、精巧な陰影や風景全体を描いたものまである。

```
 /\  /__|  /__ __| |__ |
/--\ \__| |  | | |  |  |   __|  |  |  __|
/    \ |__| |__| __| |  | |  \ \__| |  |  |
                            (\_/)
                            (='.'=)
                            (")_(")
```

インターネット・ジェスチャーのひとつの大きな進歩は、カーネギーメロン大学のコンピューター・メッセージ・システム上での深刻な誤解の結果として起こった。普段、そのメッセージ・システムの内容は、かなり真面目なものばかりだった。コンピューター科学科の講演の告知、遺失物に関する連絡、政治や最適なキーボード配置に関する熱い議論……。ところが、1982年9月のある日、掲示板のユーザーが、自由落下するエレベーターの物理学に関して、冗談半分の仮定的疑問を投稿しはじめた。ひとり目の人物は、「エレベーターにヘリウム風船を入れてケーブルを切断したらどうなるだろう？」と考えた。ふたり目は、「自由落下するエレベーターにハトの群れを入れたらどうなるか？」と考えた。3人目は、「なるほど、じゃあそのハトにヘリウムを吸わせたらどうなるだろう？　鳴き声は高くなるのか？」と考えた。すると4人目は、似たような実験を思いついた。「自由落下するエレベーターに、水銀1滴と火のついたロウソクを入れたらどうなる？」

　残念ながら、言語学者のわたしには、どの疑問の答えもわからな

い。わたしが注目するのは、次に起きた出来事だ。ひとつ目は、状況だ。誰かがこの冗談を続けた。「警告！　最近の物理学実験の影響により、いちばん左側のエレベーターが水銀に汚染されました。火災による被害も多少ある模様。除染は金曜午前８時までには完了する見込み」。ふたつ目は、問題だ。ほかの人々がこのメッセージ・システムにログインし、文脈なしでこの偽の警告だけを見てしまった。そのせいで、数時間後、誰かがシステムにログインして、警告は冗談だと明かすはめになった。「冗談をぶち壊しにして申し訳ないけれど、混乱している人がいたから。混雑した劇場で誰かが火事だと叫びだしたら、たいへんなことになるからね」

　そして３つ目は、解決策だ。カーネギーメロン大学のユーザーたちは、あるメッセージがジョークであることを示す方法について策を練った（あるユーザーのユーモアが本気と受け取られてしまったケースは、それが初めてではなかった）。その結果、いろいろな選択肢が提案された。件名にアステリスク（*）、パーセント記号（%）、アンパサンド（&）をつけるという方法。すべてのメッセージに０〜10の「ユーモア値」をつけて投稿するという方法。ジョーク専用の掲示板を別個につくるという方法。「隙間から歯がのぞいている上下の唇に見える」ことから {#} という文字列を使うという方法や、笑っているときの口に見える _/ という文字列を使うという方法。しかし、結局広まったのは、スコット・ファールマンという教授の提案だった [42]。以下に示すのが、彼の投稿したオリジナルのメッセージだ。これは、コンピューターの記録がオープンリール・テープに保存されていた1980年代の埃まみれのアーカイブから掘り起こされたものだ。

```
19-Sep-82 11:44 Scott E Fahlman  :-)
```

```
From: Scott E Fahlman <Fahlman at Cmu-20c>
I propose that the following character
sequence for joke markers:
```
（ジョークを表わすマーカーとして、こんな文字列を使うのはどうだろう。）

```
:-)
```

```
Read it sideways. Actually, it is probably
more economical to mark things that are NOT
jokes, given current trends. For this, use
```
（横向きに読んでほしい。実際には、現在の傾向を踏まえると、ジョークでないほうをマークしたほうが経済的かもしれないが。その場合は、こっちを使えばいい。）

```
:-(
```

単純化したスマイリーというアイデアには、すでに長い歴史があったので、ファールマンの横向きスマイリーは誰でも解釈できた [43]。入力もしやすかったので、たちまち同じ掲示板のほかの参加者たちからも採用された。ものの数カ月で、カーネギーメロン大学以外の人々も文字ベースの横向きの顔を使うようになり、ハート <3 やバラ @>-->-- といった顔以外の例も含め、独創的な横向きの図柄のアイデアを次々と編み出していった。有名人の横向きの肖像画など、より精巧な例の多くは、実用目的というよりも、よくできた人物画のリストという形で広まった（スマイリーでエイブラハム・リンカーンを表現しなければならない機会がいつ来るのかはわからないけれど、いちおう紹

介しておくと、==(:-)= らしい。高い帽子とあごひげまでばっちり揃っている）。古典的な例は :-) :-(;-) :'-(:-P だが、その後、鼻のないバージョンである :) :(;) :'(:P が一番人気を保った。

　:-) のような記号は、「emotion（感情）」と「icon（アイコン）」のふたつの単語を組み合わせ、「emoticon（顔文字）」と呼ばれる。顔文字のメリットのひとつは、文章のど真ん中、単語のすぐ隣に、顔の部分を組み込むことができるという点だ。巨大でかさばる画像は、たとえベースである文字のメッセージと同じアスキー文字でできていたとしても、新しい行に挿入するしかない。句読記号ベースの顔文字は、ジェスチャーや表情が話し言葉のなかにすんなりと溶け込むのと同じように、入力した文章にそのまま組み込むことができるのだ。

　重要なニッチを埋めた文字ベースの顔文字は、成長し、変化していった。基本的な笑顔の意味は、スコット・ファールマンの最初の提案から大きく変わり、冗談を示すものから、より全般的なポジティブな感情を示すもの、正直さの証へと変化した。たとえば、「すごいね :)」は、皮肉ではなく本心を表わす。一方で、鼻は若者たちのあいだで人気を失った。言語学者のタイラー・シュネーベレンが2011年に行なったツイッター上の顔文字調査によると、鼻つきの顔文字を使う人々は、ペペ・アギラール、アシュトン・カッチャー、ジェニファー・ロペスなどの有名人にツイートをする傾向があったのに対し、鼻なしの顔文字をツイートする人々は、ジャスティン・ビーバー、マイリー・サイラス、ジョナス・ブラザーズ、セレーナ・ゴメスにツイートする傾向にあった [44]（21世紀初頭のアメリカ大衆文化論の学位を持たない未来の読者のみなさんのために、いちおう指摘しておくと、ジャスティン・ビーバーらは、2011年のティーンエイジャーに超人気の有名人で、カッチャー、ロペスらはもう少し上の年齢層に人気の有名人だ。こ

のことは、若者が顔文字の鼻を省略しているということを強く示唆している）。

　アメリカや英語圏のネットワークで顔文字が発展していくのと時を同じくして、アスキーネットと呼ばれる日本の初期のコンピューター・ネットワークでは、デジタルの顔の別の形態が発展を遂げていた。日本語の「kao（顔）」と「moji（文字）」に由来する「kaomoji（顔文字）」である。日本語の顔文字は英語の顔文字と似ているけれど、読むときに頭を横にする必要がないので、両目の形を表現するのに、すでに両目1組になっている :) や =) といった記号だけでなく、ほぼどんな記号も組み合わせられる。^_^（うれしい）、T_T（涙）、o.O（びっくり）といった古典的な顔文字は、英語の顔文字と同じくらい歴史が古く、早くも1985年や1986年ごろからアスキーネットで使われはじめたといわれている[45]。

　目を強調するのは、日本の顔文字にとって重要だった。その背景には、感情の表現方法の大きな文化的ちがいがある。東アジア人と欧米の白人に、さまざまな感情の顔写真を見せると、アジア人の被験者は目に基づいて感情を推察する傾向があるのに対し、欧米の被験者は口を見て感情を読み取る傾向がある[46]。この傾向は、日本の漫画やアニメと欧米のカートゥーンにおける感情の描き方のちがいや、日本語と英語の顔文字の定型的な表情のちがいに表われる。英語のうれしい顔文字 :) と悲しい顔文字 :(は、目は同じだけれど口がちがう。対照的に、日本語のうれしい顔文字 ^_^ と悲しい顔文字 T_T は、口は同じだけれど目がちがう。一部の日本の顔文字、特に目だけではなく全身の動きで感情を表わすような顔文字は、英語話者のあいだでも広く流行した[47]。たとえば、肩をすくめる仕草 ¯_(ツ)_/¯ は2014年から、花の髪飾り (◕‿◕✿) は2013年から、ちゃぶ台返し (ﾉﾟ□ﾟ)ﾉ彡┻━┻ は2011年から広まった[48]。しかし、目だけで感情を伝える日本の顔文字を理解するには、英語

の話者の大半が持ち合わせていない文化規範に対する最低限の理解が必要だ（漫画やアニメのファンでもないかぎりは）。

　1990年代終盤になると、最新のデジタルカメラの接続ケーブルを引っ張り出してきたり、誰かのジオシティーズ・ページの適当な「工事中」GIF画像を探し、拝借したりするだけで、ウェブサイトに画像を埋め込めるようになった。そのころ日本では、顔文字に加えて新たなブームが広がっていた。携帯電話上での画像メッセージのやり取りだ。ところが、画像を送受信するのには大量のデータが必要だったので、頻繁に送り合うのは非現実的だった。そこで、1997年、日本の携帯電話キャリアのジェイフォン（現ソフトバンク）は、ある解決策を見つけた。テキスト文字と同じように、よく使う画像をコード化したらどうだろう？　第一、友達にＡという文字をメールするとき、携帯電話は文字Ａの画像を構成する小さな点を、ピクセル単位で送信したりはしていない。0041という短い数値コードを送信し、0041がＡの意味だと知っている友達側の携帯が、Ａと表示するのだ。2764とかいう単純な数値を送信し、相手側でハート❤を表示することができれば、画像ファイル全体を送信するよりもずっと手っ取り早い。そこで、ジェイフォンのデザイナーは、天気、交通、時刻、スポーツ・アプリ向けのアイコンに加え、ハートや手、既存の顔文字によく似た表情など、90種類の小さな画像に対応する短い数値コードを定めた[49]。これこそ、前から話している絵文字の起源なのだ。

　「emoji（絵文字）」という単語は、英語の「emoticon（←emotion+icon、顔文字）」と似ているけれど、実は日本語の「e（絵）」と「moji（文字）」に由来する。「kaomoji（顔文字）」の「moji」と同じだ。この偶然の一致は、英語話者のあいだで絵文字という単語が広まったひとつの要因だろうが、記号を使って絵文字をつくるのはそう簡単で

はなかった。そういうわけで、この手軽に送信できる小さな画像は、日本で大人気となり、日本のほかの携帯電話キャリアも独自の絵文字をこぞって追加していった。ところが、そのときひとつの問題に直面する。絵文字のそもそもの意義は、小さな画像に数値コードを割り当てることで、容量を節約することだったのだが、携帯電話メーカーによって使われる画像とその数値コードがバラバラだったのだ。そのため、あなたがドコモの携帯電話で、ジェイフォンの携帯電話を使う友達にハートの絵文字をメールしたのに、友達側には意味不明な四角形が表示されたり、何も表示されなかったり、最悪の場合には、傘や音符といったまったく別の記号が表示されたりすることがあった（一例として、ドコモの携帯電話から星座の牡牛座の画像を送ると、ツーカー（現 au）の携帯電話で受け取ったとき、ただの牛の画像として表示される、などという混乱がよくあった。状況によっては、かなり気まずい）**50**。

　通常の文字や数値、句読記号の数値コードの標準化は、ユニコード・コンソーシアムと呼ばれる組織が担っている。ユニコード・コンソーシアムは、テクノロジー・マニアとフォント・オタクを足して２で割った人々からなる小規模な委員会で、そのほとんどが大手テクノロジー企業の従業員だ。その目的は、たとえば、あるプログラムから別のプログラムへとアポストロフィーをコピー＆ペーストしたり、あるデバイスでアポストロフィーを入力して別のデバイスで見たりしたとき、â€™ とかいう謎の文字へと変換されないようにすることだ。この問題は、ごく早い段階から文字があまねくコード化されていた英語の場合、かなり珍しく、一部の句読記号に限定されている。しかし、この問題を表わす英語以外の言語の呼び名には、人々のうっぷんがはっきりと見て取れる。日本語の *mojibake* **51**（「文字の崩壊」の意。絵文字の文字と同じ）、ロシア語の *krakozyabry* **52**（「ごみの文字」の意）、ドイツ語の *Zeichensalat* **53**（「文字のサラダ」の意）、

ブルガリア語の *majmunica* [54]（「サルの（アルファベット）」の意）が
その例だ。それに、世界じゅうの言語のすべての文字における記号
を掛け合わせ、数学的表記や楽譜向けの特別な記号を追加し、600
種類以上の矢印のスタイル（ウソじゃない）[55] を加えれば、ユニコー
ドが1987年以来ずっとやってきた、地味だが非常に重要なサルや
サラダやごみの変換作業の完成だ。

　ユニコード・コンソーシアムのメンバーたちは、決してスマイ
リー・マークの標準化に乗り気なわけではなかった。2000年、絵
文字が初めて日本で流行りはじめたとき、彼らは関与するのを丁重
に拒み、ドコモやジェイフォンなどに、画像メッセージの互換性（場
合によっては、互換性のなさ）についての協議を任せた。文字のように
コード化された小さな画像を送信する行為が、ひとつの国の一時的
なブームにすぎないなら、それは国際標準組織が口を出すことでは
なかったのだ。ところが、絵文字が日本で定着すると、多国籍企業
が関与しはじめる。Gメールは、日本のユーザーが絵文字入りの
メールを送受信できるようにする必要があった。アップルは日本人
にアイフォーンを買ってほしかったが、日本人は絵文字をサポート
しない携帯電話なんて買わないだろう [56]。そして、10年後、絵文
字はどうやら一時のブームではなさそうだぞ、という結論になり、
2010年、絵文字はようやくユニコードへと追加されたのである。

　とはいえ、どの絵文字が？　このころになると、当初90種類だっ
たソフトバンク（2006年にブランド名を変更）の絵文字は、日本のほか
のキャリアが独自の絵文字を追加したことによって広がっていた。そ
の結果、当初、ユニコードには、日本で一般的な608種類の絵文字
のセットが追加された [57]。とうとうコード化された絵文字は、アメ
リカでも、2011年にアップルの携帯デバイス、2013年にアンド
ロイドへと上陸する。国際的なサポートとデバイス間の互換性は、

日本のメール・ユーザーにとっての大問題を解決しただけでなく、絵文字が日本以外で広がる追い風にもなった。そして実際、大人気となった。絵文字が国際舞台に上がってから5年後、2015年初頭には、一番人気の絵文字であるうれし泣き😂が、ついに一番人気の顔文字である :) の使用頻度を上回った[58]。

　しかし、世界じゅうの人々がますます絵文字を使うようになると、608種類の図柄でさえ足りない、ということが明白になっていった。誰もがこう思いはじめた。どうしてユニコーンやドラゴンはあるのに、恐竜はないの？　ターバンの男性はあるのに、ヒジャブの女性はないの？　寿司やハンバーガーはあるのに、タコスや餃子はないの？　こうした絵文字は、その多くがユニコードのウェブサイトで絵文字の追加プロセスを知った一般の人々の提案を受けて、または草の根の絵文字提案組織 Emojination の尽力により、追加されていった。とはいえ、絵文字のセットは、いまだ発展途上だ。ユニコード・コンソーシアムはまだ要望を受けつけており、年間50から100種類くらいの新たな絵文字を発表している。

　こうした拡張もあるとはいえ、ユニコードの正式なプロセスは、あえてゆっくりと、慎重に進められる。基本的に、ユニコードはふたつとない均一で普遍的なコード化システムだ。その目標は、遠い未来まで世界じゅうのデバイスで使える記号をつくり出すことにある。四角い空白なんてもういらない。このことは、裏を返せば、ユニコードにいったん記号が追加されたら、永久に削除できないことを意味する。そんなことをすれば、統一された標準づくりという究極の目的が台無しになってしまうだろう。だからこそ、ユニコードは、有名人の絵文字や大衆文化について言及する絵文字を承認しないのだ。しばらくは楽しいだろうが、わたしたちのひ孫たちは、21世紀の一発屋たちの顔の絵文字でキーボードが散らかるのを望

みはしないだろう。この問題を解決するため、より大きくてタイムリーな写真を絵文字風の見た目に変える、個別のアプリがいくつかある。カスタマイズ可能な絵文字キーボードやステッカー・アプリと呼ばれるもので、画像は文字のようにコード化されるのではなく、通常の画像ファイルとして送信される。そしてもちろん、今でもGIF画像や、あなた自身で検索または作成した通常タイプの画像もある。

　絵文字熱が落ち着き、絵文字の使用が日々のニュース記事のネタではなく、日常的で当たり前な行動になりつつある今、初期の顔文字や、さらには絵文字がわたしたちに残した永続的な遺産について考えるべき時期に来ている。ほんの数年間、たったひとつのインターネット世代のあいだに、わたしたちがカジュアルな書き言葉に求めるものは大きく様変わりした。わたしたちはもはや、完全なコミュニケーションを、フェイストゥフェイスや声による会話だけに委ねることに、満足していない。書き言葉で、自分の言いたいことや、何よりその言い方を、完璧に表現できることを求めているのだ。この問題を解決するには、絵文字と同じような問題を解決する必要があっただろう。しかし、それにしても、どうして絵文字だけがこんなに早く広まったのだろう？　未来の絵文字のライバルたちは、絵文字のどんな特徴を満たさなければ（または超えなければ）ならないのだろうか？

なぜ絵文字は勝ったのか？

純粋に技術的なレベルで、絵文字には突出した利点がある。その利点は、ひとつに句読記号ベースの顔文字、もうひとつにGIFアニ

メと比べるとよくわかる。顔文字は、キーボード上にもともとある句読記号だけでできているので、この上なく入力しやすいけれど、句読記号だけでつくれる形は限られている。いくつかの基本的なスマイリーを描くのにはいいが、より精巧なものを入力しようとすると、とたんに現実的でなくなる。必然的に、顔文字のユーザーは、顔文字テキストの拡張アプリをインストールするか、何度も「shruggie（肩をすくめる顔文字）」と検索して、上位の検索結果からコピー＆ペーストすることになる。一方、GIF は際限なく複雑だ。本物の顔やアニメーションを使用でき、台詞は全文キャプションとして書き加えられる。しかし、その逆の問題もある。あまりにも種類が多すぎて、望みどおりのものを手に入れるのは難しいし、サイズが巨大で目立つので、文章にすんなりとなじまない（GIF 検索が内蔵されているアプリでさえ、GIF がまるまるひとつの行を占めてしまったりする）。GIF はたまに使うくらいなら楽しいけれど、すべての文に含めるのは非現実的だろう。その点、絵文字はそのふたつの絶妙な妥協点を突いている。いちばんよく使う絵文字は、絵文字リストのアクセスしやすい場所に表示されるが、探そうと思えばもっと見つかる。まわりの文章にすんなりとなじみ、専用の行は不要で、少なくともお望みの絵文字がユニコードにあるなら、ひとつのアプリから別のアプリへと簡単にコピー＆ペーストで絵文字を送信できる。

　しかし、絵文字、顔文字、GIF が、みな同一の生態系のなかに存在していることはまぎれもない事実で、一部の単語は、これらと関連する機能を持つようだ。インスタグラムのエンジニアたちは、インスタグラム・アプリで使われている人気の高い絵文字を調べ、人々が同様の文脈で用いている単語のリストを作成した[59]。その結果、人々は普段であれば lolol（笑笑）、lmao（爆笑）、lololol（笑笑笑）、lolz（草）、lmfao（大爆笑）、lol（笑）、ahahah（ア

ハハ～）、ahaha（アハハ）、lmaooo（爆笑～～）、lolll（笑～～）
を使うような文章のなかでうれし泣きの絵文字😂を、xoxoxox、
xoxo、xoxoxoxoxo、xxoo、oxox、babycakes（かわいい子）、
muahhhh（チュッッッッ）、mwahh（チュッッ）、babe（ベイブ）、
loveyou（愛してる）を使うような文章のなかでハートの絵文字♥を、
ugh（げっ）、ughhhhh（げっっっっっ）、wahhhh（わーっっっっ）、
agh（おお）、omgg（あちゃ～）、omfg（ぎょえ～）、whyyy（な
んで～～）を使うような文章で大泣きの絵文字😭を使うことがわ
かった。ある形式が使えない場合、ほかの形式が代わりに使える。
だが、言語学者のジェイコブ・アイゼンスタインとウマシャンティ・
パヴァラナタンの研究によると、絵文字を多用する人ほど、プレー
ンテキストの顔文字（:)）、文字の繰り返し（yayyy）、頭字語（lol）、
その他の独創的な綴り直し（wanna）など、ほかの表現手段をあま
り使わない傾向にあることがわかった [60]。

　しかし、絵文字、顔文字、GIF、あるいはまた別の形態であれ、
デジタルの肉体化の魅力については、より深い疑問がある。表情の
絵文字、顔文字、GIF 等は、格段に人気が高いけれど、わたしたち
が日常で使う表情とは重要な点で異なる。ほかの人々と交流してい
るとき、いちばん信憑性が高いのは、思わず出てしまう表情だ [61]。
そう、意識的につくるのが難しい大笑いやむせび泣きなどだ。とこ
ろが、思わず絵文字を送ってしまう、なんてことはありえない。
絵文字はすべて入念に選ばれたものだ。わたしたちはどの絵文字を
送るかをじっくりと選び抜くし、ほかのみんなもそうだと知ってい
る。つまり、絵文字、顔文字、GIF 等は、その定義からフェイクな
のだ。一見すると、絵文字はわたしたちの感情的な表情と一対一で
対応しているように思えるけれど、実際には奇妙なミスマッチが存
在する。ではなぜ、わたしたちはこんなに腹黒い記号に、これほど

夢中になるのだろう？　全員が仮面をかぶっている世界のいったい
どこが楽しいっていうの？

　言語学者のイーライ・ドレスナーとスーザン・ヘリングの論文は、
ひとつの面白い答えを提示している。顔文字を感情的なものだと考
えるのではなく、自分の発言の意図を示す意図的な手がかりとして
とらえるべきだというのだ **62**。ときには、その意図が感情と一致す
ることもある。たとえば、「I got the job :)（仕事が決まったよ :)）」
と書けば、自分がうれしいと思っていることを指す。しかし、意図
をもって表情をつくることもある。本当は最悪の１日なのに、やり
取りを円滑に進めるため、顧客サービスの担当者が愛想笑いをする
ようなものだ。たとえば、「I' m looking for some suggestions
:)（ぜひ提案をお待ちしています :)）」といった文脈でスマイリーを使う
場合、喜んでフィードバックを待っているというよりは、不安な気
持ちの場合もあるのだが、要望をより丁寧にするためにスマイリー
を使っている。さらに、うれしくもなんともない文脈でスマイリー
を使うこともある。ドレスナーとヘリングは、ある人物の「I feel
sick and tired all the time :)（ほんと、毎回うんざりだよ :)）」とい
う文章を引用している。話し手は、本当はうれしいだなんて思って
いないし、笑いながらうんざりしているわけでもないけれど、自分
の言葉を愚痴ととらえてほしくないということを示すため、スマイ
リーをつけているのかもしれない。逆に、同じ文章で顔文字が :(だっ
たら、同情を引く意図があるのかもしれない。

　基本的な笑顔の顔文字 :) や絵文字😄は、このような文脈の明確
化にとっては万能ツールだ。要求をやんわりとした要望に変えたり、
侮辱と受け取られかねない表現を軽いいじりに変えたりと、本来で
あれば辛辣な文章を和らげられるのだ。認知科学者のモニカ・アン・
リオダンが指摘するように、侮辱にスマイリーをつけ加えるのは、

笑いながら侮辱しているとか、相手のひどさを楽しんでいるという
ことを意味するわけではない。スマイリーは侮辱全体の背後にある
意図を冗談へと変える効果があるのだ[63]。スマイリーは、失礼にな
らない方法できっぱりとした拒絶を示すこともある。ジャーナリス
トのメアリー・H・K・チョイは、『ワイアード』誌の2016年の記
事で、アメリカの多様なティーンエイジャーに対し、テクノロジー
や絵文字の使い方についてインタビューを行なった。ある若者は、
いちゃいちゃしているときにはいろいろなハートの絵文字を交換す
るが、女の子から返ってきて最悪なのは、スマイリーの絵文字なの
だと説明した。「『ありがとう、でも興味ないの』という意味になる」
かららしい[64]。

　ドレスナーとヘリングの指摘によると、話し言葉には、1950年
代のイギリスの言語哲学者、J・L・オースティンの時代から、人
間が話す実際の言葉と、その人がその言葉を言うことで世界に及ぼ
そうとする影響とのあいだには、明確な区別があるのだという（実
際に影響を及ぼせるかどうかは、オースティンいわく、少し別の哲学的カテゴ
リーに属する問題なのだが）。たとえば、「車が来る」と言う場合、警
告（下がれ！）、侮辱（なんだこいつ！）、約束（翌朝10時に車を手配し
ておいたよ）、不満（この無人島にいるのは僕たちだけだと思っていたのに！）、
いずれを意図している可能性もある。また、「いいシャツだね」と
言う場合、そのシャツを心から褒めていて、貸してほしいという意
志をほのめかしていることもあれば、相手のシャツに注目を促し、
批判していることもあるだろう（どうしてサウナでシャツなんか着てる
の？）。

　意図した効果を伝えるのに使えるツールは山ほどある。「危な
い！」とか「約束する」といった明確でわかりやすい言葉や、戦略
的な間や抑揚をつけ加えることもできるし、文脈に関する共通の知

識やジェスチャーに頼ることもできる。ジェスチャー言語学者のアダム・ケンドンもまた、エンブレムがコミュニケーションにおいて果たす役割を説明する手段として、発話の背景にある意図を明確化するというオースティンの考えを引き合いに出した[65]。たとえば、命名可能なエンブレムとともに、「上出来だ！」と言うとしよう。親指を立てればお祝いになるし、ウィンクをすればいたずらっぽい励ましになる。手のひらで顔を覆えば失敗への皮肉になるし、中指を立てれば侮辱になる。

　これもまた、顔文字や絵文字を感情的なものではなくジェスチャー的なものと考えるほうが理にかなっている理由のひとつだ。そう考えれば、感情的な表情と、その感情を表わすはずの顔文字、そのふたつのあいだにある表面的な矛盾が解ける。確かに、顔文字はつくられたものだけれど、親指を立てる仕草だってつくられたものであり、本心の可能性はあるのだ。顔文字は読み手を言葉の正確な解釈へと導くために意識的に使われるもの、と考えれば、顔文字は仮面をかぶるというネガティブな行動ではなく、ポジティブで親切で社会的な行動、つまり「あなたのためにわたしの真意を明確にさせてください」と伝えるための手段になるわけだ。確かに、スマイリーは、抑えきれない真の笑顔とはちがって、必ずしも話し手がうれしがっているという意味ではないけれど、意図的で社会的な笑顔とうまく対応する。自分が石の心を持つ氷の魔女なんかじゃないということを証明する感嘆符も同じだ。いずれも、自分は丁寧に訊いている、無理強いしたくない、実は冗談を言っている、それとなく断っている、あるいは、「何言ってるの、もちろん怒ってなんかいない」と言うときのように、遠回しな攻撃をしている、ということを示せるのだ。すべての絵文字がジェスチャーと一対一で対応するとはいわないけれど、どちらも、似たようなコミュニケーション

の目標を満たすのに使えるのだ。

　肉体は、ジェスチャーのためだけにあるわけではない。肉体は、時空のなかに存在していて、絵文字は、仮想的な空間のなかで肉体と似たような意味を伝える助けになる。ときには、相手にかける言葉がこれといってなく、伝えようとしている内容が、「見てるよ」「聴いてるよ」「まだここにいるから、話そうよ」といった、言外の意味だけの場合もある。物理的な空間の場合、それは肉体を通じて伝えられることが多い。相手が近くにいるのか、あなたに注目しているのか、同じものを見ているのかは、なんとなくわかる。お互いに言葉を交わさなくても、アイコンタクトやボディタッチができるし、相手がまだそこにいるかどうかは見ればわかる（相手が忍者みたいな人でもないかぎり）。ところが、仮想的な空間では、忍者みたいな行動のほうがふつうだ。言葉を発しないかぎり、存在を感じられないのだ（ビデオチャット、『セカンドライフ』やソーシャルゲーム内のアバターなど、ごく限られた例外は除いて）。

　相手の投稿を見たということを知らせる単純な方法のひとつが、「いいね！」だ。「いいね！」は、結婚式や出産など、人生の重大イベントを祝うのにも使われる。「いいね！」は、より深い関係への布石にもなりうる。誰かの投稿に何回か「いいね！」をし、お返しが来れば、相手がさらなる会話を歓迎しているサインととらえていいかもしれない。また、会話をフェードオフする手段としても使える。あるスレッドの最後の投稿に「いいね！」することで、相手のメッセージを見たということ、そしてもう何も言うことはないということを伝えるわけだ。でも、「いいね！」が逆効果を生むこともある**66**。「ディープ・ライク（深いいいね！）」とは、誰かのずっと前の投稿をたまたま（？）「いいね！」してしまう行為を指す。まるで昔の投稿をほじくり返しているみたいで、気味悪がられてしまうこと

もある。

　絵文字やGIFは、より積極的に聴いているという反応を示す手段になる。「見たよ」だけでなく、「ちゃんと聴いているよ、よくわかるよ」と伝えられるのだ。話し言葉では、相手の言葉の重要な部分を繰り返したり、お互いのジェスチャーをまねたりして、理解を示すことが多い。「遅れてごめん。タイヤがパンクしちゃって」と言われて、「タイヤがパンクしたんだ！」と返せば、相手の言葉をムダに繰り返しているのではなく、相手の話を理解していることが伝わる。同じように、セラピストや積極的傾聴▼10のコーチの多くは、相手の感情を別の言葉で言い直して、話を聴いてもらっていると相手に感じさせることを勧めている。たとえば、わたしが「はあ、ここへ来る途中でタイヤがパンクしちゃったの」と言ったら、「あらら、それはムカつくよね」と返すわけだ [67]。絵文字なら、どちらの種類の反応もできる。相手が「今週末はビーチにでも行きたいな」と言ったら、魚と貝とカニ🐟🐚🦀の絵文字を返すことで、相手の始めた話題を認めたことになる。相手が「淋しい😭」と言ったら、同じ意味の絵文字を繰り返す😭😭😭か、もう一歩進んで、悲しげなGIFを検索することで、相手と悲しみを共有できる。ヒューマン・コンピューター・インタラクションの研究者であるライアン・ケリーとレオン・ワッツは、多様な若い成人たち（主にイギリス人）に、絵文字の使い方についてのインタビューを行なった [68]。ある参加者は、話題を認め、会話を終わりにする絵文字の使い方について、明確な実例を挙げた。「昨日、パンケーキ・デー▼11の話をしていたとき、パンケーキ［の絵文字］を送って、会話をおしまいにしたんです。

▼10　話し手の発言を正確に言い換えるなどして、相手の話の内容にしっかりと耳に傾けるための技法のひとつであり、カウンセリング、研修、紛争解決などで用いられる。
▼11　40日間の断食期間の前にパンケーキを食するキリスト教の伝統行事。

それは、なんというか、ほかに言い残したことがないというメッセージなんです」

　1回の返信で終わらず、メッセージを何度もやり取りすることは、デジタルな「遊び」の手段になりうる。たとえ、あなたのメッセージに文章的な意味がほとんどなくても、「あなたと話をしていたい」という重要な言外の意味を伝える効果があるのだ。絵文字であれ、ステッカー▼12 であれ、自撮り写真であれ、GIF であれ、送信する行為自体がメッセージになる。こうした行為は、周囲の大人たちからはくだらなく見える方法で何時間も友達と遊びたがるティーンエイジャーのあいだでは、特に広まっている。ケリーとワッツの研究の参加者のひとりは、こう表現した。「絵文字で遊ぶことはよくあります。こっちが顔つきの月の画像を送って、向こうが牛を送り返して、こっちがカメを送り返して……みたいな感じで。特に意味はないけど、なんとなく楽しいんです。相手が画像で何を伝えようとしているのかを予想する、ミニゲームみたいなものです」。ソーシャル・ツールが流行るのは、ひとつに、自撮り写真や風景写真の送信を促すなどして、会話のための会話を促し、気楽な社会的交流を実現したときだ。わたしたちは、いつもユーモアに富んだ話し上手な人間でいられるわけではない。その点、絵文字のような肉体化されたコミュニケーション・ツールは、わたしたちをそんなプレッシャーから解放してくれる。

　ときには、絵文字や自撮り写真をやり取りする楽しみも薄れることがある。わたしたちの肉体、そして肉体が住む世界は、それ自体が鮮やかで、生き生きとしており、見ていて面白い。ページ上の単語は、それと比べると退屈だ。第一、物理的な世界では、窓も装飾

▼12　感情や行動を表現する漫画風のキャラクターのイラストのことで、文章が付随していることが多い。絵文字がユニコードで標準化されているのに対し、ステッカーはアプリごとに独自のものが用意されている。日本でいうスタンプ。

もない部屋に座って、ただ面と向かってしゃべりつづけることなんてあまりない。みんなで料理をつくって食べたり、ショーを見て感想を言い合ったり、散歩やドライブに行ったり、お互いに褒め合ったり、犬やネコが企んでいるかわいらしい悪さを指摘したりと、とにかく一緒に何かをする。デジタルの会話では、外部のモノを、会話の糸口や会話を続ける手段にする。小亀がイチゴを食べているGIF、大衆文化に言及するステッカー、誰かの興味を思い出させる動画、主張を裏づけるリンク、かわいらしい動物の耳をつけてくれるカメラのフィルター。数々の研究によると、人々はかわいいネコ動画を観ると気分が上がり [69]、子犬の写真にかわいい赤ん坊の写真と同じような反応をすることがわかっている [70]。つまり、GIFは今や一種の感情の通貨であり、誰かにちょっとしたポジティブな感情を送る手段でもあるのだ。もっと複雑なデジタルの遊びとしては、友達とプレイするオンラインゲームがある。シューティングゲームの『フォートナイト』、対戦ゲームの『リーグ・オブ・レジェンド』、RPGの『ワールド・オブ・ウォークラフト』のような没入型のゲームもあれば、位置情報ゲームの『ポケモンGO』やワードゲームの『ワーズ・ウィズ・フレンズ』のような気楽なゲームもある。

肉体化や仮想的な肉体の投影というと、危険なくらい宇宙時代風に聞こえるかもしれない（そう、ホログラムだ！）。しかし、多くの点で、肉体化というのはかなり古い概念だ。書き言葉よりはまちがいなく古く、物語と同じくらい、ことによっては言語そのものと同じくらい古い概念かもしれない。語り部がするのは、自分の声や肉体を使って、登場人物や感情を聞き手の心に投影することでなくてなんだろう？　言語は、世界の新たな心的表象をほかの人々の心に伝達する道具でなくてなんだろう？　言語が進化にとって有益だった理由に

ついては、諸説あるけれど、その多くには、共同作業や噂話といった要素が含まれる。つまり、共同でマンモス狩りを計画する能力、おいしいイチゴのある場所や信頼できる人物の記憶に、言語が役立つわけだ。

　前章で見たとおり、皮肉記号の提案はことごとく失敗に終わったが、それと同じように、人々は何世代にもわたり英語の綴りを改革しようとしてきた。しかし、たとえかいかくされたつづりのほうがかんぺきによみやすいとしても、ふしぎなことに、あたらしいつづりがていちゃくするためしはないのだ（この例のように）。せいぜい、分断するくらいが関の山だ。たとえば、一部の英語圏は、綴りを-or や -ize に変えたが、残りの地域は -our や -ise という綴りを守った。だが、競合する何種類もの表記があるのは、実際のところ、改善とは言いがたい。言語の改革に関するほかの試みもそうだ。国際補助語であるエスペラントは、200万人がある程度習得しているといわれるため、人工言語の成功例に数えられるが、エスペラントよりもまちがいなく巧妙に設計されているほかの言語は、いまだ無名の域を抜け出せていない[71]。対して、絵文字は1時間に200万人以上が使っている[72]。

　絵文字が成功したのは、絵文字が言語だからではなく、むしろ言語ではないからだ。絵文字は、言語の縄張りで言語と戦おうとするのではなく、まったく別の層の意味を表現するためのまったく新しい表記を補った。個々の音を表現する方法は、文字という形ですでに存在していたし、口調を表現するためのシステムは、前章でお話ししたとおり、既存の句読記号や大文字表記を使って発展しつづけている。その点、絵文字などの画像要素は、コミュニケーションの第三の重要な柱を満たしているといえる。それは、わたしたちのジェスチャーや物理的空間を表現する方法だ。

　絵文字自体がこれから数世紀にわたって人気を保つのか、それとも一時的な流行にすぎないのかは、知る由もないけれど、わたしの予想では、ジェスチャーや意図を書き言葉で伝える方法をついに切り開いたわたしたちは、デジタルの肉体化を目指しつづけるのだろう。たとえ、肉体の投影に使う具体的な道具は変わる可能性が高いとしても。もちろん、ジェスチャーと絵文字にはちがいもある。ジェスチャーは動きに長けているけれど、絵文字は細やかさに長けている。ジェスチャーで誕生日を表現したり、絵文字でフリスビーを飛ばしたりするには、どうすればいいのか？　ぜんぜん見当がつかない。しかし、ジェスチャーと絵文字の中心的な機能、わたしたちのコミュニケーション・システムとの符合は、偶然の一致ですませるには共通点が多すぎるのだ。

　絵文字をジェスチャーと考えれば、広い視野で物事が見られるようになる。「言葉がシェイクスピアにとって十分だったのなら、どうして今のわたしたちにとっても十分じゃないのだろう？」と考えたくなるけれど、いったん立ち止まって考えれば、実はシェイクスピアにとっても言葉だけでは足りなかったのではないか、とわかる。シェイクスピアの書いたものの多くは劇作であり、紙面上で読むことよりも、人間が演じることを想定していた。学校時代、肉体のない脚本としてシェイクスピアを読むのにはさんざん苦労させられたのに、演劇として見ると、急に命が宿ったように感じた人はどれだけ多いだろう？　あるいは、もう少し現代的な例でいうと、ファン待望のハリー・ポッターの次世代の物語『ハリー・ポッターと呪いの子』が書籍として発売されたとき、その評価は分かれた。演劇を見た人々は全般的に楽しんだようだが、脚本だけを読んだ人々の意見は真っ二つに分断した[73]。シェイクスピアやＪ・Ｋ・ローリングでさえ、肉体のない対話を自然に感じさせることができないなら、

平均的なインターネット・ユーザーにいったい何ができるというのだろう？

　絵文字とジェスチャーには、「普遍的」意味とのあいまいな関係という共通点もある。どちらも、ただの言葉が超えられない境界を超える。ジェスチャーや絵文字が使えるなら、言葉が通じない島にだって、わたしは喜んで行くだろう。しかし、身ぶりや漫画の絵でできることは限られているし、それと同時に、卑猥なジェスチャーのちがいや日本でしか見かけないモノのイラストなど、文化に特有のものはたくさんある。絵によるコミュニケーションという概念さえ、文化的な制約を受ける[74]。人々は自分の使用する言語の書く方向に応じて、左から右または右から左の順序で絵文字の「物語」を描く傾向があるし、読み書きのできない人々は、線画による物語や単純な絵文字風のイラストを理解するのにさえ苦労する[75]。そして、絵もジェスチャーも、言語の何より強力な特徴のひとつを満たせない。それは、視覚化しにくい概念について話す能力だ[76]。たとえば、核科学者たちは、「危険！　核廃棄物あり」というかなり単純な概念を、1万年先まで理解できるような方法で伝えるのにも、信じられないくらい苦労してきた。斜線の入った円は？　ダメだ。傾いたハンバーガーみたいだ。ドクロマークなら？　いや、死者の日▼13や海賊と勘違いされるかもしれない[77]。わたしたちの願いとは裏腹に、普遍的なコミュニケーションを実現する魔法の薬なんて存在しないのだ。

　しかし、このジェスチャーと絵文字の対応は、より差し迫った判断に役立つ可能性がある。法律学教授のエリック・ゴールドマンによると、裁判官や陪審員たちは、長くジェスチャーや句読記号の解

▼13　ラテンアメリカ諸国の祝日のひとつ。11月1日から2日にかけて、故人に思いを馳せるために、ガイコツの仮面をかぶって踊ったり、砂糖でできたガイコツを墓地に飾ったりするなど、さまざまな行事が行なわれる。

釈に苦労してきたのと同じように、絵文字の解釈と格闘しているという[78]。裁判所はこれまで、手を振り上げる仕草が脅しの証なのか、特定の手の形がギャングのサインなのか、あるコンマがどういう意味なのかについて、さんざん熟考を重ねてきた。同じ理屈で、ある裁判所は、ある文脈における笑顔の顔文字を、証拠として真剣に受け止めるべきではない冗談と解釈したかと思えば、別の裁判所は、別の文脈における笑顔の顔文字を、単なるうれしさを示す記号として解釈した[79]。アメリカの刑事司法ニュース組織「マーシャル・プロジェクト」がまとめた訴訟に出てくる絵文字の例のリストでは、絵文字は書き手の意図を示す手がかりとして扱われていることが多い[80]。たとえば、銃の絵文字は、正真正銘の脅しになりうるのか？　舌を出した顔の絵文字は、過激な投稿が冗談であることを示す証拠と考えていいのか？　笑顔とハートの絵文字をつけて、暴力的な動画を共有するのは、「倒錯した喜び」の表われなのか？

　意図を伝えるためのツールが拡大すれば、相手の心理状態を読む練習を積むことにつながるので、わたしたちは相手の心理状態を読み取るのがうまくなるかもしれない。文学の歴史を見てみると、中世の書物や古典的な書物は、登場人物の心理状態ではなく、単なる行動（両手を揉み合わせる、髪をかきむしる）を記述していた。登場人物がみずからの思考過程を声に出すモノローグが組み込まれはじめたのは、近代の物語だ（ハムレットやジュリエットの死に関するモノローグを思い浮かべてほしい）。小説の発明によって、全知全能の語り手は、登場人物自身でさえ完璧には理解できていない心理状態を示唆できるようになったが、20世紀のモダニズム作家たちは、ある心理状態を読者に実体験させようとした。実際、フィクションを多く読む人々は、主にノンフィクションしか読まない人々や、まったく読書しない人々と比べて、心理状態を理解する能力が高いことが、研究

からわかっている **81**。そして、21世紀となり、わたしたちはもう一歩先に進もうとしている。絵文字などのツールは、わたしたちを心理状態の読み手だけでなく、書き手にも変えようとしている。自分の文章のトーンが文字にしたときにどんな印象を与えるのか、親たちはまるでわかっていない、と嘆く若いインターネット人たちは、重要な事実に気づいているのかもしれない。

　心理状態という概念は、絵文字やメール言葉が学生の小論にまで忍び込んでくることを心配する人々にとって、安心材料になるかもしれない。文学やカジュアルな書き言葉では、心理描写がどんどん深く、繊細なものになっていっている一方、小論は別の目的を満たす正式なジャンルとして残りつづけている。100年前の人々が、「おお、なんということだろう、ミトコンドリアは細胞の発電所なのだ。なんとすばらしい！！！！」という文章を書いていたとは思えないのと同じように、正式な文脈で、「超すげえええ、ミトコンドリアってのは、細胞の発電所なんだってよ😂😂😂😂」と書く人なんていない。たとえあなたが、ミトコンドリアの基本的な事実に心から興奮するような科学オタクだとしても、厳格な学術誌で論文を発表したければ、真面目な研究者を装うはずだ。正式な書き言葉は、無感情で、肉体がないのがふつうだ。

　しかし、すべての種類の書き言葉が、正式である義務なんてない。わたしたちの生活分野の多くは、服装や食事のスタイルなど、「正式」から「カジュアル」まで完全なグラデーションを織りなしている。文章のスタイルでも同じことができるというのは、なんてすばらしいのだろう！　タイポグラフィと視覚的表現のあいだに、わたしたちが見出しつつあるのは、意図を伝えたり、オンラインの空間を共有したりするための柔軟な手段だ。といっても、全員がすべての選択肢を使うわけではない。絵文字を愛する人もいれば、昔ながらの

顔文字や略語を好む人、独自の語彙、改行、句読記号を使い、面白いタイミングでそれをやってのける人もいる。しかし、全員に「何か」が必要だ。でなければ、サイバースペースは本当に「よそよそしく、虚しい」場所になってしまうだろう。誰もが最初に学習する最古の言語形態、つまりカジュアルな話し言葉では、心理状態を表わす表現はあまりにも当たり前すぎて、カジュアルな書き言葉という新たなジャンルが劇的に拡大でもしないかぎり、わたしたちが再び心理状態に着目することなんてない。しかし、わたしたちの感情のパレットが拡大した今、そのパレットに、絵を描くためのキャンバスを与えてやる必要がある。そこで、次はもう少し視野を広げて、会話について見てみよう。

会話はどう変化するか

Chapter 6
How Conversations Change

あなたはたぶん、初めて歩けるようになったときのことを覚えていないだろう。なので、多くの人々は歩くのなんて簡単だったのだと思ってしまう。でも、歩き方を学ぼうとするコンピューターを見たことはあるだろうか？　ある動画では、コンピューター・シミュレーションの丸っこい人型ロボットが、二本足での歩き方をようやく見つけ出すのだが、それは拳を勢いよく上下させるおかしな歩き方だった[1]。別の動画では、人間の外骨格の形をした金属製ロボットが、よろよろと足を踏み出すたびに危険なほど横にふらついてしまい、その高価な機械が転倒しないよう、周囲の人間が数センチ離れたところで手のひらを構えていなければならない始末だった[2]。四本足のロボットは問題なく歩くのだが、二本足のロボットは、まだ平均的な3歳児よりもうまく歩けない。1990年代中盤に、コンピューターがチェスで人間のグランドマスターを負かしてから、もう20年以上がたつというのに。

　難しい言語の種類と言われて思い浮かべるのはなんだろう？　多くの人は、おおぜいの前での崇高なスピーチや、心に響く詩を思い浮かべるだろう。いわば、言語版のチェスだ。こうした言語を画面上に表示する方法は、コンピューターの誕生前からわかっていた。カメラを回し、文章を表示すればいい。しかし、それより難しいのは、言語版の歩行だ。つまり、歩き方と同じころに学習し、どうやって学んだのかを忘れてしまった日常会話である。電子的に操る必要が生じるまで、わたしたちが自分のジェスチャーや口調をさほど気にもとめないのと同じように、会話のやり取りは、別の媒体を通そうとすると驚くほど複雑になる。

　しかし、人間は何世代も前からずっと同じ歩き方をしてきた。チェスのルールを知りたければ、ルールをすべて挙げ連ねたルールブックに当たればいい。会話はちがう。会話の規範はより柔軟で、話者

どうしの絶え間ない交渉によって生まれる。特に、テクノロジーを介して行なわれる会話についていえば、規範はたびたび変化する。

　電話は、会話にとって最初の大規模な技術的破壊だった（驚くほど奇妙という点では、電信も同じだったけれど、家庭内で主流になることはなかった）。これまで、コミュニケーション様式について話すときには、電話はほとんど無視するか、話し言葉全般にひっくるめてきたが、会話の規範の変化のしかたについて話すなら、固定電話は絶対に抜きにはできない。電話はインターネットと同じくらい、会話にとっては革命的だった。電話が登場する前の会話といえば、すぐ目の前にいる人とリアルタイムで話すか、遠くにいる人と時間をかけて手紙をやり取りするか、そのふたつにひとつだった。それが突然、電話の登場で、遠くにいる人と昼夜リアルタイムで会話できるようになった。数世紀にわたる書き言葉の段階的な標準化、数十世紀にわたるフェイストゥフェイスの会話を通じて築かれた規範のすべてが、電話ひとつで完全にひっくり返ったのだ。この変化は、今のわたしたちが直面している「インターネット問題」と似た数々の問題を引き起こした。電話の社会的な普及とともに生じた厄介な場面については、幅広い記録が残っているけれど、生きた記憶からは徐々に薄れつつある。実際、今や非インターネット人たちでさえ、電話の存在を当たり前のものとして受け入れている。つまり、電話は、現在のわたしたちがこれからインターネットを当たり前のものとして受け入れるにあたって教訓にすべき、貴重なモデルといえるのだ。

　カジュアルな書き言葉の感情的風景の広がりを祝うのは簡単だ。わーい、皮肉の大文字だ！　わーい、絵文字だ！　わーい、GIF だ！だが、会話に関しては、その逆の傾向がある。そう、「本物」の会話をしていた黄金時代をやたらと美化するのだ。退屈な不在電話の応酬、あふれかえる受信トレイ、存在すら忘れていた人々からの誕

生日祝いのメッセージを呪い、電話、電子メール、フェイスブックの投稿に興奮を求める。自分の始めたソーシャル・プラットフォームに友達全員が参加してくれることを期待しつつも、嫌いな人々が参加してくるとがっかりする。自分のネットワークをぶち壊しにする人々が、ほかの誰かにとっては、ずっと会いたくて会えなかった友達だということにも気づかずに……。

　そこで、まずは別の説から議論を始めてみよう。どんなタイプの会話であれ、人々が会話をするのは、その人にとってのニーズを満たすからだ。それはわたしたちの意識しているニーズではないかもしれない。わたしたち自身の抱えているニーズではないかもしれない。わたしたちが認めたいニーズではないかもしれない。しかし、それがどういうニーズなのかを探りはじめれば、理解できることが多い。今では時代遅れな通信技術が満たしていたニーズを理解しようとすれば、現在の別のニーズを理解する助けになる。メールではどういう挨拶が正しいのか、誰かと話をしている最中にメールに返信するのは失礼なのか、といった最新の論争から手をつけるのは、あまりにも難しすぎる。一人ひとりのなかに、その答えがすでにあるからだ。しかし、今ではすっかり時代遅れになった過去の論争に目を向け、人々が目的としていたものを理解しようとし、そんなことで大騒ぎしていたのが今から見ると少しバカらしいということに気づければ、現在の論争をもっと同情的な視点で見られるかもしれない。ほかの人々の考え方のちがいやおかしな行動に、不平不満を言うのではなく、いくつもの規範が同時進行している状態を面白いと思えるかもしれないのだ。現在、わたしたちが欠陥だらけの新技術だと批判している技術は、未来の誰かにとっては郷愁の旅になることだろう。現在、わたしたちの懐かしんでいる技術が、昔の人にとっては欠陥だらけの新技術だったのと同じように……。

メールと交感的表現

高校時代、わたしは何も知らない友達を相手に、ちょっとした言葉のゲームをしていた。わたしたちの学校では、別の教室に移動するために廊下を歩いているとき、毎日会う人々どうしで、「Hi, how's it going?（はーい、元気？）」や「Hey, what's up?（はいよ〜、なんかあった？）」と声を掛け合うのが当たり前になっていた。ところが、わたしは間髪を入れず、あべこべの返答をするようにしていた。「なんかあった？」には「Good, how're you?（元気だよ。元気？）」と答え、「元気？」には「Not much, what's up with you?（何も。そっちはなんかあった？）」と答えるのだ[1]。毎回びっくりし、面白いと思うのは、誰も質問と回答があべこべになっていると気づきもしないことだ。わたしがスムーズに返事すれば、相手は自分の挨拶に「まちがった」返答が来ても、完璧に受け入れるのだ。相手が一瞬固まるのは、わたしの答えが少し遅れたときだけだった（みなさんも、機会があったらぜひ試してみて！）。わたしにはその理由がわからなかった。第一、まったくちがう単語で構成されているのに、全体としてほとんど意味の変わらない挨拶が何組もあるのは、なぜなんだろう。そのときは結局、人生（とわたし自身）なんてちょっとおかしなことばかりでしょ、で片づけた。

　でも、言語学を学ぶにつれて、ふたつのことに気づいた。ひとつ目は、これは言語学者の卵にとって、きわめて正常な行動だということ。ふたつ目は、わたしのあべこべ挨拶実験が成功したのには、れっきとした言語学的な理由があるということ。先ほどのような社交的なフレーズは、「交感的表現（phatic expression）」と呼ばれ、個々

の単語の合計ではなく、その言葉を発する文脈が、その意味にとって重要になる。「元気？」と「なんかあった？」は、機能的にはまったく同じで、単純な挨拶（「やぁ！」）よりも少し複雑な形で、相手の存在を認めたものなのだが、独自の会話とまではならない。つまり、その機械的な返答もまた、相手の社交的な会話に続けてよどみなく言えば、機能的には交換可能なのだ。なので、もっと進んだ遊びもできる。わたしはたまにうっかり、「おはよう」のような交感的挨拶に、「元気だよ。元気？」と答えてしまったり（調子なんて訊かれていないのに）、やり取りを多めに繰り返してしまったり（「おはよう、元気？」「元気だよ。元気？」「うん、元気。そっちは？　ん？　ちょっと待って……」）することがあった。一方が躊躇すると、すべてが崩壊し、再び言葉どおりのやり取りに戻ってしまう。でも、やり取りがスムーズなら、その背後にある意味に完璧に満足し、実際の言葉は無視するのだ。

　しかし、交感的表現はふつうの単語でできている。ある時点では、それ以上でも以下でもなく、文字どおりの内容を意味していたはずだ。とすると、字義的表現はどうやって交感的表現に変わるのか？　交感的表現が字義的表現にまた戻ることはありうるのか？　テクノロジーを介した会話の規範の変化を見れば、まさしくその変化の起こる様子が観察できる。

　そうした変化のひとつは、電話の登場の結果として起きた。19世紀の一般的な挨拶は、「生徒諸君、おはよう」「先生、おはようございます」という具合に、話している相手や時間がわかっているという前提に基づいていた。ところが、鳴っている電話に出る場合、電話の主はわからないし（発信者番号通知サービスが登場する何十年も前の話）、もっといえば、向こうが朝なのか昼なのか夜なのかもわからない。そこで、電話でつながり合った世界には、どうしても中立

的な挨拶が必要だった。そのもっとも顕著なふたつの解決策は、トーマス・エジソンが提唱した「Hello（もしもし）」と、アレクサンダー・グラハム・ベルが提唱した「Ahoy（おーい）」だった³。当時、このふたつは似たような意味で、挨拶というよりは、相手の注目を引くために使われていた（実際、「hello」は「holler（叫び声）」と同じ起源を持つ）。なぜ注目を引く必要があるのか？　初期の電話の一部は、常に回線がつながれたままになっていて、呼び出しのベルはなかった。なので、「hello」と言うのは、隣人を大声で呼ぶようなものだった。結局は呼び出しのベルがついたものの、初期の電話帳には、正しい電話マナーがわからない新規顧客のために、会話見本がついていたくらいだ。ある初期のマニュアルは、「明確で元気な『hulloa』」または「ご用件はなんでしょう？」で会話を始め、「以上です」で締めくくることを勧めていた⁴。当たり前といえば当たり前だが、「ご用件はなんでしょう？」と「以上です」はまったく流行らず、「hello」が流行った。そして、電話以外へも、万能な挨拶として急速に広まっていった●1。しかし、「hello」の注目を引く機能の名残は、今でも接続が悪くて相手の声が聞き取りづらいときに、しょっちゅう聞くことができる。会話の途中で、音声が届いているか確かめるために「Hello?（もしもし？）」と言うことはあっても、「Hi?（どうも？）」と言うのはなんとなくヘンだ（一方、「Goodbye（さようなら）」は少なくとも16世紀から使われていたが▼2、電話の締めくくりの挨拶には、特別なイノベーションは必要なかったのかもしれない。すでに話している相手がわかっているのだから）⁵。

　しかし、摩擦の生じた時期もあった。「hello」という挨拶は、相

●1　同じころ、ほかの多くの言語も、電話への応答の問題に直面した。フランス語の「allô」やドイツ語の「Hallo」は、英語の「hello」を連想させるが、ほかの言語は、「good（よし）」「yes（はい）」「ready（準備完了）」「please（どうぞ）」「who（どなた）」、または電話に出た人の名前、などの表現を用いている。
▼2　Goodbye はもともと God be with you（神のご加護があらんことを）の短縮形だったが、Good morning や Good evening などの表現に引きずられて、God から Good に変わった。

手を呼び出すという本来の目的を超えて、汎用的な挨拶へと意味が広がっていったのだが、誰もが歓迎したわけではなかった。そのことを知ったのは、1950年代終盤から1960年代初頭を舞台とするBBCのテレビドラマ・シリーズ『コール・ザ・ミッドワイフ　ロンドン助産婦物語』のあるシーンを観ていたときだった。ある若い助産師が、年配の助産師に「Hello!（どうも！）」と元気よく挨拶すると、年配の助産師がこんな嫌味を言う。「わたしが研修中は、必ず『おはようございます』『こんにちは』『こんばんは』と挨拶するよう叩き込まれたものだわ。『どうも』なんて言ったら雷だわよ」[6]。その若い助産師にとって、「hello」という言葉は、まちがいなく交感的な挨拶へと変わっていた。しかし、その年配の助産師、より正確にいうと彼女の指導者にとっては、「hello」はまだ無礼な呼び出しの言葉のままだったのだ。1940年代のエチケット本はまだ、「hello」を使わないようにアドバイスしていたが[7]、1960年代の助産師にそれを言わせたのは、彼女を口うるさい人間に見せるためだろう。特に、「hello」に文句を言う人がいたなんてすっかり忘れている未来の視聴者のために。

　今でこそ、この「hello」論争は、バカげているように見えるけれど、2010年代に起きている「hey」論争と根っこは同じだ。「hey（ヘイ）」は、「hey you（ヘイ、君）」のような呼びかけの単語で、少なくとも13世紀からある。一方、「hi（ハイ）」は母音を変化させただけの単語で、少なくとも15世紀までさかのぼる。語源的にいうと、「hey」と「hi」は、電話の部分を抜かせば、「hello」と似たような経緯をたどっている。3つとも、相手の注目を引く手段として始まり、挨拶へと発展していったのだ。しかし、『アメリカ地域英語辞典』のつい1960年の調査では、よく知る相手に「hey」と挨拶する人々は60人しかおらず、「hi」の683人、「howdy」の169人と比べ

て少数派だった。しかも、その60人の大半は、ひとつの地域、つまりミシシッピ川流域の南部および下流の人々だった。2014年に行なわれた同一の調査によると、「hey」の人気が「hi」をわずかに上回った[8]。同じころ、言語学者のアラン・メトカーフは、大学卒業直後の若者からこんな説明を受けたという。「話し言葉では、ほとんど毎回『hey』と言いますね。ただ、書き言葉では、『hi』から『hey』まで柔軟に変化させます。いわば、挨拶に3段階の丁寧さがあるんです。自分と同い年か年下の友達には『hey』、よく知る大人や同年代の知人には『hi』、大人の他人には『hello』という感じで」[9]。2000年生まれの人なら、生まれたときからずっと「hey」は挨拶に使われてきたと言っておかしくないし、1950年生まれの人なら、「『hey』だと挨拶された気がしない。呼びつけられた感じだ！」と言って、同じくらいおかしくないだろう。

　挨拶の変化は、特にメールで顕著だ。メールの場合、電話とはちがい、相手が誰なのかまるきりわからないわけではない。むしろ、新しい相手に初めてメールする場合、ちょうど危険な程度に相手のことを知っている。おおかた、名前だけは知っているけれど、どういう挨拶のスタイルが望ましいのかは状況的にほとんどわからない、といったところだろう。話し言葉のほうが、細かい点はすっ飛ばして、口調でメッセージを伝えるのは簡単だ。しかし、書き言葉では、「元気。そっちは？」とか「調子はどう？」といった、とっさの返事で逃げることができない。相手があなたのメッセージを読み直して、その意味を考える時間的余裕があるからだ。さらに、リアルタイムで肉体的なコミュニケーションでは、挨拶のしかたを選ぶ余分な手がかりがある。「hey」という挨拶を相手がどう思うかを、年齢で瞬間的に判断することもできるし、相手の挨拶に合わせて、自分の挨拶をその場で変えることもできる。

　こうした手がかりの不足に対して、初期のメールは単純に「気に
しない」という策を取った。1978年、コンピュータ科学者のアル
バート・ヴェッツァとJ・C・R・リックライダーは、電子メール
についてこう述べた。「格上の年配者、さらにはあまりよく知らな
い相手に対しても、素っ気ない文章を書いたり、入力が不完全であっ
たりしてもかまわない。受け手が腹を立てることはない」[10]。同じ
ように、言語学者のナオミ・バロンは、1998年の論文でこう指摘
した。「ほとんどのユーザーは、送信前、電子メールのメッセージ
に（手を加えるにしても）ほんの少ししか手を加えない。入念な社内
文書で定評のある同僚から、誤字脱字満載のメールを受け取ると、
多くの人が笑顔になるのだ」[11]。こんな無秩序な状態のなかで、細
かい挨拶のスタイルを気にする余裕なんてあるだろうか？　しか
し、2001年になると、メールシステムにスペルチェックが搭載さ
れた。「崩れた文章とは程遠いメールがどんどん届く」と言語学者
のデイヴィッド・クリスタルは記した[12]。

　と同時に、クリスタルはいちばんよくあるメールの挨拶が「Dear
David（親愛なるデイヴィッド様）」、次が「David（デイヴィッドさん）」、
次が「Hi David（デイヴィッドさん、こんにちは）」だと述べた。この
文章を2010年ごろに読み直したとき、びっくりしたのを覚えてい
る。わたし自身は、受信トレイに「Dear Gretchen（親愛なるグレッ
チェン様）」なんてメッセージが届いたのを、ほとんど見たためしが
ないし、まちがいなく自分では使わなかっただろう。「Dear（親愛
なる）」という表現は、やけに堅苦しすぎると同時に、妙になれな
れしくも感じる。誕生日にセーターを贈ってくれた祖母へのお礼状
に、小学生なりの精一杯の筆記体で書いたことがあるくらいだ。当
然、職場や学校と結びつくような関係ではない。「hi（こんにちは）」は、
社交儀礼の笑顔と同じように、ビジネスライクで、軽く、少しだけ

よそよそしく感じた。ところが、その数年後、ビジネスメールに慣れてくるにつれて、わたしは少なくとも相手が先に使った場合にまねるくらいには、「Dear」を使うようになった。言語学者のジリアン・サンコフの研究によると、それはわたしだけではないのかもしれない 13。多くの社会言語学的な研究により、人間の話し方は青年期後期までにほぼ確立することがわかっているが、特に言語の正式で格式の高い部分に関しては、中年まで変化していく場合もある。

　しかし、歴史的な意味でいえば、わたしの最初の直感は正しかった。この数世紀、わたしたちの挨拶はより短く、説明的でない方向へと進んでいっているのだ。「Dear」は相手を持ち上げるような手の込んだ挨拶体系の最後の遺物であり、５００年以上にわたって人気を保った。以下に示すのは、詩人のエドマンド・スペンサーが『妖精の女王』の刊行に際してウォルター・ローリーに宛てた手紙で、このジャンルでは典型的な形式だった。

　　真に高貴で勇敢なる錫鉱山長官兼コーンウォール郡統監
　　ウォルター・ローリー卿閣下殿

　（手紙の本文）

　　　　　　ここに貴殿の変わらぬご庇護をお願い申し上げると
　　　　　　ともに、伏してご多幸をお祈りいたします。

　　　　　　1589年1月23日

　　　　　　心より愛を込めて
　　　　　　エド・スペンサー 14

しかし、こうした挨拶の一部は、本心というよりも機械的なものだった。たとえば、アメリカ建国の父であるアレクサンダー・ハミルトンとアーロン・バーが交わした1804年の一連の手紙は、すべて「貴殿の忠実な僕でいられること、誠に光栄に存じます」で結ばれているが、結局、ふたりは決闘を行なうはめになった[15]。当時、こうした手紙の結びは、儀礼上の交感的表現にすぎなかった。現代、手紙の結びに「Sincerely（心を込めて）」と書く人々が、特に心なんか込めているわけでもなく、社交上の台本に従っているにすぎないのと同じことだ。しかし、「貴殿の忠実な僕」が死語になるにつれて、その文字どおりの意味が復活した。こうした歴史的出来事をドラマ化した2015年のミュージカル『ハミルトン』は、このフレーズを決闘の起源に関する曲のサビに使い、皮肉な形で並列させることで、このフレーズを強調させた。しかし、この皮肉は完全に現代的なものだ。建国の父がブロードウェイの初日にタイムトラベルすれば、何もおかしな点に気づかないだろう。

　「真に高貴で勇敢なる」や「貴殿の忠実な僕」は、もはやわたしたちにとってお決まりの交感的表現とはいえない。21世紀の今、一般的なビジネスメールで、こうした表現を使う人なんていないだろう。しかし、「Dear」にも少しずつ、同じ変化が起こりつつある。意味が抜け落ちてしまうくらい、しょっちゅう「Dear」に出会わなければ（そして、手紙を書かない世代はおそらくそうだろう）、この表現は、上司や教授のことを「最愛の人」と呼ぶくらいの違和感を生じさせる。わたしのように、個々の人が年配の相手に「Dear」を使うことはあっても、これまたわたしのように、仲間どうしで使うことがなければ、いつか絶滅してしまうことは目に見えている。マナー関連の投稿に関するコメントを読むと、若い人々ほど、「Dear」を使うべきだというアドバイスに抵抗する傾向があるようだ。それ

は、失礼な接し方や気さくな接し方を望んでいるからではなくて、
単純に「Dear」を親密な意味でしか解釈できないからなのだ **16**。
23 世紀のミュージカルが、古風な「Dear」が使われている敵意剥
き出しのメールのやり取りを掘り起こして、その皮肉の劇的さにつ
いての曲を書いてくれるのを願うばかりだ。

　挨拶の変化を、社会全般の変化と結びつけるのはたやすい。形容
詞だらけの挨拶は愛情の要求であり、呼び声のような挨拶は注目の
要求だ、と。しかし、こうした結びつけは安易すぎるし、単純にま
ちがっていると思う。むしろ、挨拶というものは総じて交感的な性
質のものであり、わたしたちが特定の挨拶を選ぶのは、その挨拶の
しかたに慣れているからだと理解するほうがいいだろう。わたした
ちは、常に愛情と注目の両方を求めてきたと認めるべきなのだ。第
一、インターネットがそこまで冷淡だというなら、なぜハート型の
「いいね！」ボタンはこれほど人気なのだろう？　歴史を俯瞰すれ
ば、挨拶の変化は、数ある変化のなかのひとつにすぎない。言語と
いうのは、ある時代の個々人の心のなかに宿るものであり、チェス
のような静的なルールのリストでは完全に網羅しきれないものであ
る、ということを思い出させてくれるのだ。

　赤の他人からそれなりの数のメールを受け取る人間として、わた
しはいろいろな種類の挨拶を、一種のゲームとしておおいに楽しん
でいる。いわば、メール冒頭の呼びかけの言葉から、相手がどんな
年代なのか、何を伝えようとしているのかを予想する、果てしない
マルチプレーヤー・ゲームみたいなものだ。受信トレイにいる赤の
他人たちに共通するのは、希望だ。わたしにリンク先を読んでもら
えるという希望。わたしが自分の求めている答えを返してくれると
いう希望。さらには、わたしがマーケティング・キャンペーンにうっ
かり引っかかり、何かを購入してくれるという希望。目指すべきな

のは、変化をなくすことではなく、わたしの「元気？」「何も」実験に知らず知らずのうちにつき合ってくれた学校の友達のような、寛大さをお互いに持つことではないだろうか。この世界には、正真正銘の悪意がもう十分すぎるほどある。ただの無害なちがいに、これ以上、悪意を探す必要なんてどこにあるだろう？

おしゃべりと割り込み

赤ん坊は単語を学ぶ前に、会話のリズムを学ぶ。大人は赤ん坊に話しかけるとき、質問をし、返答を待ち、キャッキャッとかバーブーという声に、まるで赤ん坊が会話に参加しているかのようなリアクションをする。「眠いの？」。赤ん坊が声を上げつつ目をこする。「そう～～、眠いんでちゅね●2」。こうして、わたしたちは言葉を発するずっと前から、会話が順番で成り立っていることを学ぶ。会話とは、みんなが同時にしゃべる声の不協和音なんかではなく、見事に調和した言葉のキャッチボールなのだ。

　では、今が自分のしゃべる番だというのは、どうやってわかるのだろう？　ひとりがしゃべり終わったら間を置く。そうしたら、もうひとりがその間に気づき、「どうぞ話してください」というシグナルだと受け取る。たぶんそんなところだと思うだろう。しかし、会話を分析した人々によると、わたしたちは単語と単語のあいだにふつうは間を置かないのと同じように、しゃべり終わっても実際にはあまり間を置かないことがわかっている。わたしがあなたに質問をして、あなたがすぐに答えてくれなければ、わたしはたぶんそれをコミュニケーションの中断だとみなすだろう。たった0.2秒が過ぎ

●2　この文章は、ほどよく誇張した赤ちゃん言葉で読んでほしい。

ただけでも、わたしは言い方を変えてもういちど質問し直すか、言語を切り替えると思う（自称マルチリンガルにとっては永遠の悩みだ）**17**。この見事に計られた間合いこそ、親たちがキャッキャッとかバーブーとかいう声を1回の会話の番とみなしたとき、赤ん坊に教えていることなのだ（相手の話に言葉をはさむのに苦労したり、頭に来るくらい無口な人を相手に自分ばかりがずっとしゃべったりしていることに気づいた経験があるなら、それはおそらく、お互いの文化的な間合いが微妙にずれているせいだ、と言語学者のデボラ・タネンは指摘している）**18**。劇でお芝居をしているなら、実際の台詞を覚えるのと同じくらい、相手の話に割って入る間合いを計ることも大事だ。相手が十分な間を置くまで、しゃべりだすのを待っていたら、観客には信じられないくらい堅苦しく聞こえてしまう。相手が話をしているあいだ、わたしたちは自分の返答を練るだけでなく、相手の話が終わるタイミングを予想している。だからこそ、よどみなく会話のキャッチボールが進むわけだ。

　このスムーズな連携を、わたしたちはいったいどう成し遂げるのだろう？　まちがいなく、長さの問題ではない。1回の会話の番は、たった1単語（「うん」）で終わる短いものもあれば、起承転結を含む長いものもある。むしろ、わたしたちは、相手の会話の番がもうすぐ終わりそうなのか、またはグループでの会話の場合は、誰が次にしゃべろうとしているのか、そのシグナルにじっと耳を傾けている。そのなかには、誰かがあなたを名指しして直接質問したとかいうような、言語的なシグナルもあるだろう。また、ジェスチャーによるシグナルもある。たとえば、手を上げるのは、口をはさみたいというシグナルのケースが多いし、自分の会話の番のときはどことない方向を見つめ、話が終わりそうになったら全員や次に話す人のほうへと目を戻す傾向がある。こうしたシグナルの多くは、イントネーションやリズムと関連している。自分の話す番が終わりかけているけれ

ど、実際にはまだ話し足りないときは、しゃべるスピードを上げるし、返答を促す場合には尻上がりのイントネーションを用いるだろう。

　ただし、こうした手がかりは、100パーセント確実なわけではないので、勘に頼ることも出てくる。会話分析の専門家たちによると、「割り込み」は、会話のなかにランダムに散らばっているわけではないという[19]。主な話し手が話をやめそうでやめないとき、割り込みが生じるのだ。フェイストゥフェイスの会話では、1、2音節の重複ならさして問題にはならないし（人間はどの言葉がどの位置にいる人から発せられたのかを判断する能力が高い）、たいていは深く考えなくても、そうした混乱を解決できる。ところが、テクノロジーを介した会話では、会話の重複はより大きな問題になりうる。トランシーバーではいっさいの重複が許されず、勘を働かせるのが難しいので、自分の番を終えたら「以上」などと言うし、電信技師はかつて、同じ理由から、毎回「GA（←go ahead、どうぞ）」で自分の番を終えていた。初期のチャットシステムの一部も、似たような重複の問題を抱えていた[20]。1970年代初頭のTENEXというシステムのチャット機能では、たったひとつのテキストファイルを、会話の相手どうしが1文字ずつ共同で編集していた。そのため、ふたりがまったく同時に文字を入力しようとすると、次の例のように、お互いの文字が交錯してしまう[▼3]。そのため、文字がごちゃ混ぜになりはじめたら、一方が入力をやめて、相手に譲らなければならなかった。そうしないと、文章がめちゃくちゃになってしまうからだ。

Hey, how' s it goignogod how are you?
（やあ、調子はどう元気いだよ、そっちは？）

▼3　4単語目で、going と good というふたつの単語が混じり合っている。

独自の規則で、会話がぐちゃぐちゃになるのを防ごうとしたシステムもある。あるテキストベースのチャットシステムのユーザーたちは、お互いの会話の番が終わったあとに、2回の改行を入力するという習慣を確立した[21]。また、Unix の talk プログラムのように、画面をいくつかの領域に分割し、各ユーザーに専用のテキストボックスを割り当てていたチャットシステムもあった。わたしが上部のボックス、あなたが下部のボックスだけに入力していれば、お互いの文字が交錯することはどうやってもありえない[22]。人数に応じてボックスを増やしていくこともできる。たとえば、1973 年にイリノイ大学の PLATO システムに基づいて開発された「Talkomatic」というチャットプログラムは、上下に積み重なる 5 つのボックスがあり、最大 5 人の参加者をサポートしていた[23]。ユーザーごとにボックスが割り当てられ、ほかのユーザーの発言を確かめるためには、それぞれが独自のボックスに 1 文字ずつ入力していく内容を目で追う必要があった。この方式は、わたしたちの慣れ親しんでいるチャットシステムとはまったく別物なので、実例を示しておこう。

Talky McFirst（おしゃべり一郎）

hello?（見えてるかい？）

I am demonstrating chat boxes（チャットボックスのテスト中）

Chatter O'Second（ペラペラ二郎）

hi!（やあ！）

I am a second participant（ふたり目の参加者だよ）

Speech Thirdova（話三郎）

I am a third（僕は3人目）

the responses may look like they're out of
order, because everyone types in their own
box（回答がめちゃくちゃな順番に並んでいるように見えるけど、
それは全員が専用ボックスに入力しているから）

Words Fourthescue（単語四郎）

I am a fourth（4人目だよ）

I'm good, how are you number five?（元気。五郎
さんは元気?）

Typo von Fifth（誤字野五郎）

I am the fifth（5人目です）

how's everyone doing?（みんな元気?）

ボックスどうしを行ったり来たりさせられるシステムに、文字がご
ちゃ混ぜになるシステム……。まあ、流行らなかったのもうなずけ
るかもしれない。でも、入力したそばから文字が表示されるシステ
ムは? 名案かも! じゃあ、1970年代や1980年代以降、チャッ
トシステムでこの機能が使われなくなったのはどうしてだろう?
実際、グーグルは2009年、短命に終わったグーグル・ウェーブで、
瞬時の文字表示機能を復活させたが、流行らなかった[24]。文字単位
のチャットの最大の問題は、会話をキャッチボールではなく、文字
単位のものとして扱っているからだ。文字を入力するスピードより
も読むスピードのほうが速いので[25]、相手が1文字ずつメッセージ

を入力しているのを見るのは、じれったくなるくらい苦痛だし、相手に文字を消しているのを見られるのは恥ずかしい。それだけでなく、無線や電信技師と同じような会話の順番の問題もあった。相手が入力をやめたのは、とりあえず言いたいことを言い終えたからなのか、それともどう言おうかと考えているからなのか？　知る由もない。「以上」や「どうぞ」、改行やあまり使われない句読記号などを、会話の終了の印として定めることもできるけれど、電子メールの歴史からひとつだけ学んだことがあるとすれば、それが単なる提案にとどまっているかぎり、マナーに従うかどうかは本人次第だということだ。それなら、文字単位ではなく、ひとまとまりの会話単位で新規メッセージを送信できるようにし、会話の順番をチャット・インターフェイスの形式そのものに組み込んでしまうほうが、よっぽどいい。

　では、今のわたしたちが愛用する、おなじみのスクロール型の対話形式のチャット・インターフェイスは、どこから生まれたのだろう？　わたしが発見した最古の例は、1980 年代の「CB シミュレーター」と呼ばれるチャットプログラムの形式で、一般の人向けに広く公開された初の専用オンライン・チャットルームだった [26]。当時は、まだチャットルームという呼び名さえなく、発想のみなもとになったのは共有の電波だった。市民バンド（citizens band; CB）無線は、放送だけを目的とはしない一種のラジオだ。その地域の人なら誰でも周波数を合わせ、会話ができるというもので、熱狂的な愛好家も多い（アマチュア無線と似ているけれど、いっそう分権的）。初期のオンライン・サービス・プロバイダー「コンピュサーブ」のひとりの従業員が、CB 無線を文字入力形式で再現したら面白いと考えたことで、CB シミュレーターが生まれた [27]。とはいえ、無線での会話は、初期のチャットシステムのような、共有テキストボックス

とはまったく別の枠組みに基づいている。無線では、一人ひとりが専用ボックスで会話をするのではなく、個人が自由に発言を追加していける、ひとつの流れ^{ストリーム}として会話をとらえるのだ。複数のボックス形式の会話では、参加人数におのずと厳密な限度が生じた（たとえば、最大5ボックスのチャットに、6人目が参加する余地はない。しかも、あちこちのボックスに目を通し、集団での活発な会話を追うのは、人数が増えると一気に難しくなる）。対照的に、ストリーム形式のチャットなら、参加人数がずっと柔軟だった。CB無線の愛好家たちは、言葉の流れにちょっとした混沌が生じるのには慣れていた。割れる音声。信号の欠落や重複。その点、テキスト形式は、そうした混沌を対処しやくした。何人かが同時にチャット・メッセージを送信しても、見事に対処できた。重なり合う何人もの声を聞き分ける代わりに、ストリーム形式で表示される全員のメッセージに目を通せばすむ。

　文字の重複は最悪だったが、フレーズの重複は、むしろチャットの重要な特色になった。1980年代、複数ボックス形式のチャットがしばらく人気を保っていたが、1988年になるころには、ストリーム形式のチャットがすでに優勢となり、不動の地位を築いていた。それはインターネット・リレー・チャット（IRC）が誕生した年だった。IRCは、今のわたしたちが知る典型的な公開インターネット・チャットルームを動かすシステムであり、ストリーム形式を採用した[28]。こうした公開チャットルームは、1990年代にかけて盛んに分析されたが、研究者たちが一貫して気づいたことのひとつは、チャットルームの会話の混沌ぶりだった[29]。複数の会話が同時に進行し、メッセージは入れ子になっていたが、ユーザーはおかまいなしの風情^{ふぜい}だった。そうした1990年代のメッセージの重複の例を挙げてみよう[30]。

<ashna> hi jatt
（<ashna> ハーイ、ジャット）

*** Signoff: puja (EOF From client)

<Dave-G> kally i was only joking around
（<Dave-G> カリー、あればただの冗談だよ）

<Jatt> ashna: hello?
（<Jatt> アシュナ：どうも？）

<kally> dave-g it was funny
（<kally> デイヴ G、面白かったあ）

<ashna> how are u jatt
（<ashna> ジャット、元気？）

<LUCKMAN> ssa all
（<LUCKMAN> みんなじゃあ）

<Dave-G> kally you da woman!
（<Dave-G> カリー、ありがと！）

<Jatt> ashna: do we know eachother?. I' m ok how are you
（<Jatt> アシュナ：うちら知り合いだっけ？　元気。そっちは？）

*** LUCKMAN has left channel #PUNJAB

*** LUCKMAN has joined channel #punjab

\<kally\> dave-g good stuff:)
（\<kally\> デイヴ G、傑作 :)）

\<Jatt\> kally: so hows school life, life in geneal, love life,
family life?
（\<Jatt\> カリー：学校、人生全般、恋愛、家族のほうはどう？）

\<ashna\> jatt no we don't know each other, i fine
（\<ashna\> ジャット、知り合いじゃないよ。わたしは元気）

\<Jatt\> ashna: where r ya from?
（\<Jatt\> アシュナ：どこ住み？）

このチャットルームの会話は、実際には２種類の会話の脈絡が入り交じったものだ。ひとつはアシュナとジャットとのあいだの会話（「うちら知り合いだっけ？」「元気？」「知り合いじゃないよ。わたしは元気」）、もうひとつはカリーとデイヴ G とのあいだの会話（「あれはただの冗談だよ」「面白かったあ」「ありがと！」）だ。公開チャットルームには、ニッチな魅力があった。平均的なインターネット・ユーザーは、もう少しあとになってチャットと出合う割合が高く、第１世代の ICQ、AOL インスタント・メッセンジャー（AIM）、MSN メッセンジャーや、第２世代のグーグル・トーク（のちのグーグル・ハングアウト）、フェイスブック・メッセンジャー、アイメッセージ、ワッツアップなど、

メッセンジャーやチャット・アプリを通じて、知人とチャットする傾向にあった。しかし、チャットでは、同じふたりのあいだでさえ重複はしょっちゅうだった。ふたりが同じタイミングで話題を出し、同時に送信を押してしまったばっかりに、相手の話題に同時並行で答えていく、なんてことは日常茶飯事だった。

　面白いのは、個々のチャット・プラットフォーム自体は次々と入れ替わったにもかかわらず、これまで40年近く、こうしたチャットの本質的な枠組みは保たれてきたという点だ。確かに、新しい機能は追加されてきたけれど（グラフィックスの向上、「入力中」のインジケーターなど）、基本的に、チャットの会話はいまだに一貫してストリーム形式で行なわれ、複数のメッセージの脈絡が重なり合うことに対しては、ずいぶんと寛容なところがある。「入力中」インジケーターにしたって、ゆうに数十年の歴史がある[31]。これはコンピューターにしてみれば、一時代といえるくらいの歳月だ。1980年当時は、マウスはまだ普及さえしていなかったし、ましてやラップトップやタッチパネルなんてものは影も形もなかったのだ！　それでもなお、そのわずか10年前に登場した共有ボックス形式のチャットを見ればわかるように、チャットの初期の形式というのは、まさに手探り状態だったといっていい（対して、電子メールはチャットよりも古いが、最初から、「郵便」という明確な類例があった）。チャットは、完全にネットワーク・コンピューター（向け）の形式であり、複数の接続された画面どうしで、リアルタイムな会話ができるという考え方に基づいている。チャットのオフライン版とはなんだろう？　簡単に思いつくものはほとんどない。誰かと紙の上でリアルタイムな会話ができるけれど、実際に会ったりしゃべったりできない状況というのは、そうとう限定されているからだ。授業中や会議中にメモを回す行為は、数少ない例外かもしれないけれど、それでも相手が

眉を吊り上げたり、笑いを押し殺したりする様子は見える。

　このチャット形式の驚くべき耐久性は、新しいコミュニケーション形態の真の誕生を示している。チャットは、書き言葉とカジュアルな言語の完璧な交わりなのだ。これらの形式についてわかっている点をまとめてみよう。わたしたちは読むスピードのほうが話すスピードよりも速いので、読んでいるあいだ、前の投稿に目を戻して内容を確かめ直すこともできる。つまり、書き言葉は、長くて複雑な文章に自然と向いているということだ。エッセイと有名なスピーチを書き起こしたものを比べれば、従属節はエッセイのほうが多いだろうが、繰り返しはスピーチのほうが多いだろう（慣れない講演者が、エッセイを読み上げるのを聞かされた経験があるなら、ついていけないと感じたのはたぶんあなたのせいじゃない）。話し言葉全般に関していえば、正式なものになればなるほど、割り込みは少なくなっていく。当然ながら、講演者は、一定時間ずっと話しつづける権利を与えられている。言葉をはさみたい人は、挙手して許可を得るか、「妨害者」の称号を受け入れるか、ふたつにひとつしかない。しかし、あなたが参加している会話なら、妨害も何もない。言葉のやり取りが期待されているわけだから。むしろ、不名誉な称号は、その逆の人へと渡る。会話をスピーチだと勘違いしている人のほうが、「しゃべりすぎ」の称号を得るのだ。なので、カジュアルな書き言葉を分析すれば、高い情報密度と頻繁な割り込み、その両方が見つかるはずだ。これは、チャットの特徴とぴたり一致する。おまけに、チャットはカジュアルな話し言葉と比べていっそう割り込みが多い。書き言葉という媒体では、そうした余分な言葉にうまく対処できるからだ。チャットルームは、メッセージの重複がバグではなく仕様であることを発見したわけだ。

　電子メール、ソーシャルメディアへの投稿、ウェブサイトの文章

は、どれも編集が加わっていないという点で、カジュアルな書き言葉の称号にふさわしいけれど、チャットはカジュアルな書き言葉のいちばん純粋な形といっていいだろう。ソーシャルメディアへの投稿は、編集者の手こそ加わっていないが、何百人、何千人が見ているとわかっているので、自分自身である程度編集を加えずにはいられない。電子メールは、送信する相手を自分で管理できるけれど、メール・マナーについての文章に費やされているデジタルのインクの量を考えると、メールの内容についてじっくりと考えて（いや、考えすぎて）いないとは言いがたい。でも、チャットなら、画面の向こう側にいる人はわかっているし、テンポも速い。相手はあなたが書いているところを、文字どおり見られるので、完璧なメッセージを書こうとするよりは、とりあえず何かを発言したほうがいいのだ。チャットは、対象とするのに好都合な公開ツイートほど広く研究されていないけれど、人々はチャットで独創的な綴り直し、表現力豊かな句読記号、頭字語、絵文字など、公開の投稿よりもカジュアルな言語を使うことがわかっている。そう、インターネット・スラングにとってはどこより居心地のよい環境なのだ。また、誤字にも寛容だ。一部の文字の順番を逆にしてしまっても、オートコレクト機能で意図しない単語に修正されてしまっても、次のメッセージで修正すればいいし、誤解はすぐに解ける。

　チャットは人気絶大なので、それまで電子メールや携帯電話向けだった分野にまで、広がりを見せている。スマートフォンの誕生以前、テキストメッセージ・システムは、電子メールの受信トレイの小型版のような構成になっていた。受信メッセージ、送信メッセージ、下書き、新規メッセージと、画面が分かれており、いちどにひとつのメッセージしか読めなかった。画面が大きくなり、タッチパネル式になると、テキストメッセージの主流なモデルは、電子メー

ルの受信トレイ形式ではなく、チャットのストリーム形式となった。初代アイフォーンのレビューでは、こんな指摘がなされている。「多くのスマートフォン同様、テキストメッセージのやり取りが、ひとつの長い会話として表示されるようになっている。返信するメッセージが自在に選べるので、なかなか便利な構成だ」**32**。テキストメッセージがチャット形式のインターフェイスへと越境したことで、チャットはとうとう完全に普遍的なものになった。ソーシャルメディアは使わず、電子メールの受信トレイは自動生成の確認メールだけに使うと決めた人でも、デジタル技術をコミュニケーションに使うなら、なんらかのチャット形式を避けては通れない。この変化はあまりにも浸透しているので、10年後には、「text（メール）」をチャット全般の総称として使う声が聞かれはじめた。「ツイッターでメールして」という風に▼4。

　人気のソーシャル・アプリの多くは、北米以外の大半の地域ではワッツアップ、中国ではウィーチャット、日本と韓国ではLINEというように、特定の地域でたまたま定着した、チャット・アプリの変化版にすぎない。スマートフォンの普及とともにチャット形式が遂げた最大の変化とは、マルチメディアの統合だった。スナップチャットやその模倣アプリでは、数秒後に消去されるテキストつきの写真を送信できる。ウィーチャットやワッツアップ、その模倣アプリでは、チャット・インターフェイスに統合された短い音声クリップを送信できる。どちらも表現力には富んでいるが、その一方で、暗い場所や騒がしい環境で使うのには適していない。

　チャットは、職場の電子メールとも競い合っている。たとえば、スラックは、職場のチームと話をするためのチャット・プラット

▼4　もともと、textは、SMS（ショート・メッセージ・サービス）を使って、テキストメッセージを送ることを指すインターネット・スラング（動詞および名詞）だったが、近年では、同類のサービスでメッセージを送ること全般を指すようになった。

フォームだ。わたしは初めて電話ではなくチャットでインターネット・サービス・プロバイダーのテクニカルサポートと会話したとき、スペルを1文字ずつ読み上げるのではなく、わたしの氏名と住所の正しい綴りを自分で入力できるのが、何よりうれしかった。タイマーを設定したり、明日の天気に関する質問に答えたりしてくれるデジタル・アシスタントを皮切りに、チャットは機械そのものと会話するためのインターフェイスにもなりつつある。

　チャットの最大の特徴は、リアルタイム性だが、リアルタイムの定義は、インターネット規範の変化とともに変わってきた。インターネットが、新しい話し相手を探す筋金入りのマニアたちのための場所だった時代、チャットルームは赤の他人だらけだった。当時のチャットルームでは、部屋にいる人々にあなたの入室（「○○さんがチャットに参加しました」）や退室（「○○さんがチャットを去りました」）の知らせが出ていた。その後、チャットは知り合いとするものになったが、チャットがまだデスクトップ・コンピューターと結びついていたころは、メッセンジャーに、あなたの知人がオンラインに接続されているかどうかを通知する「友達リスト」が表示されていた。AOL インスタント・メッセンジャーは、誰かが入室または退室すると、ドアを開け閉めする音を流していたし、グーグル・ハングアウトのようなその後のプログラムは、さりげなく緑色の点を表示していた。ところが、チャットがモバイルへと移行すると、情報はまたもや変化した。今ではほとんど携帯電話のそばを離れることがなくなったけれど、いつでも自由にメッセージを見られるわけではない。そこで、チャット・アプリには、誰かがそこに「いる」かどうかは表示されなくなり、代わりに相手が最新のメッセージを読んだかどうかが表示されるようになった。「既読」表示は、2005 年のマニア向けのブラックベリー・メッセンジャー（BBM）[33]、2011

年の一般向けのアップル・アイメッセージに始まり [34]、スマートフォンの広まりと足並みを揃えている。

　一方で、リアルタイム性はチャットの最大の弱点でもある。電子メールやソーシャルメディアなら、まとめて返信やチェックの時間を取れるけれど、チャットの場合、ある程度つきっきりでないと意味がない。特にモバイル機器の場合、チャットやテキストメッセージ（ほぼ両者の区別はなくなっている）は、相手の邪魔になってしまう可能性もある。しかし、わたしたちが技術的な「割り込み」に直面したのは、今回が初めてではない。こんどもやはり、固定電話の初期の時代が参考になる。電話の登場前、手紙は1日の決まった時間に届けられ、いつ読まれるのか、そもそも読まれるのかどうかなんて、誰にもわからなかった。突然訪れる人がいるとすれば、せいぜい一部の隣人くらいのものだった。しかし、電話は、誰からでも、どこからでもかかってくる可能性がある。電話の主についてわかるのは、至急、あなたと話をしたがっているということだけ。そう考えると当然かもしれないが、1992年の調査では、圧倒的大多数の人々が、たとえ配偶者と真剣な話をしている最中でさえ、電話が鳴ったらすぐに出ると答えた [35]。25年後、わたしは同じ調査を再現しようとしたのだが、結果は真逆になった [36]。圧倒的多数の人々が、愛する人と真剣な話をしている最中には、電話に出ないと答えたのだ ▼5。それどころか、特に何をしていなくても、発信者の名前を見てから電話に出るかどうかを決めると報告した人々が多数だった [37]▼6。意外にも、固定電話で電話の規範を身につけた人々と、携帯電話中心の人々とで、世代間の隔たりは見られなかった。むしろ、鳴って

▼5　著者がツイッター上で行なった投票調査で、固定電話と携帯電話、どちらで電話マナーを身につけた人々も、8割以上が電話に出ないと答えた。
▼6　同じ調査で、愛する人と真剣な話をしていなくても、「発信者を知っていれば電話に出る」と答えた人が半数で、「ヒマなら出る」「たぶん出ない」と答えた人がそれぞれ2割前後、「必ず出る」と答えた人は1割未満だった。

いる電話に必ず出ると答えたのは、40代や50代ではなく、80代や90代の人々だった。明らかに、多くの人々が1992年以降、電話に関する規範を見直したようだ。そう、発信者番号通知サービスが広まった年である **38**。

　固定電話は、人々が実際に電話でよく会話をしていた古きよき時代の象徴になったけれど、当時の電話は、独特のコミュニケーションの問題も抱えていた。1970年代、80年代、90年代のビジネス・コミュニケーションの重大な問題のひとつは、電話の4回に3回が、相手の不在や通話中などの理由で、目的の会話を果たせぬまま終わるという点だった **39**。当初は、しばらく待ってからかけ直すか、せいぜい別の人や留守番電話に伝言を残し、あなたが電話の近くにいるあいだに折り返しの電話がかかってくることを期待するしかなかった。ところが、それが叶わないと、またかけ直しの応酬が一から始まる。この「電話のいたちごっこ」は、数日間、ひどいときには数週間も続くことがあった。そう考えると、たとえ「ごめん、今は都合が悪いから、1時間後にかけ直してもいい？」と言うためだけであっても、電話のベルを聞いたら必ず出る人が多かったのは、不思議ではない。電話なしで電話の予定を立てる、まともな方法がなかったのだ。

　インターネットやモバイル機器は、この生まれて1世紀にも満たない規範を一変させた。いきなり電話して相手を困らせる前に、相手が空いているかどうかをさりげなく確かめる方法があるなら、利用しない手があるだろうか？　しかし、それと同じ理屈で、チャットもまた、誰かに連絡を取るいちばん確実な方法ではあるが、そのためには相手がその場にいなければならないという、かつての電話と同じ立ち位置を獲得した（ただ、その場にいたいときばかりではない。「執事のウソ」とは、「ごめん、今気づいた」とか「仕事に戻らないと」とかいう

ふうに、チャットに参加できない（できなかった）ことの言い訳に使われる社交儀礼的なウソのことだ）[40]。2010年代の論説記事は、技術的な割り込みにまつわるジェネレーションギャップを浮き彫りにしている[41]。若者は、ほかの人といるときにメールを返すのは、会話の間を埋められるので合理的だと考える一方で、突然の電話は、相手の注意をいきなり完全に奪い去ってしまうので、とんでもない邪魔だと考えていた[42]。一方の年配者は、電話はもともと唐突で緊急性の高いものなので、電話で邪魔する（される）のはなんの問題もないと考えていたが、メールは会話が終わってからでもできるものなので、会話中にあえてメールを打つのは不愉快だと考えていた。

　この規範の変化にこそ、ようやくビデオ通話が広まった理由がある。ビデオ通話の技術自体は、1960年代からあった。そもそも、電話にテレビをつないだだけにすぎない。評論家たちは、ビデオ通話が普及すると言いつづけたが、いっこうに流行る気配はなかった。ビデオ通話の最大の問題は、克服しがたい社会的な障壁に直面したことだ。電話が鳴ったら必ず出なければならないという強い規範。電話を使う以外に電話の計画を立てる効率的な方法がないという現実。だからといって、いきなりビデオ電話に出るのは、裸の人物や散らかった部屋が背景に映り込んでしまうリスクが高すぎた。考えるだけでも気まずくなってくる。ところが、今では、すべてのビデオ通話プログラムにメール機能が搭載されているので、ビデオ通話の前に計画を立てられるし（「ねえ、スカイプの準備はできた？」「あと2分だけ待って」）、この気まずさはなくなる。誰にも姿を見られなくてすむメールで誘いを断ってもいいし、大急ぎでちゃんとしたシャツに着替えてもいい。逆説的だが、邪魔の少ないチャットによる会話の性質を手に入れたことによって、動画で本格的な会話がしやすくなったのだ。

投稿と第三の居場所

初期のサイバースペース移民たちにとって、サイバースペースの魅力は、いたずら書きを回したり、電話の気まずさを避けたり、社内メモを回覧したりするのが簡単になる、ということだけではなかった。この世界のどこかに、あなたの個性に見合う人々、少なくともあなたのマニアックな情熱を理解してくれる人々がいるという期待感だった。しかし、メッセージを送るためには、まず相手を見つけなければならない。そして、そのためには、みんなが気軽に立ち寄れるある種の共有スペースが必要だ。

　スターバックスの魅力を説明するのに、しばしば第三の居場所という概念が持ち出される [43]。第一の居場所は自宅、第二の居場所は職場だが、人間には、カフェのような、自宅でも職場でもない社交のための第三の居場所も必要だ。1989 年に著書『サードプレイス』でこの用語を造った、社会学者のレイ・オルデンバーグが思い描いていたのは、ただ1杯コーヒーを飲むために立ち寄れる便利な場所ではなく、それよりももっと具体的な概念だった [44]。彼のいうサードプレイスというのは、会話や遊び心の重視、新入りのための雰囲気づくりを行なう常連たちの存在、好きなときに出入りできる自由、正式な会員資格の欠如、我が家のような温かくて飾らない雰囲気、といった特徴を持つ、社交の中心的場所のことだ。例としては、パブ、居酒屋、バー、カフェ、コーヒーショップ、理髪店、公民館、市場、商店街、教会、図書館、公園、クラブや団体、メインストリート、公共広場、そして町内パーティー、タウンミーティング、ビンゴ大会などの地域的な活動が挙げられる [45]。

　わたし自身のサードプレイスについて考えたとき、決まって思い出すのは廊下だ。高校時代、ランチタイムや休み時間に、よくロッ

カーを背にして廊下に座っていた。常連メンバーには、お決まりの居場所があった。寮では、廊下に面したドアを開けっぱなしにするかどうかで、即席の社交行事に参加する意志を伝えていた。カンファレンスでは、講演というのは、共通の関心を持つ人たちが集まり、廊下で顔を合わせるための口実にすぎない。わたしにとって最高のサードプレイスとは、絶対に話をしたい17人の知り合いが待ち構えていて、端から端まで歩き終えるのに30分くらいかかる廊下だ。楽しい相手と鉢合わせることがわかっていて、行くあてもなく廊下をうろつくことだってある。

　言語学者のツイッター・コミュニティに参加していない言語学者に、その魅力を伝えようとするとき、わたしはいつも廊下の話を持ち出してきた。カンファレンスの最大の山場が、廊下での立ち話だというのはわかるでしょ？　その廊下に、昼でも夜でも好きなときに行けると想像してみて！　でも、サードプレイスという言葉を使うほうがもっとわかりやすかったかもしれない。サードプレイスとソーシャルメディアは、面白いほど似ている。それは言語学分野に限った話ではない。会話やユーモアの重視は、定期的にトレンドを席巻するミームや、#RemoveALetterRuinABook（1文字取るとめちゃくちゃになる本）▼7のような、言葉遊びのハッシュタグの流行をうまく説明している。電子メールの受信トレイや、特定の相手とのチャットとはちがい、ソーシャルメディアのフィードには昼でも夜でも好きなときに立ち寄り、常連と新人の両方に会える。ソーシャルメディアのあるところで仕事に集中しようとするのは、悲しいかな、友人知人がいっぱいいる廊下で宿題をしようとするようなものだ。でも、ソーシャルメディアでの偶然の出会いのおかげで、求人情報や貴重なニュースが聞けることだってある。

▼7　たとえば、『Alice in Wonderland（不思議の国のアリス）』→『Lice in Wonderland（不思議の国のシラミ）』など。

　フェイスブックとツイッターがステータス・アップデート機能を開始したとき、その魅力は、友達が何をしているかが雰囲気的にわかる点だと説明された [46]。そのおかげで、自然な形で顔を合わせられるし、先に近況をたずねなくても、前回話をしたときから時間が経過していないかのように、会話を再開できるわけだ。フェイスブックの 2006 年のステータス・アップデートには、「睡眠中」「勉強中」「授業中」「パーティー中」など、典型的な大学生の活動を示すドロップダウン・オプションが用意されていた。自分でステータス・メッセージを入力するにしても、「is（〜中）」は必須で、末尾にはピリオドが自動で挿入された。ユーザーに特定のジャンルのステータス・アップデートの入力を促していたのは明らかだ。初期のツイッターには同じような文法的制約はなかったが、「日の当たる通りを散歩中」「ブリトーの消化中」「ツイッターの設定中」など、今現在の状況を投稿する人が多かった [47]。

　人々がどうでもよい日々の近況報告にステータス・アップデートを利用していたのは事実だけれど、自然災害や政治的混乱の際、ツイッターが人々の協調にこれほど役立った理由は、今日の昼食に関する何気ない投稿では説明がつかなかった。今、友達が図書館にいるとか、映画を観ているとわかるようになったことだけでは、フェイスブックの 1 日当たりの平均使用時間が、2014 年の 40 分から 2016 年には 50 分に跳ね上がった理由は説明できなかった [48]。さらに、オンラインへの接続が容易になり、モバイルへの移行が進むにつれて、もはやコンピューターから離れている理由を説明する必要自体がなくなった。そう、離れていることなんてないからだ。それでも、ソーシャルメディアの人気は沈静化するどころかいっそう高まり [49]、投稿に画像や短い動画が欠かせないインスタグラムやスナップチャットなど、モバイル中心のプラットフォームもそこに加

わった[50]。さらに、スナップチャットや、その後のインスタグラム
は、投稿の新たな形式をもたらした[51]。24時間で消去されるストー
リー形式の投稿だ。いわば、ユーザーが行なっているコンピューター
以外の楽しい活動を眺めることができるのぞき窓みたいなものといえる。また、「通常」のプロフィール・ページも、ユーザーに関す
る静的な事実を並べただけのリストから、最近の投稿のリストへと、
少しずつ変わっていった。こうしたさまざまな形式の投稿が持つ魅
力とはなんだろう？　サードプレイスという観点で考えれば、その
説明がつく。

　寝る間も惜しんでソーシャルメディアの画面を読み込み直しつづ
けた経験は？　オルデンバーグはこう説明する。「サードプレイス
での会話は、たいてい人の心を奪う。ぺちゃくちゃとしゃべってい
るうちに、状況や時間の意識がどこかに飛んで行ってしまうことも
少なくない」。ごくふつうの人の投稿が爆発的に広まったり、有名
人が何も期待していないファンに突然返信したりする件について
は？　サードプレイスは人間どうしの垣根を取り払う働きがあるの
だという。「サードプレイスのなかでは、地位や身分にかかわらず、
当人の人柄の魅力や雰囲気こそがものを言う」[52]。『ファームビレッ
ジ』や『ポケモンGO』のようなゲームがときどきソーシャルメディ
アを席巻する理由は？　過去数十年間、活発な会話につながるジン・
ラミー[8]やビリヤードなどのゲームは、典型的なサードプレイス
だった。オルデンバーグはまた、古代ギリシアの民主政におけるア
ゴラ、アメリカ革命における酒場、啓蒙時代におけるコーヒーハウ
スなどのサードプレイスが、新しい社会運動の中心となる大規模で
緩やかな社会集団を形成するのに欠かせない役割を果たした、とも
指摘している。このことは、ツイッターがアラブの春やブラック・

▼8　ふたりで行なうトランプ・ゲームの一種。

ライヴズ・マター運動に使われたのと酷似している。反対者たちを
ひとつの居間に集めて、密なつながりだけで革命を起こすことなん
てできない。もっと大きくて緩やかなサードプレイスのネットワー
クが必要なのだ。

　サードプレイスは、コンピューターを用いた会話のごく初期の段
階から、工夫して生み出されてきた。今のわたしたちが知るイン
ターネットが生まれるずっと前、電子メールが誕生するやいなや、
人々は何人もの人にメッセージを一斉送信するようになった。す
ると、特定の話題に関心のある人々のメールアドレスをまとめる
人々が現われた。あなたが参加したいメーリングリストを見つけた
ら、そのまとめ役の人物にメールを送り、リストにあなたを追加し
てもらえばいい。ARPANET 時代の人気メーリングリストとして、
human-nets（ネットワークの人間的な側面）、sf-lovers（SF のファン）、
network-hackers（ネットワーク・ハッカー）、wine-tasters（ワイ
ンのテイスティング愛好家）などがあった[53]。しかし、人々をメーリン
グリストへと手動で追加していくのは骨が折れたし、ARPANET
を運用していた軍は当然ながら、ワインの話をするためだけに、
素性のわからない市民たちを軍のネットワークに参加させること
を、決してこころよくは思っていなかった。そこで、ユーズネット
（1980 年）、リストサーブ（1986 年）、公開チャットルームなどの
後代のテクノロジーでは、ごくふつうの人でも自由に参加し、いろ
いろな話題を閲覧し、興味のあるグループへと自分自身を追加でき
るようになった。ユーズネットでいえば alt.folklore.computers
（コンピューターの民間伝承）、alt.usage.english（英語の用法）、alt.
tv.x-files（テレビの『X-ファイル』）といった感じだし、リストサー
ブならわたしがいまだに参加している「LINGUIST（言語学者）」リ
ストがある。チャットルームなら #ham-radio（アマチュア無線）や

#StarTrek（スタートレック）といった感じだ **54**。

　インターネット上の赤の他人に向けたトピック中心の投稿は、今もさまざまな形で残っている。たとえば、ブログは、ある人物の生活や、料理、旅行、仕事といった具体的な話題をテーマにして書かれ、コメント欄で赤の他人どうしのコミュニティができあがることもある。マルチプレーヤー・オンライン・ゲーム **55** の多くには、赤の他人と話すチャット機能や、既存のソーシャル・ネットワークから友達をインポートする機能が搭載されている **56**。2010年代に絶大な人気を誇った一般向けの掲示板、レディット **57** には、シャワー中に浮かんだとりとめのない考えから、1、2時間、有名人がやってきて質問に答えてくれるコーナーまで、ありとあらゆるサブコミュニティがある **58**。あるいは、育児、ビール、ビデオゲーム、編み物、アニメ、キャプションつきのネコ写真の共有など、ひとつのトピックに特化した掲示板もある。あなたも、冷蔵庫の余り物でつくる料理のレシピを検索したり、携帯電話のエラーメッセージの意味を調べたりしている最中に、ブログの記事や掲示板の投稿を読んだ経験があるだろう。しかし、ブログを継続的に書いている人、掲示板への投稿を活発に行なっている人の割合は、実際のところどれくらいなのだろう？　推定ではかなり低いようだ **59**。ブロガーは、インターネット・ユーザー全体の5〜8パーセント、定期的に掲示板などのオンライン・コミュニティに参加している人々は、全体の1〜10パーセントといわれている **60**。検索結果に出てきたブログや掲示板の投稿を読んだからといって、そのブログや掲示板の常連になるわけではないのだ。

　トピック中心のインターネット・コミュニティは、陶芸クラスやオフ会に参加するのと同じような意味で、サードプレイスといえる。最初の数回は、ひとりも知り合いがいなくて、名目上は活動の内容

が目当てで参加している。でも、何回か通いつづけるうちに、お互いに顔なじみになり、一部の人と特に仲良くなって、堅苦しい話題だけでなく私生活の話をしたり、プライベートで遊ぶ計画を立てたりするようになる。当初、コンピューター・ネットワークを介して交流した人々は、オフラインの社会生活に対する不満で結ばれていた。コンピューター全般への興味で結ばれているにせよ、よりニッチな興味で結ばれているにせよ、オンラインの人々とのほうが仲良くなれる、という希望を胸に抱いていたのだ（テクノロジージャーナリストのジェス・キンボール・レスリーは、1990年代中盤、女優のベット・ミドラーの公式オンライン・インターネット・ファンクラブに居場所を見つけたと説明している）⁶¹。しかし、オンラインにせよオフラインにせよ、トピック中心のコミュニティは、既存の友情の輪を広げたいと考える人々を惹きつける傾向がある。だからこそ、新しい街に引っ越す人への古典的なアドバイスとして、何かクラブに所属しなさい、とよく言われるわけだ。トピック中心のインターネット・コミュニティにいちども参加したことのない人に、そのサードプレイス的な魅力を説明するのは難しい。少なくとも陶芸クラスやオフ会なら、壺をつくるため、名刺を集めるために参加したという言い訳が立つ。目に見えないコミュニティも求めているとしても、目に見える成果が得られるのだ。ところが、オンライン・コミュニティとなると、その口実は説得力が弱くなる。実際にテレビを観たり、ワインを飲んだりすればいいのに、どうして赤の他人と『X-ファイル』やワインのテイスティングについて長話をする必要があるの？　社会的な便益は、それを求めていない人々には見えないものなのだ。

　だからこそ、インターネットがサードプレイスの役割を果たすと多くの人々が気づいたのは、トピック中心のフォーラムや掲示板を通じてではないのだ。むしろ、ほとんどの人々は、人間中心のプラッ

トフォーム、つまり既存の友達をオンラインへと輸入できるプラットフォームに、インターネット・コミュニティを見つけた。そのことを最初に発見した集団は、すでに友達はいたけれど、自由に友達と過ごすことのできない人々、そう、ティーンエイジャーだった。ティーンエイジャーたちには、仲間を見つけるための具体的なトピックなんて必要なかった。すでにお互いをよく知っていて、ただみんなと遊ぶための場所を求めているだけだったからだ。第3章で、郊外の孤立やたむろ禁止の法律が、かつてティーンエイジャーの独壇場だったオフラインの遊び場を奪っている、と指摘した。しばらくは、一般のティーンエイジャーは固定電話で遊んでいて、社会に適応できないティーンエイジャーたちだけがインターネットにコミュニティを求めていた。しかし、1990年代の中盤から終盤にかけて、インターネットが主流になると、友達との遊び場もそちらに移っていった。

　当初、友達とのオンラインの遊び場といえば、AIM、MSN、ICQといった、前述の1990年代終盤のメッセンジャー・プログラムだった。これらのプログラムには、チャット機能に加えて、ひとつの重要な機能があった。ステータス・メッセージだ。最初のステータス・メッセージ（不在メッセージ、ステータス・アップデートとも呼ばれる）は、その名のとおり、睡眠中、夕食中、授業中、仕事中など、コンピューターの前から席をはずしているあいだ、自分が何をしているのかを示すための機能だった。ところが、欠かさず自分のステータスを更新するのは、たちまち退屈な作業になった。映画の鑑賞中だと入力したのに、そのあと、コンピューターをいちどもつけないまま就寝してしまったら、どうなるだろう？　しかし、ステータス・メッセージが魅力的だったのには、もうひとつ、別の理由があった。具体的な会話のネタがなくても、友達がなんと投稿し

たのかを確かめるためだけにログオンする理由ができたのだ。次第に、こうしたメッセンジャーのステータス・メッセージは、引用、曲の歌詞、~*~ 装飾記号 ~*~、スタッドリー・キャップス▼9、遠回しな攻撃、ときにはその組み合わせなど、一種の美的感性を獲得していった 62。2017 年、『ニューヨーク・タイムズ』誌は、AOL インスタント・メッセンジャーの完全廃止を知らせるツイートでこんな表現を使ったことがある。「~* iT's ThE eNd Of An ErA *~ (~* ひとつの時代の終わり *~)」 63

　ステータス・メッセージは、チャットを偶然の出会いに満ちた、サードプレイスに近い場所へと変えた。学校のダンス・パーティーに顔を出してみんなの服装を比べたり、廊下につながるドアを開けっぱなしにしておいたりする手段になったのだ。ステータス・メッセージは、ソーシャルメディアをいっそうチェックせずにはいられないものへと変える投稿の先駆的存在だった。ツイートやフェイスブックの投稿はどちらも、もともとはステータス・アップデートとしてとらえられていたのだ。このオンラインとオフラインのサードプレイスの重なりにこそ、すでに自分の友人関係に満足している大人をも、ソーシャルメディアへと呼び込んだ理由がある。第3章で話した、「うちの親がフェイスブックを始めたよ」の波だ。

　オルデンバーグが『サードプレイス』を執筆したのは、ほとんどのインターネット・コミュニティが、すでに赤の他人たちの集まるサードプレイス的な場所となっていた 1980 年代から 1990 年代にかけてだけれど、彼はたぶん、インターネットがサードプレイスになりうるというわたしの意見には賛成しなかったと思う。彼はテクノロジー嫌いで、テレビが顔なじみたちと集まる時間を蝕みはじめたことを、痛烈に批判していた。特に、サードプレイスの役割を果

▼9　sTudLy cApS のように、一定の規則で、またはランダムに、単語内の文字を大文字や小文字に変化させる記法。

たすメインストリート、広場、地元の社交場を持たない郊外の町が次々とつくられていくことへの批判は、辛辣そのものだった。だが、ソーシャルメディアが、ティーンエイジャーたちにとってたまり場の役割を果たしはじめていることが、たびたび観察されている。研究によると、ポスト・インターネット世代のティーンエイジャーは、自動車や街角よりも仮想空間をたまり場にしているため、飲酒や性体験の機会が減っている[64]。しかし、どの世代のティーンエイジャーであれ、友達づき合いを後回しにしている、という言い方は正しくないのかもしれない。実際には、どの年代の人たちも、サードプレイスの持つ仲間意識を同じくらい求めているのだ。

　ひとつだけ、オルデンバーグの喜びそうな事実がある。本来、彼がサードプレイスの代わりとしては心許ないと考えていたテレビの視聴に費やされる時間が、ソーシャルメディアへと回されているのだ。そして、オンラインのサードプレイスで築かれるつながりは、彼が嫌悪していた郊外の孤立を打ち消すのに役立つかもしれない。さらに、ソーシャルメディアを含めたサードプレイスは、社会学者たちが深い人間関係の構築にとって重要だと考える、繰り返しの偶発的交流を促進する[65]。サードプレイスの気楽な知人は、第一の場所である自宅へと招く人々や、第二の場所である職場の同僚になることもある。実際、チャットや電子メールによる会話を、場所というレンズを通してとらえ直すこともできる。1990年代のチャットルームはサードプレイスだったが、2010年代の一対一または少人数のチャットは、常時プライベートで話をする人々、つまりファーストプレイスに近い。また、電子メールのリストサーブもサードプレイスだったが、電子メールの受信トレイは、今や仕事や正式なコミュニケーションに利用されるセカンドプレイスに近くなった。今では、目的もなく電子メールの受信トレイやチャット・

プラットフォームをうろつくことなんてないからだ。誰か面白い人がいると期待して、わたしたちがこれといった理由もなく開くのは、投稿形式のインターネット・プラットフォームだ。エーテルの世界へと投稿するのは、廊下に頭を突き出して、誰かいないかを確かめるのと似ている。フェイスブックの友達、ツイッターのユーザー、インスタグラムの仲間は、その多くが表面的な知り合いにすぎないけれど、ソーシャルメディアに誰かを招くのは、あなたがうろうろする廊下にその人を誘うのに近い。「わたしはあなたともっと気ままな交流がしたい。どうなるかはあとのお楽しみ」と言うようなものだ。

　とはいえ、オンラインとオフラインのサードプレイスには、重大なちがいもある。わたしの地元のパブ、理髪店、公園は、原則としてみんなに開かれているけれど、現実には、地理的条件と慣習のふたつによって制限を受ける。近くに住む人数やなかに入れる人数は限られているし、わたしは理髪店の顧客層に属しているわけでも、（今では）公園で遊ぶティーンエイジャーの一員でもない。その点、インターネットのサードプレイスにおける唯一の制約は慣習であり、その慣習はいまだに進化の途上だ。時に、インターネットの無限の広がりはすばらしいものがある。どこへ行くにも、友達をポケットにいれて携帯できるし、昼でも夜でも誰かはそこにいる。もはや、空港は非人間的な場所ではなくなり、眠れぬ夜は孤独ではなくなり、どんなに退屈な買い物でさえ、ポケットのなかの友達とのたった1回のやり取りで、とたんに楽しいものへと変わる。

　その一方で、物理的な手がかりの欠如に手を焼くこともある。テーブルを囲んで座ったり、廊下にわたしと一緒に座り込んだりしている十数人の人々は、目に見えるけれど、わたしの投稿の読者は、「0人」から「インターネット上の数十億人」まで、いろんな数を取り

うるし、実際に投稿してみるまで、その数がいくつになるのかは必ずしもわからない。パブやカフェで冗談を言えば、ドン引きされるかもしれないけれど、少なくとも無視されているかどうかはわかる。でも、気のきいた皮肉や、動物の赤ちゃんが跳ね回るかわいらしい動画を投稿しても、100人が画面の前で息をのんだのか、誰にも見向きもされていないのかはわからない。実際に「いいね！」やコメントをもらわないかぎりは。意識的かどうかはともかく、わたしたちのソーシャルメディアへの投稿の多くは、ある種の交流が得られるよう最適化されている。ユーモアを最大限に働かせる言い回しを考えたり、友達の下書きした投稿を掲載したり、コメントを書き込んでもらえるよう特定の人々に向けてメッセージを送ったり、いちばん交流が生まれる時間帯を狙って投稿を行なったり、友達が真空に向かって叫んでいる気分にならないよう、友達の投稿に「いいね！」をして精神的なエールを送ったり。

　2009年初頭、わたしはフェイスブックのステータスに関する小規模な分析を行なったことがある。分析したのは、研究への参加を申し出てくれた友達の最新の10件の投稿だった。わたしは「is...（〜中）」という形式のステータスが減少していることを立証できると思っていたのだが、結果的には、社会的に成功した投稿に、もっと明確なパターンが見つかった。「いいね！」やコメントをもっとも多く集めたステータスは、友達全員にかかわる新しい電話番号の告知のように、必ずしも普遍的な内容のものや、それ単体ですんなりと理解できるものではないことがわかった。むしろ、いちばん人気を集めたのは、一部の明確な集団に訴えかける仲間内の冗談や言及のように、意味がいくぶんあいまいだが不可解すぎない、絶妙なバランスの投稿だったのだ。当時、特に人気を集めたわたしの投稿のひとつは、わたしのフェイスブックの友達のほんの一握り、つまり

同じ言語の授業を受けていた友達にしかわからない言葉で書いたものだった。ところが、その全員が、ときには何回も、わたしの投稿にコメントをくれた。数年後、バズフィードはそれと同じことを大規模に成し遂げた。ある年代またはある場所に生まれた人々にしか理解できない物事について、つい共有したくなる記事を書いたのだ。次章で詳しく考察するミームは、こうした傾向を活かしている。ミームを理解した瞬間、自動的に仲間集団の一員になれるからだ。

　ところが、特定の人々が投稿を見たり理解したりできないようにするとなると、話は複雑になってくる。確かに、アカウントをつくらなかったり、いっさい何も投稿しなかったりすれば、完璧にプライバシーを守ることはできるけれど、それは伝染病が怖いから人には触らないとか、落ちてきたピアノにぶつかってケガをしないよう1歩も家を出ない、というのと同じだ。ほとんどの人々は、生き生きとした人生を送るために、ある程度のプライバシーをなげうつ価値があると考えている。仙人みたいな暮らしを受け入れる代わりに、一定のバランスを取ろうとするのだ。ある研究によると、人々はソーシャルメディアへの投稿とチャット・メッセージとで、共有する情報を区別していることがわかった。趣味や好きなテレビに関する情報は、あまり私的なものではなく、ソーシャルメディアへの投稿で共有しやすいと評価した。一方、不安、悩み、個人的な感情は、仮に共有するとしても、プライベートなメッセージで共有するほうを望んでいた。ただし、政治観や宗教観、出産や結婚などの人生の出来事にまつわるプライバシーに関しては、意見が分かれた [66]。この人はなんでもかんでもさらけ出しすぎる、または秘密主義すぎる、と感じることがあるのは、おそらくそういう意見のちがいが背景にあるのだろう。

　法学部教授のウッドロウ・ハーツォグとテクノロジー研究者のフ

レデリック・D・スタッツマンは、ある法律学の論文で、オンライン情報の多くは、完璧にプライバシーが保たれているわけではなく、むしろ「無名」なのである、と指摘している[67]。つまり、ほとんどの人がわざわざ入手しようとは思わないくらい、アクセスするのが困難、という意味だ。オンラインの無名性につながる要因は4つあるという。ひとつ目は、あなたの投稿が検索一発で見つけられるのか、それとも見つけようと思うと、得体の知れないリンクの痕跡をクリックしてたどっていくしかないのか。ふたつ目は、あなたの投稿を見られるのが、（友情のレベルやパスワードなどによって）特定の人々だけに制限されているのか。3つ目は、あなたは本名で特定できるのか、ハンドルネームでしか特定できないのか、それともまったく特定できないのか。4つ目は、その投稿の意味が、本来なら理解できては困る通りすがりの人でもはっきりと理解できるのか。結局のところ、ある投稿が技術的な意味で全員に公開されているかどうかは、あまり重要ではない。その投稿の存在、投稿者、意味を知る人が誰ひとりいなければ、その無名性ゆえに、プライバシーが実質的に保たれているといっていいのだ。

　オフラインの世界では、技術的には公開されているが、実質的には無名な情報が多い。そのなかには、落書き、掲示板、庭先での不用品セールや迷いネコについて知らせる電柱の広告など、通りかかった人が見る空間に掲示されるメッセージも含まれる。わたしは常々、フランス語が主流だけれどバイリンガルの人々が多い地元、モントリオールで、迷いネコの貼り紙を使った言語地理学の研究をしてみたいと思っていた。特定の言語を話す層をターゲットにしたコンサートや家庭教師の広告ポスターとはちがって、ネコが迷子になった場合、誰かがネコを見つけ、家に届けてくれる確率をなるべく高めたいと思うはずだ。あなた自身がバイリンガルでなくても、

友達に頼んで貼り紙を別の言語にも翻訳してもらったほうがいい、と判断するかもしれない。わたしの疑問はこうだ。バイリンガル地域のうち、フランス語を先、英語をその次に書くのはどこだろう？ 3つ目の言語を載せるのは？　1種類にこだわるのは？　市内の電柱の地図に、そこに貼られた迷いネコの貼り紙の言語をタグづけしていけば、その地域でどんな言語が話されていると考えられているかを示す、壮大な言語マップができあがるだろう。そう、モントリオールの民間言語地図だ。

　しかし、この架空の迷いネコの貼り紙は、ある意味では公開されているが、別の意味では無名だ。アクセスの面からいえば、無名といっていい。せいぜい、その貼り紙を見るのは同じブロックの住人だけだと考えるのが合理的だろう。まちがっても、全国放送のテレビで取り上げられ、ネコを見つけたといういたずら連絡が何百人から来たり、検索可能な迷いネコの貼り紙データベースへと登録され、何十年がたったあとも国際ネコ探しサービスの広告が届きつづけたりする、なんてことはありえないだろう[3]。しかし、内容の面からいえば、迷いネコの貼り紙は明快でなければならない。輪郭のぼやけた毛皮の丸まりではなく、まったく知らない人でも一目でわかるような姿で、ネコを描く必要があるし、ネコを見つけた人が必ずわたしに連絡できるよう、正確な連絡先情報も載せる必要がある。それに、近所の人々がわかると思う（いくつかの）言語で書く必要もあるだろう。

　ソーシャルメディアへの投稿の多くは、その逆が成り立つ。場所の制約を受けないぶん、人々はメッセージを仲間だけに理解できるようにしたいと思っている。無名性を通じたプライバシーは、多くの社会的状況において使える万能ツールだ。エストニアのティーン

---

[3]　この例を考えるに当たって、ネコを実験台にしたとかいうことはいっさいないので、どうか安心してほしい。

エイジャーのとある調査では、ティーンエイジャーが自分の恋の相手にしか理解できない曲の歌詞、台詞、冗談を投稿する様子が観察された [68]。相手がその投稿を見て、反応してくれるのを期待してのことだけれど、何人かのティーンエイジャーいわく、効果は抜群だったという。フェイスブック上の同性愛の若者の調査によると、家族と同性愛者の友達、その両方が見ているプラットフォーム上でうまくやる方法のひとつは、仲間たちにはすぐに理解できるけれど、それ以外の人々には理解できないような、同性愛の大衆文化について言及する、というものだった [69]。テクノロジー研究者のダナ・ボイドは、よりネガティブな文脈でも、暗号化されたメッセージが使われていることを発見した [70]。たとえば、あるティーンエイジャーは、母親を心配させずに、恋人と別れたという悪いニュースを友達に打ち明けたかったので、モンティ・パイソンの曲「Always Look on the Bright Side of Life（いつも人生の明るい面を見よう）」の一節を投稿した。この曲は一見するとハッピーなのだが、文脈的に深い皮肉が込められている。彼女は友達と一緒につい最近この曲が使用された映画『モンティ・パイソン／ライフ・オブ・ブライアン』を観たのだが、母親は知らないだろうと思ったのだ。

　公開と無名との関係をうまく操るもう少しさりげない方法が、「サブツイート（subtweeting、意識下のツイート）」や「ヴェイグブッキング（vaguebooking、あいまいなフェイスブック投稿）」と呼ばれるものだ。直接相手の名前を挙げずに、意味深な投稿をする技術だ。曲の歌詞の投稿はその典型で、いざとなったら、ただこの曲が大好きで頭のなかでぐるぐる回っているから投稿しただけだ、との言い訳が立つ。逆に、「そんなくだらないことにつきあっているヒマなんてねえ」などと率直に投稿したら、どうなるだろう？　事情をまったく知らない人でも、何かドラマが起きているとわかる。ただ、そ

の意味を解釈するための文脈を持ち合わせているのは、一握りの人々だけなのだ。そんなとき、「どうしたの？」とたずねるのは、レストランでケンカしているカップルのあいだに入って、ふたりの関係の詳しい歴史を訊くようなもので、まちがいなく無作法だ。自分自身で考えるか、わからないままにしておくしかないのだ。大学生を対象としたサブツイートの調査によると、遠回しな投稿は、ネガティブな情報を伝える方法としては、問題の相手を直接名指しして批判するよりも、社会的に許容される行動なのだという。たとえば、「陰口を叩いて1日を台無しにしてくれた誰かさんに感謝。ほんと残念な人だよね」という投稿は、一目で遠回しな攻撃だとわかるけれど、当事者を名指しして恥をかかせるよりはよいと考えられているようだ。一方、ポジティブな投稿については、その逆だった。たとえば、「@RyanS、完璧な1日にしてくれてありがとう。最高！」というように、投稿のなかで直接相手の名前を出すほうがよいと考える人が多かった[71]。

　ゴシップ、仲間内の冗談、目の前に隠したメッセージは、ティーンエイジャーやインターネット特有の現象ではない。昔から、人々はコラムニストに偽名で書くようアドバイスしたり、外国人の前でしゃべる言語を変えたり、罵り言葉を和らげたり（gosh hecking darn it▼10）、子どもの前で単語をその綴りで読み上げたり（「Are your kids allowed to have some C-A-K-E？（お子さんはもう C-A-K-E は食べられるの？）」）、巧妙な視覚的表現を用いて反体制的な意見を隠したりしてきた。中国のインターネット上の反体制派たちは、語呂合わせを使うことで特に有名だ。たとえば、「調和」を表わす標準中国語の単語「和谐」（héxié）の代わりに、音が同じで声調だけが異なる「河蟹」（héxiè、直訳で「川に住むカニ」の意）と書くことがある

▼10　god fucking damn it（ちぇっ、こんちくしょう）を似た発音の単語で置き換え、和らげた表現。

72。というのも、「和谐」という単語は、中国語で「検閲」の婉曲表現であり、「和谐社会」（調和の取れた社会）を目指す2004年に提起された表向きの目標に由来するのだ**73**。

　1990年代、ティーンエイジャーたちのメッセンジャーのステータス・メッセージによく見られた曲の歌詞は、もともとあった若者の文化的習慣から直接生まれたものだ。昔から、ティーンエイジャーたちは卒業アルバムのコメントに隠れたメッセージを込めたり▼**11**、当事者の目に入るノートの表紙や机の上に歌詞をいたずら書きしたり、トイレの個室に匿名で遠回しな攻撃の落書きを描いたりしていた。幼い子を持つ親たちは、検索可能なソーシャルメディアの痕跡を残すことなく、ほかの親たちの助けを借りられるよう、自分の子どもに関する投稿に、ニックネームやイニシャルを使うことが多い。まだ同意年齢に達していない子どもに、「子どもっぽい悪ふざけをみんなに共有していい？」と訊くわけにはいかないからだ。その親子を知っている人なら、メッセージを解読できるけれど、将来の雇用主が、顔じゅうにアイスクリームを塗りたくった求人健作さんの20年前の写真を偶然見つけたりすることはないだろう。

　しかし、編み物好きやビデオゲーム好きたちが出会うのに効果絶大なインターネット上のサードプレイスや、不公正な法律や大好きなテレビ番組の打ち切りに対する抗議活動を動員するのに効果絶大な緩やかなつながりは、不幸なことに、ヘイトスピーチ集団が結集するのにも、同じくらい効果絶大だ。2015年、レディットは、ヘイトスピーチと関連性の強いいくつかのサブフォーラムを禁止処分にした。当時は、その効果のほどに大きな疑念もあった。ヘイトスピーチをするコメ主たちは、ほかのサブフォーラムに潜り込んで、また同じ行動を繰り返すだけでは？　しかし、2017年の調査で、

▼11　学校の卒業アルバムの写真とともに掲載される、一人ひとりの一言コメントのこと。

そうでないことが判明した。少なくともレディットの場合、同じサイトの別のコミュニティへと移ったユーザーのヘイトスピーチは、80パーセント以上も減少したのだ。ただし、その他のアカウントは、単純に休眠状態になっただけだった[74]。もしかすると、ヘイトスピーチがまだ許容されている別のサイトへと移っただけなのかもしれない。

　サッカー・ブログのコメント欄における敵意について調べたドイツの研究は、レディットによる禁止処分が有効だった理由の説明になりうるかもしれない。研究者たちは、サッカーのファンたちに、賛否両論のあるサッカーの話題についてのいくつかのブログ記事に、コメントを書くよう求めた。ただし、その記事には前もって6件のコメントがついていた[75]。その6件のコメントが敵意剥き出しで攻撃的な内容だった場合、新しいコメントもそうなった。逆に、思慮深く慎重な内容だった場合、新しいコメントもその流れに従った。コメントが匿名なのか、フェイスブックの実名アカウントと関連づけられているのかは、関係なかった。ソーシャルメディア・サイトに（事実上）公開される投稿を、サードプレイスという観点でとらえると、プラットフォームがその住人に対して果たすべき責任について考えさせられる。地元の店のバーテンダーやバリスタは、ふつうは客たちの会話を邪魔しないけれど、ほかの客の迷惑になっている人々を追い出す権利を持っている。そのことが、店全体をよりよい雰囲気にするのだ。どの人間社会も、集団の行動をおおむね管理するための独自の規範やシステムをつくり上げてきた。それは、インターネットの集団だって例外ではないのだ。

わたしたちは、言語が変化する、少なくとも多少は変化するという考えに慣れている。ある世代の新しいスラングは、別の世代の死語

だし、現在では、シェイクスピアみたいなしゃべり方をする人なんていない。しかし、あまり知られていないのは、マクロレベルの会話の規範は変化してきたし、これからも変化しつづけるということだ。新しいテクノロジーの台頭によって変化することもあれば、根底にあるテクノロジーは実質的に変化していないけれど、社会的文脈が変わることもある。電話は挨拶を変え、スマートフォンは再び挨拶を変えた。ビジネス・コミュニケーションは、文書から電子メール、チャットへと、まる1世紀をかけて少しずつ簡素になっていった。メディアへの投稿は公共圏▼12 と長く複雑な関係を持つ。チャットは多くの人々が使いはじめるにつれて、どんどん親密で会話らしいものになっていった。ビデオチャットはその逆の方向へと転換しつつあるかもしれない。たまたまその場にいる友達とグループ・ビデオチャットができる、「ハウスパーティー」のような「たむろ」アプリの台頭によって、ビデオチャットはサードプレイスでの集まりに近づきつつあるのだ。わたしたちに第一の居場所（ファーストプレイス）、第二の居場所（セカンドプレイス）、第三の居場所（サードプレイス）を与えてくれる場の最新の構成は、ずっと変わってきたし、今後もまた変わるだろうが、ポケットに友達を入れておける魅力が薄れるとは思えない。

　本章の内容は、ほかの章以上に、一時代を切り取ったものにすぎない。この現状にいたるまでの経緯を説明したものであり、決して、ここで話した内容が、絶対に正しいとか、未来永劫（えいごう）ずっと変わらない、と主張するつもりはない。むしろ、本章は謙遜への呼びかけだ。会話の規範が常に流動的で、同じ時代でも人それぞれちがうなら、即断は控えよう、と言いたいのだ。結論に飛びつくのはやめて、相手の意図を明確にするような質問をしよう。わたしたちを当惑させ

▼12　人々が集まってさまざまな意見について議論し、みんなにとっての問題を話し合い、世論形成することのできる社会的なコミュニケーション空間。かつてのイギリスのコーヒーハウスなどが代表例。

るようなコミュニケーションの習慣には、それを使う人々にとって正真正銘の重要な意味があるのだ、と受け入れよう。真に効果的なコミュニケーションは、会話の規範どうしの争いで「勝利」したときに生まれるわけじゃない。怒っていると誤解されないよう、メールではピリオドをぜんぶ省略しなさいとか、固定電話は必ずベルが２回鳴ってから出なさい、と誰かを説得することからは、何も生まれないのだ。効果的なコミュニケーションは、全員がお互いの勝利に手を貸し合ったときにこそ、生まれるものなのだから。

第 7 章

ミームとインターネット文化

Chapter 7

Memes and Internet Culture

あなたが「街」と言うとき、指しているのはどの街だろう？

　この質問は、議論を始めるにはもってこいの方法だ。多くの人は、ロンドン、ニューヨーク、サンフランシスコといった、各地域のいくつかの古典的な中心地を答えるだろう[1]。すでにこうした大都市圏に住んでいる人なら、本当の街は、マンハッタンやシティ・オブ・ロンドン[▼1]のような歴史的市街だと説明するだろう。シカゴ、トロント、ウィニペグ、ノリッジ、デトロイト、ニューオーリンズ、ブリストル、シアトル、バンクーバー、オクラホマシティ、メルボルン、シドニー、ワシントンDCなど、より幅広い地域の中心地を答える人も、少しはいるはずだ[2]。わたしが育ったカナダのノバスコシア州では、「週末、街に出る」といえば、まちがいなく州都ハリファックスに出かけるという意味だと、誰でも知っていた。人によって街の指すものはちがうけれど、頭のなかに答えがある人は、その答えが正しいと確信しているのだ。

　これは、単なる現代の都会人のナルシシズムではない。中世コンスタンティノープルの住民にとっては、自分たちの街こそが「街」だというのは明白だったので、最終的に、コンスタンティノープルはそのことを示す「イスタンブール（*Istanbul*）」へと改称された[3]。インスタンブールは、中期ギリシア語の *stambóli* が変化したもので、口語ギリシア語の *s tan Póli*（in the City、街で）に由来する（「acropolis（アクロポリス[▼2]）」や「Constantinople（コンスタンティノープル）」の *pol* と同じ）。サウジアラビアのメディナはアラビア語で「街」という意味だし、インドのアーンドラ・プラデーシュ州には、テルグ語で「街」を表わすナガラムという地名が少なくとも２つある。

　あなた自身にとっての「街」がないとしても、両手を万歳して「さ

▼1　ロンドンのなかでも、多くの金融ビジネスが集中している中心部のことで、単に「シティ」ともいう。
▼2　古代ギリシアにおけるポリス（都市国家）の中核となった、要塞化された丘。

あ。街ってのは、いちばん近くの都市のことじゃないですか？」と
とぼけたとしても、旅行客が、あなたの地元の名所旧跡や通りの名
前をまちがえれば、すぐに気づくだろう。意見が分かれるのは、「街」
の定義だけではない。たとえば、どこを「故郷」と呼ぶかについて
も、あなたとわたしで答えがちがう。でも、だからといって言い争
いに発展したりはしない。故郷というのは当然ながら個人的なもの
で、そうでないと言い張るのは、あなたが「ここ」だと言った場所
を、わたしから見て「そこ」でしょ、と文句をつけるようなものだ。
ところが、街、名所、地域というのは、個人的なものであると同時
に、文化的なものでもある。これらについてどう話すかで、その人
がどこに帰属しているかがわかる。

　インターネットの場合も、何がインターネット文化に属するかと
いう問題は、どの街が「街」なのかの問題と同じくらい、人々をヒー
トアップさせる（そのことは、膨大な量の個人的調査を通じて実証済み。証
人は、パーティー好きのわたし）。オンラインで何かを書くとき、わた
したちは孤立した状態でそうするわけではない。リミックスする。
共通の文化に言及する。自分の言ったことを理解してくれる部内者
と、理解してくれない部外者を線引きする。

　ただ、ひとつだけわかっているのは、インターネット文化につい
てほんの１分でも話し合えば、必ずミームという言葉が出てくるこ
とだ。

ミームは死んだ

進化生物学者のリチャード・ドーキンスは、1976年にミーム
（meme）という概念を提唱したとき、遺伝子（gene）の概念的なバー

ジョンという意味で使っていた[4]。（茶色の目などの）遺伝子が、性選択や肉体的な適応度に応じて広がっていくのと同じように、ミーム（地球は太陽のまわりを回っているという概念など）は、社会選択や概念的な適応度に応じて広まっていく。彼はまず、「模倣されたもの」を示す古代ギリシア語の μίμημα から mimeme という単語をつくり、「gene」とうまく対になるよう短縮した。しかし、ドーキンスは、インターネット文化について何かを述べたわけではなかった。彼の思いとは裏腹に、ミームが社会学研究の比較的無名な概念でありつづけたとしても、おかしくはなかった。

　「ミーム」という単語が、今のわたしたちが知るインターネット関連の定義[▼3]へと拡張されたのは、何をインターネット文化の一部とみなすべきで、何をみなすべきでないかという疑問と直接かかわっていた。1990年、マイク・ゴドウィンという法律家は、ユーズネット上の議論が必ず、最終的にはヒトラーへの大げさなたとえに行き着くことに、苛立ちを覚えていた（「誰かが『ミレニアル』という単語をすべて『ヘビ人間』に変更する拡張機能をつくったって？[▼4]検閲だ！　これが検閲でなくてなんだというんだ！？」[5]）。対抗策として、ゴドウィンは、この現象を表わす名前をつくり、みんなにこの概念を広めてもらおうと考えた。「私は不当なナチスへのたとえを見かけたニュースグループやスレッドに、『ゴドウィンの法則』[▼5]という用語の種を蒔いていった。驚いたことに、たちまちほかの人々がこの用語を引用しはじめた。対抗的なミーム[▼6]がみずから繁殖を

[▼3]　インターネットを通じて、人から人へと広がっていく文化、行動、コンセプトのことを、インターネット・ミームという。特に、少しずつ改変されながら、コピーされてオンライン上に広まったユーモラスな画像や動画を示すことが多い。
[▼4]　頻発する「ミレニアル」という言葉にうんざりしている人々のため、ウェブページ上の「ミレニアル（millennials）」という単語を「ヘビ人間（snake people）」に置き換えてくれる、グーグル・クロームのユーモラスな拡張機能。
[▼5]　ネット上で議論が長引くと、必ずナチスやヒトラーへのたとえを持ち出して反論する人が出てくるという法則。
[▼6]　「ナチスへのたとえ」というミームを抑制するためにゴドウィンが考案したミームのことを指す。

始めたんだ」。数年後、彼は『ワイアード』誌の記事でこの実験について説明する際、ドーキンスの用語を使って、自身の行なったことを説明した⁶。こうして、インターネットの文脈における「ミーム」という用語を、『ワイアード』の読者に知らしめたのだ。

　「ミーム」という単語の種は、大規模な文化的破壊の直前に蒔かれた。ユーズネットの初期の時代、9月は1年で最悪の時期として恐れられていた。毎年9月といえば、大量の新規ユーザー、つまり大学を通じて初めてインターネット・アクセスを手に入れた学生たちがなだれ込んでくる時期で▼⁷、周囲の常連たちが、適切なネチケットを教えてやる必要があった。ところが、1993年9月、すべてが一変した。AOLがインターネット接続用のCDを郵送で配布しはじめた結果▼⁸、ウェンディ・グロスマンの著書『Net.wars（未）』によると、たった1年で「100万人のユーザーがネットへと解き放たれた」のだという。「それは、ネットが吸収することを強いられた1回の新規ユーザーの数としては当時最大だった」。既存のネット民は、こうして流入した新規ユーザーに十分な教育を施すことができず、その結果に不満を持ち、以来、この期間を「永遠の9月」と呼ぶようになった⁷。

　この対抗的なミームという手法は、今やゴドウィンが思い描いた崇高な活動とは程遠いものになってしまったが、ミームという概念（正確にいうなら、ミームのミーム）は、まちがいなく広がり、オンラインを変容させた。インターネット的な意味のミームは、単なる人気のモノ、爆発的に広まる動画、画像、フレーズを指すわけではない。何度ものつくり直しや組み換えを経ながら広がっていく、インター

▼7　欧米の多くの国では9月が新学期。
▼8　AOLはマーケティング・キャンペーンの一環として、1993年から2006年までのあいだに、ダイレクトメール、雑誌の付録、レンタルビデオ店等を通じて、接続ソフトウェアの入ったCDを推定10億枚以上、無料配布した。その多くがごみ箱行きとなり、社会問題となった。

ネット文化の原子なのだ。たとえば、「地球は太陽のまわりを回っている」という概念を、わたしなりの言葉で表現し、ドーキンス的な意味で広げることはできるけれど、それがインターネット・ミームたるためには、多くの人々がつくり直していく必要がある。たとえば、世界じゅうの人々が自分自身で踊る動画を投稿せずにはいられないような、笑っちゃうくらいお間抜けな「太陽系ダンス」を発明したり、太陽系の全惑星にカナダ風の名前（「カナダ・メジャー」「赤いカナダ」「女性がひとりもいないカナダ」「完全に惑星のカナダ」など）をつける荒削りな芸術を、自分で改良したりするのだ●1。ミームの例をいくつか見れば、共通点がわかり、自分でつくってみることもできる。ミーム文化に精通したら、当然、次なるステップは、いくつかの有名なミームを組み合わせることだ。

　奇妙な文化的創造物が、それをまねようとする人々全体を通じて広まっていく現象は、インターネット誕生前から存在する[8]。メディア研究者のリモール・シフマンは、著書『Memes in Digital Culture（未）』で、インターネット以前のミームの例として、「キルロイ参上」を挙げている（鼻の大きな男が壁の向こうからこちらをのぞき込んでいるところを描いた落書きで、第二次世界大戦中に流行った）。新しいのは、「ミーム」という名称に、インターネット上で巻き起こる文化的な複製という概念が関連づけられたことだ。ゴドウィンの法則や永遠の９月までさかのぼると、ミームの創造や共有とは、何がインターネットの一部で何が一部でないのかを規制することと等しかった。しかし、それは、インターネットのさまざまな側面、特に文化的な流暢性と技術的な流暢性との関係が変化するにつれ、難しくなった。第一の波のインターネット人たちが、プログラミン

●1　ダンスはわたしの知るかぎり実在しないけれど、カナダ風の惑星のミームは実在する。imgur.com/gallery/gsMqxpq にアクセスするか、「Canada a bit to the left meme（「少し左のカナダ」ミーム）」と検索してみてほしい。

グ用語の知識とインターネット・スラングの知識を同一視していた
のと同じように、初期のミーム創造者たちは、ミームをつくるのに
必要な技術的ツールの知識と、ミームが適合するサブカルチャーの
理解に、一定の関係があると思っていた。ミームの創造が簡単にな
りすぎると、ミーム創造の文化そのものが希釈されてしまうのでは
ないか、と心配していたのだ。

　ミーム創造を簡易化するツールのひとつが、マクロだった。今で
こそ、「イメージ・マクロ」▼9 は「イメージ・ミーム」と同じ意味
になったけれど、マクロはもともと、大量のファイル名の一括変更
など、大規模なタスクをコンピューターにさせるのに使われる短い
コマンドのことを指していた。2000年代前半、電子掲示板「サム
シング・オーフル」で、コメントに画像を手早く追加するのに使わ
れたのがマクロだった。同じ画像を毎回アップロードし直す代わり
に、たとえば [img-blownaway] と入力するだけで、すべて大文
字で薄い青緑色の「I'm blown away!（おったまげた！）」という文
字が入った画像を呼び出せる⁹。マクロを使って画像を投稿しやす
くすることには、当初から、部内者と部外者の関係性が絡んでいた。
サムシング・オーフルの歴史によると、掲示板の管理人は、繰り返
しの画像がどれだけ迷惑かを証明するため、イメージ・マクロ機能を
作成したのだった。ところが、人々はそうした画像を気に入った。さ
らなるマクロは、いっそう人気のミームを生み出した。そう、「lolcat
（面白ネコ）」だ。2005年、匿名掲示板「4chan」のユーザーたちが、
土曜日のネコのお祝い、その名も「Caturday（ネコの土曜日）」▼10 と
称して、恍惚の表情を浮かべるネコの写真に文字を重ね合わせたも
のを共有するようになった¹⁰。やがて、この「ロルキャット」現象は、

▼9　文字を重ね合わせた写真や画像のミーム。
▼10　Cat（ネコ）と Saturday（土曜日）を組み合わせた造語。土曜日に、ネコの面白い画像を投稿したことから。

学術誌から『タイム』誌まで、あらゆる記事を賑わせるようになる
11。初期のミームと同様、最初のロルキャットには、フォトショッ
プやマイクロソフト・ペイントなどのグラフィック・ソフトを使っ
て、手動で文字が追加されていた **12**。

ボクは真面目なネコにゃん。
これは真面目なスレッドなのにゃん。

見えない自転車

チーズバーガーくれにゃい？

クッキーつくってあげたんだけど……
食べちゃった。

ロルキャットの人気が高まるにつれて、2種類目の時短マクロが広まった。別個のソフトに画像をいったんダウンロードするよりもずっと早く、ベースとなる画像に、自動で文字を配置してくれるマクロだ。こうしたミーム作成サイトは、ミームの一貫したデザインを広める役割を果たした[13]。大文字表記に、黒の縁取り、そして白の Impact フォントだ。これは、背景がどんな色や模様であっても目立ちやすいという点で、自動キャプション生成における見事なイノベーションといえるだろう。

　一方で、ロルキャットの作成が簡単になったことは、物議を醸した。それまで、画像上に文字を重ねるには、画像編集ソフトウェアに関する一定の技術的知識が必要だった。それが、今では簡単になった。一部の「部内者」に言わせれば、過剰なくらい簡単に。テクノロジー研究者のケイト・ミルトナーは、2000年代終盤におけるこの2種類のロルキャット・ファンのあいだの分裂について、克明にまとめている[14]。自称「ミーム・マニア」たちは、4chan に投稿されていたような初期のロルキャットが好きだったが、ロルキャットが人気になり、簡単に作成できるようになると、「アドバイス・アニマル」▼11 のようなほかのミームへと移っていった。一方、自称「チーズ・フレンズ」たちは、ウェブサイト「アイ・キャン・ハズ・チーズバーガー？」▼12 に集まる傾向があり、ミームを作成する技術的なスキルというよりは、様式化されたロルキャット語▼13 自体を流暢に操るスキルを通じて、コミュニティへの帰属意識を示した。とりわけ、「アイ・キャン・ハズ・チーズバーガー？」のロルキャット・フォーラムへの投稿者たちは、しばしばお互いへのメッセージ

▼11　いかにもその動物や人間が言いそうな格言や台詞がついた、動物や人間の写真。たとえば、犬の写真に、「キノコを食べなさい。マリオだってそれで大きくなったんだから」など。背景は、カラフルな風車に似た模様であることが多い。
▼12　ロルキャットなどの動物画像を掲載するブログ形式のウェブサイト。
▼13　文法的に正しくない英語で構成されていて、幼児語や地方訛りを模した、ロルキャット特有の言葉。

をすべてロルキャット語で書いた。手がかりとなるネコ画像なんて
なくても、言葉遣いだけで、にわかファンと真のチーズ・フレンズ
を簡単に見分けられたからだ。

　掲示板「アイ・キャン・ハズ・チーズバーガー？」の古い投稿を紹
介する代わりに、ロルキャットのなかでも、査読済みの文章にいち
ばん近いものを見てみよう。それは、聖書のロルキャット語版だ [15]。
数人の執筆者が寄稿や投票を行ない、ウィキ上で共同執筆した。で
は、ロルキャット語版『創世記』の一節をご覧に入れよう。冒頭だ
けあって、かなりの編集が加えられたようだ [2]。

Oh hai. In teh beginnin Ceiling Cat maded teh skiez An
da Urfs, but he did not eated dem.
（おお、ハーイ。はじめに天井ネコは天と地とを創造された。しかし、そ
れを食べられにゃかった。）

Da Urfs no had shapez An haded dark face, An Ceiling
Cat rode invisible bike over teh waterz.
（地は形にゃく、やみが淵のおもてにあり、天井ネコは水のおもてで見え
ざる自転車に乗られた。）

At start, no has lyte. An Ceiling Cat sayz, i can haz lite?
An lite wuz.
（はじめ、光にゃき。天井ネコは「光くれにゃい？」と言われた。すると
光があった。）

An Ceiling Cat sawed teh lite, to seez stuffs, An splitted

●2　全文は lolcatbible.com で閲覧可能だが、大意をつかめるよう紹介しておくと、神は天井ネコ、悪魔は地下ネコ、
イエスはハッピー・キャット、そして多くの場合、天幕はソファと訳されている。

teh lite from dark but taht wuz ok cuz kittehs can see in teh dark An not tripz over nethin.

（天井ネコはその光を見て、さまざまにゃものを見て、その光とやみとを分けられたが、ネコはやみのにゃかでも目が見え、何物(にゃにもの)にもつまずくことはにゃいので、良しとされた。）

An Ceiling Cat sayed light Day An dark no Day. It were FURST!!!1

（天井ネコは光を昼と名(にゃ)づけ、やみを夜と名づけられた。第1日!!!1）

このなかのほとんどの単語が、なんらかの元ネタを参照している。「Oh hai（おぉ、ハーイ）」は、あるロルキャット・ミームに由来する。「teh（←the）」は、初期のインターネット・スラング。「Ceiling Cat（天井ネコ）」は、別のミームに登場する具体的なネコのことだ。「maded（つくった）」と「eated（食べた）」は、先ほど見た「I made you a cookie but I eated it（クッキーつくってあげたんだけど食べちゃった）」ミームからのものだ。「FURST（←FIRST）」と「!!!1」は、インターネット・スラングのひとつ。それに加えて、言うまでもなく、出典である聖書への参照もある。しかし、このように、読み手に対して説明のなされている濃密な参照の数々があるというのは、ひとつも知識のない専門的分野のウィキペディア記事を読むのと同じくらい楽しい。知らない単語の参照元をすべてクリックし終えるころには、元のトピックに興味を持った理由なんてすっかり忘れてしまっている。一方で、濃密な参照の数々を作成するのは、あるいは参照元を見て理解するのは、純粋な喜びでもある。まるで、故郷から遠く離れた地でばったりと同郷の人間に会うようなものだ。故郷の名所旧跡について会話を交わすだけで、一気に親近

感が湧いてくる。ミームの魅力とは、自分が部内者たちのコミュニティに属しているという感覚にこそあるのだ。

　このコミュニティはずっと巨大になろうとしていた。ロルキャット・ミームの末期に乱立したミーム生成ウェブサイトは、2008年から2014年にかけて、新種の動物ミームを次々ともたらした。次の「アドバイス・アニマル」ミームは、中央にステレオタイプな定番キャラクター（人間または動物）が描かれていて、そのキャラクターの行動や独り言が、必ず黒い縁取りのされた白いImpactフォントの文字で、上下2段にわたって書かれている。その定番の画像は、特に初期の例では、カラフルな風車模様の中央に顔だけを切り取って配置したものが多く、あとになると写真全体のケースが多くなった。たとえば、画像左の「哲学ラプトル（Philosoraptor）」は、仮定的な疑問について考えるヴェロキラプトルの絵だし、右の「ろくでなしスティーヴ（Scumbag Steve）」は、独特の柄の帽子をかぶり、無責任な行動や悪徳な行動を取る男子学生の完全写真だ。そして、おなじみの「グランピー・キャット（Grumpy Cat、不機嫌なネコ）」は、独特の不機嫌な表情をしたネコだ。

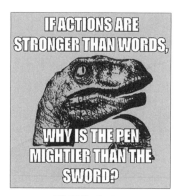

行動が言葉に勝るなら、
なぜにペンは剣よりも強いのか？

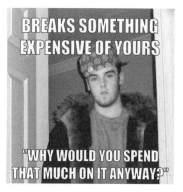

お前の高級な品物を壊しちまった
「だいたい、なんでこんなもんに金をかけるんだよ？」

アドバイス・アニマルが面白いのは、ミームという空間を民主化し、断片化したことだ。ロルキャット・ミームは、多少なりとも統一された言語について言及し、「oh hai（おお、ハーイ）」「I can has（〜くれない？）」「k thx bai（了解、ありがと、じゃ）」といった単一のネコ文法に基づいていた。だが、アドバイス・アニマルは自由だった。さまざまなサブグループが各々のレベルで参加するタイプのミームだったのだ。なかには、言語的に定式化されたものもあった。「オーマーガード（ermahgerd）」バージョンは、「oh my god」→「ermahgerd」のように、すべての母音を「er」で置き換えるというものだし▼14、「ライアン・ゴズリング」▼15 ミームは、必ず「hey girl（やあ、お嬢さん）」で始まる。しかし、多くのものは、左頁のふたつのように、画像の上に2段構成のキャプションという形式をしていなければ、なんの変哲もなかった。事実、ミーム自体が誕生する前から存在していたキャプションもある。たとえば、先ほどのペンと剣、行動と言葉に関する疑問は、ミームが誕生するずっと前からあったものだ 16。

　この民主化の影響で、アドバイス・アニマルは、非常に有名なものからまったく無名なものまで多種多様になった。わたしが左頁で「哲学ラプトル」と「ろくでなしスティーヴ」のミームを例として選んだのは、ミーム好きな人なら聞いたことくらいはあると思ったからだけれど、残りの大半のミームは、たったひとつのコミュニティでしか流行っていなかった。たとえば、「言語学者ラマ（Linguist Llama）」は、言語学者のなかだけで（超）人気のミームだけれど、「美術学生フクロウ（Art Student Owl）」や「歴史学専攻の野獣の紋

▼14　児童向けホラー小説の『グースバンプス』シリーズの3冊の本を扇状に広げ、得意げな顔をしている少女の写真に、「Gersberms / Mah fravrit berks（← Goosebumps / My favorite books、グースバーブス／あたいのだーすきな本ざまーす）」というキャプションをつけた画像がレディットに投稿されたことがきっかけで爆発的に流行ったミーム。
▼15　カナダ人の俳優。「イケメン俳優」として紹介されることが多い。

章（History Major Heraldic Beast）」ミーム（「君は本物のゴス系とはいえない／ローマを略奪するまでは」▼16）のように、学術的なテーマに基づくアドバイス・アニマルの中規模なトレンドに併合された。また、たったひとつの友達グループのなかでしか広まっていないミームもあった。たとえば、完全無名の「言語学者キンムツ（Linguist Lingcod）」ミームは、キンムツという名前の魚が実在するという事実に基づいて、わたしが2011年に友達と一緒につくったものだ。楽しかったけれど、言語学コミュニティのなかでさえ鳴かず飛ばずだった。その理由はいくつかあった。キンムツという魚の名前を聞いたことのある人が、ほとんどいなかったこと。聞いたことがあるとしても、わたしたちの恐ろしげな魚の写真が、そのキンムツだと理解できる人がいなかったこと。わたしたちのキャプションが、同じ経験をした人以外には面白くもなんともなかったこと。そして、そのミームを広めてくれる言語学者の知り合いが十分にいなかったことだ。

　わたしたちのキンムツ・ミームは大失敗に終わったとはいえ、わたしにとっては重要な節目になった。それまで、わたしはロルキャットを目にしていたし、「一連の質問に答えて、何人かの友達にも同じことをしてもらう」▼17といった、テキストベースのミームに参加したこともあった。でも、画像ミームを作成しようとしている人がいても、そのことを教えてくれたりはしなかった。ロルキャットは、あくまでもインターネット上の「向こう側」にいる人々がつくっているもので、わたしが参加しようと思えば、そうしたミームの言語をまねるしかなかった。その点、アドバイス・アニマルは、わたしのオフラインの知り合いたちが実際にその一部をつくっていた、

▼16　goth（ゴス・ファッションを好む人）と、ローマ略奪を繰り返したgoth（ゴート族）とをかけている。
▼17　「出会った場所は？」「第一印象は？」などの質問に、友達どうしで答えて親友度をテストするというもの。

最初のミームだった。振り返ってみると、それは、ミームの大規模な変化の一部だった。ミームは、赤の他人と交流するためにオンラインへとアクセスする旧インターネット人の専有物から、知り合いと交流するためにオンラインへとアクセスする正インターネット人のものへと変わったのだ。2008年に始まったインターネット文化会議「ROFLCon」の主催者たちもまた、オンライン文化とオフライン文化との関係性の変化に頭を悩ませた結果、2012年の会議を最終回とすることを決めた **17**。クリエーターのティム・ホワンとクリスティーナ・シュウはこう説明した。「2012年、グランピー・キャットの代理人と電話したら、『このネコにはエージェントがいるもので』と言われた。この事実だけをもってしても、インターネット文化という領域が、4年間で激変してしまったことを非常に強く示していたと思う」

　その次に、わたしが参加型のミーム世界に足を踏み入れると、インターネット文化と非インターネット文化の境界は、いっそうあいまいになった。2012年初頭、競技ディベートの世界で何年も活動を続けていたわたしは、ある日の夜遅く、本当の意味で世の中に必要なのは、ディベート用語とライアン・ゴズリングの「やあ、お嬢さん」ミームとの融合なのだと思った。わたしはいくつかの例をつくり、何人かのディベート仲間にリンクを送信し、寝床についた。翌朝、目を覚ますと、数十件のメッセージが届き、わたしの生まれたてのミーム・ブログに数千件のアクセスが押し寄せていた。わたしの知らない人たちから、オリジナルのミームが送られてきたのだ！　それはゾクゾクするような体験だったけれど、刹那の出来事でもあった。週末のディベート・トーナメントの最中、わたしはその（超マニアックな）世界でいちばん輝いている人間だとさえ感じたけれど、10日もすると、ブログの更新を完全にやめてしまっ

た。それでもわたしがこの例を持ち出したのは、それが仲間内の冗談の強力さを示す完璧な物差しになると思ったからだ。そのブログは、わたしの個人的な知り合いの1、2段階先まで広まるくらい一般的なものだったが、それ以上先までは広まらないくらい内輪的なものだった。実際、過去のブログをあさり、例として挙げられそうなミームを探してみたけれど、どれも少なくともまるまる1段落くらいの背景知識がないと理解できないものばかりだった。それでも、その面白さはまだまったく色褪せていなかった。そのディベート・ミームの面白さは、たぶん数百人程度にしか伝わらないものだったし、その半数はわたしのオフラインの知り合いだったけれど、その数少ない人々はまちがいなく、心の底から理解してもらえた気持ちになっていた。

その1年後、インターネットで過ごす時間はますます増えていた。それは、修士論文の執筆に追われていたわたしにとって、欠かせない気晴らしであったといっていい。当時、新しい画像ミームのスタイルが登場しはじめていた。黒い縁取りの白いImpactフォントで設定とオチが書かれている、2段構成のミームに代わって、Comic Sansフォントの短いフレーズが、丸顔の犬の写真のまわりにちりばめられているミームが人気を集めていたのだ。それも、うれしいことに、独特な新しい文法を使って。わたしは頭のなかで分析を始め、修士論文が受理され次第、この新しいミームの説明を書こうと誓った。これは日本人幼稚園教諭の佐藤敦子氏の柴犬の写真をもとにした、「ドージ（doge）」と呼ばれるミームで[18]、わたしはとうとう2014年に、今はなき幅広いテーマのウェブサイト「ザ・トースト（The Toast）」上で、その言語学的な分析を記した[19]。ドージは、画像上にちりばめられた独白スタイルのキャプションを使っ

て成功を収めた、いくつかのミームのひとつで、第4章で紹介したミニマル・タイポグラフィを用いている。その後の例が「スネック（snek）」ミームだ。スネックは、複数のヘビの写真で構成されていて、「heck」のような柔らかい罵り言葉や、「doing you a［動詞］」といったフレーズが特徴だ。

わたしは喜びを爆発させるのをどうにかこらえながら、時間も忘れてドージの記事を書いた。またしても、人々はわたしと喜びを共有してくれた。ただし今回、「インターネット文化の学術的分析を楽しむ人々」の集団は、「カナダの大学対抗ディベート協会の仲間内の冗談を理解している人々」の集団よりも大きかった●3。数日後、わたしはBBCでドージについての話をしたし、数年がたった今でも、その記事のファンから声が届くことがある。

　言語学者キンムツ・ミームの作成、ライアン・ゴズリング・ミームに関するディベート、ドージ・ミームの文法は、何がちがったのだろう？　わたしの心理状態ではなかった。ミームの作成体験とミームの分析体験は、わたしの心の内側から見れば、ほとんど同じだった。何かを書くという行為が本当にうまくいっているときに感じる、ある種の熱狂状態だ（多くの点で、ミームの分析が持つ逆らいがたい魅力は、それ自体がミームといえる。それは学術文化とインターネット文化の規範を融合するミームなのだ）。また、両者のちがいは、ミームに対するまわりの反応でもなかった。わたしの短命に終わった2012年のミーム・ブログは、特定のサブコミュニティに強く訴えかけようとする人々がつくる、何百万という名も知れぬインターネット界のマッシュアップ・コンテンツのひとつにすぎないだろう。火のついたミームが特別だったのは、仲間内の冗談そのものではなく、その規模だった。仲間内の冗談が四六時中生まれ、配信コストがゼロである世界では、時にそのうちのほんの一部が大ヒットする。それは、その仲間集団というのが、「インターネットを使うすべての人々」「このネコが本当に不機嫌に見えると思う人々」「大流行したひとつ前の仲間内の冗談を目にしたことのある人々」というように、ものす

●3　カナダ首相のジャスティン・トルドーが、かつて後者の集団に属していたにもかかわらず。彼が前者の集団に属していたかどうかは、わたしにはわからないけれど。

ごく巨大だからなのだ。インターネット文化自体に基づくミームの最大のメリットは、インターネットをひとつにするという点だ。一方のデメリットは、部内者と部外者を強制的に線引きしてしまうという点だ。

　インターネットが、ドージを中心としてつかの間の結束を見せたのとは裏腹に、ミームの世界はいっそう分断していった。アドバイス・アニマルは、ミーム生成サイトが生み出したものだが、それと同時に、ミーム生成サイトは、そうしてつくられたミームをホストしていたので、直接サイトを閲覧していれば、いくらでもミームをつくりつづけることができた。ドージとスネックは、画像へのカスタムなラベルづけという追加の利点のおかげで、その一貫した外観を失い、もはやミーム生成サイトによって広められなくなった。当然、こうした状況に、当時ミームについての論文を執筆していたふたりの博士課程の学生は震え上がった。ふたりはその後の著書で、論文が発表される前にミームが廃れてしまうことへの恐れと向き合った。ライアン・ミルナーは、ミームに関する著書でこう述べている。「わたしにとっての審判の時もまた、2014年にやってきた。わたしの博士論文について、ある学生と話し合っていたときのこと。『ああ、ミームってありましたよね』とその大学2年生が言った。『高校時代に大流行したのを覚えてます。3年生のころだったかな』。わたしの2年がかりの論文が、今ではすっかり廃れたコミュニケーション・ジャンルに関する歴史的分析になったしまったと考えると、言い知れぬ不安が湧き上がってきた」[20]。ホイットニー・フィリップスは、インターネット上の荒らしに関する著書で、似たような変化について述べ、その原因のひとつとして、ミーム界のアーバン・ディクショナリー的なウェブサイト「ノウ・ユア・ミーム（Know Your Meme）」の台頭を

挙げた。「ノウ・ユア・ミームは初心者を念頭に置いて書かれており、インターネットでもっとも人気の参加型コンテンツであるミームについて、詳細な、そして冷淡とさえいえる説明を載せている。このサイトは、それまで経験者だけに制限されていた空間を民主化したのだ」[21]

　しかし、ミームの物語はこれで終わらない。2016年のアメリカ大統領選挙の最中、ミームは、忌々しい信念に魅力的なまでの皮肉をつけ加える手段として、いまだかつてない人気を見せたのだ。この現象は、『USA トゥデイ』紙や『ガーディアン』紙といった主流メディアから、政治的なミームに関する深刻な論説を引き出した[22]。2016年のアメリカ大統領選挙に関する「ノウ・ユア・ミーム」のエントリーは、それまでの2回の大統領選挙のときよりもはるかに充実し[23]、ヒラリー・クリントンの公式サイトは、「カエルのペペ」ミームが白人至上主義と結びついてしまった理由▼18について、正式な声明を出すに至った[24]。ゴドウィンの法則の提唱者であるマイク・ゴドウィンは、黙っていられなかった。ゴドウィンの法則は、あくまでもホロコーストへの「軽薄」なたとえに対してのみ成り立つのであって、正真正銘のたとえに対しては成り立たない、と彼は主張し、こうツイートした。「こういうバカ者たちはどんどんナチスにたとえたらいい。何度でも。わたしは味方だ」[25]。それと同じころ、連日新たな恐怖で満ちていっているように見えたソーシャルメディア・フィードを、かわいらしいワンコたちの「健全」なミームが再び生き返らせていた[26]。

2017年、ニュースサイト「マイク（Mic）」は、ある記事で、アメ

▼18　カエルのペペは、マット・フューリーの漫画『ボーイズ・クラブ』に登場するカエルのキャラクターだが、2015年ごろから掲示板 4chan で白人至上主義的な投稿に悪用されるようになり、フューリーがイメージ回復運動を起こすも実らず、作者自身がやむなくペペを漫画中で死去させる結果になった。

リカの一流大学の入学生に見られる傾向を報じた。学生たちは、大学専用のフェイスブック・ページで、学生仲間と絆を築く手段として、または入学前に友達をつくる手段として、ミームの作成や共有に励んでいたのだ。入学希望者のなかには、大学のミームの質で、その大学に進学するかどうかを判断する者もいるほどだった。「MIT Memes for Intellectual Beings and Spicy Memelords（知的な人間およびホットなミームの作り手のためのマサチューセッツ工科大学ミーム・グループ）」の創設者で、当時18歳だったブランドン・エプスタインは、こう話す。「ミーム文化に誰より没頭してきたのは、僕たちの年代だ。昨年の新入生が新入生になったとき、ミームは今のように文化的な一枚岩ではなかった。僕たちが高校生のころに、ミームが本当の意味で主流になったことを考えると、僕たち世代のほうがミームに大きな注目を寄せていると思う」27

　一見すると、この指摘は矛盾しているように思える。2014年にミームが死んだと主張した大学生と、その3年後、1年上の先輩が本当の意味ではミームを理解していないと主張する大学生。これはいったいどういうことなのだろう？　揚げ足を取らせてもらうなら、どちらの学生も、2007年にロルキャット・ミームがピークを迎えたころには、まだ子どもだったし、1990年にマイク・ゴドウィンがユーズネットで反ナチスのミームの種を蒔きはじめたころには、まだ生まれてさえいなかったはずなのだが。

　ミームをひとつの統一的な現象だと考えると、筋が通らない。確かに、ロルキャットやゴドウィンの法則は、今や過去のミームとなったけれど、そのあいだも、リミックスされた数々の種類の画像、テキスト、動画がまちがいなく共有されていた。実際、その間にも、新しい画像ミームのカテゴリーが誕生していた。ロルキャットやスネックといった動物に基づくミームは、画像にテキストを

重ね合わせ、その動物の心の声を表現していたが、新種のミーム
は、なんらかの形で関連し合っている画像内のモノにテキストを重
ね合わせた [28]。たとえば、「ほかの女に目がいった彼氏（Distracted
Boyfriend）」ミームでは、すれ違った女性に気を取られている彼氏
を、彼女が呆れた様子で見つめている写真に、ラベルがつけられて
いる。「銀河脳（Galaxy Brain）」ミームでは、ネオンのような光を
放つ一連の脳の図式に、それぞれラベルがついている。こうした活
動の真っ盛りに、いつミームが死ぬヒマなんてあるだろう？

　しかし、ミームを、インターネット文化に対するひとつの権利の
主張と考えると、全体像がより鮮明になる。ミームは定期的に、そ
の創始者集団から離れていく。そのミームは、その創始者集団にとっ
て見れば、本当に死んだのだ。しかし、インターネット文化を築く
人々がいるかぎり、別の形式を携えた別の集団が現われ、「ミーム」
というマントをかぶる。こうして、ミームは再び、正インターネッ
ト人から、インターネットなしの生活を知らない人々、つまり後イ
ンターネット人の手へと移った。

　そう、ミームは死んだのではない。生まれ変わったのだ。

ミームよ、千代に

わたしの家の壁に、ミームの刺繍が飾ってある。そこには、手を広
げる小作農の姿とともに、「BEHOLD THE FIELD IN WHICH I
GROW MY FVCKS. LAY THINE EYES VPON IT AND THOV
SHALT SEE THAT IT IS BARREN.（ご覧ください、わたくしめが
FUCK を栽培しているこの畑を。この畑に目を留めなされば、そこが不毛なる
ことがおわかりいただけるでしょう。）」という古めかしい文字が刺繍さ

れている▼19。この刺繍は、あるミーム生成サイトでつくられた同じ文言のインターネット・ミームに基づいている。そのサイトは、生地風の背景に刺繍っぽい文字を重ね、ユーザーの入力した言葉をバイユーのタペストリー▼20 のイミテーションへと変えるのだ。

　このミームは、インターネット文化の産物であると同時に、今から1000年近く前、ノルマン・コンクエストの時期までさかのぼるイギリス文化の産物でもある。この70メートル近いバイユーのタペストリーを刺繍した無名の女性たちもまた、画像と言葉を組み合わせ、定番のキャラクター（口ひげを蓄えたアングロサクソン人と、ひげを剃ったノルマン人）を加え、当時の最新の出来事を具体化し、神話化した（アングロサクソン系の最後の王、ハロルド・ゴドウィンソンが、ヘイスティングズの戦いで目を射貫かれて死んだというわたしたちのイメージは、このタペストリーに基づく）29。後世、バイユーのタペストリーは、その多くが刺繍によって何度かリメークされている。ビクトリア時代にはリーク刺繍協会のメンバーによって原寸大のコピーがつくられたし30、2017年には、テレビドラマ『ゲーム・オブ・スローンズ』のタペストリーが北アイルランドで披露された31。

　先ほどのミームは、ある種の定型的な言語も用いている。「thou（汝）」の「u」を「v」に見えるようにしたり、「barren（不毛）」という語彙を使ったりすることで（元のタペストリーはラテン語で書かれていたが）、インターネット・スラングではなく、「古めかしい英語」に対する英語話者の共通の理解に基づき、独創的な歪みを生み出しているのだ。

　わたしの家のタペストリーは、わたしのオリジナル作品だなんて

▼19　英語の「I don't give a fuck（知ったこっちゃない）」という慣用句を、「あなたにあげる fuck なんてない」という遠回しな言い方で表現したもの。
▼20　11世紀制作の長さ70メートルにおよぶ刺繍画で、ノルマン・コンクエスト（ノルマンディー公ウィリアムによるイングランド征服）の物語を描いたもの。

とうていいえない。わたしがそれをつくったのは、オンラインの写真を通じて、人々が同じミームの刺繍をつくっていたのを見ていたからだ。ミーム刺繍の作成中、いろいろなバージョンを見たけれど、細部をいくつか自分で変更したりもした。なめらかに見えるよう、クロスステッチの代わりに返し縫いを使ったし、畑に向かって身ぶりをする農夫は、わたしにちょっぴり似た女性の小作農に変えた。結局のところ、そこはわたしが fuck を育てている個人的な畑だし、インターネット文化に対するわたし個人の権利の主張でもある。

　でも、わたしが主張しているものとはいったいなんだろう？　わたしは、たとえばロルキャットを絵に描くのではなくて、このミームをこの形式で再現することを選んだ。それは、旧と新、口承文化とデジタル文化、従順と不敬、細かいことになんてかまいたくないという願望と細かいことにかまわなければ繊細な刺繍は完成できないという現実、その並列がわたしを魅了したからだ。わたしがこの刺繍をつくった状況そのものでさえ、一種の並列だった。そこは、わたしが「ザ・トースト」でミームの言語学に関する記事を書いたことがきっかけで知り合った、モノづくりの好きなインターネット人たちの集まりだった。わたしは使うフロスの量や、生地の裏にかたまりができないようにするコツについて、アドバイスを受けながら、刺繍を作成した（それから、こっそり携帯電話を取り出して、フレンチ・ノット・ステッチのやり方の図解を検索したりもした）。

　ミームの刺繍は、今まで物理的な形式で行なってきた芸術のなかでは、いちばんデジタルに近いものだった。生地のキャンバスは、縦横に走る小さな格子状の糸であり、画像編集ソフトウェアのフォトショップと同じように、個数をかぞえて全体のバランスを見計ることのできる格子状のピクセルでもある。あとで知ったのだが、アップルのオリジナルのコンピューター・アイコンの大半をデザインし

たスーザン・ケアは、ニードルポイントやモザイクに関する経験が、一連の小さなピクセルからアイコンを生み出す絶好の訓練になったのだと述べている[32]。糸というのは、わたしのような刺繍の初心者にとっては驚くほど優しかった。縫ってみて気に入らなければ、ほどいてやり直せばいい。生地には小さな針穴が点々と残るけれど、縫っていくうちに再び閉じていく。消したあともシミや凹みが残るキャンバスや紙よりも、何回でも「元に戻す」ボタンを押せるコンピューター・プログラムに近い。

　ミームと刺繍、どちらも多くの人々によるリミックスやリメークを通じて広がっていく、集団的な民俗的文章といえる。「text（文章）」と「textile（織物）」という単語は、共通の起源を持ち、「紡ぐ」という意味の印欧祖語の語幹 teks から来ている。文章の執筆も織物も、紡ぐ作業によって何かを創造する行為だ。小説家は撚り糸の紡ぎ手だし、インターネットの誕生時の比喩はウェブ（クモの巣）だ。印刷機、カメラ、コピー機によって、忠実な複製が実現する前の時代までさかのぼると、伝達という行為はすべて再創造にすぎなかった。「technology（テクノロジー）」という単語もまた、語幹 teks を含んでおり、一時期は芸術、工芸、さらには文法に関する体系的な説明を意味していたが、その後、機械的または工業的な技術に関する研究を指すようになり（1902年のある辞書は、「紡績、金属加工、醸造」の例を挙げている）、やがてデジタル技術を含むようになった[33]。

　長いあいだ、ミームはテクノロジーと共存し、テクノロジーが実現してきた。物理的に郵送されるチェーンレター（1935年に新聞を賑わせた「繁栄クラブ（Prosperity Club）」の「ダイム硬貨を送ろう」レターなど▼21）や、チェーンメール（「この電子メールを転送するたび、ビル・

▼21　手紙に書かれた6人の名前のいちばん上の人物にダイム（10セント）硬貨を1枚送り、その人物の名前を消し、末尾に自分の名前を加え、5人に手紙を送ることで、のちのち自分の名前が最上位になったときにはダイム硬貨1万5625（＝5⁶）枚が届く、という触れ込みのチェーンメール。全米で、各地の郵便局が一時パンクするほど広まった。

ゲイツががん治療に1ドルを寄付します」など）は、比較的よく知られている [34]。あまり知られていないのは、チェーンレターと電子メールのあいだの時代に存在した「ファックスロア（faxlore）」や「ゼロックスロア（Xeroxlore）」[▼22] と呼ばれるものだ [35]。つまり、電子メール、ファックス、コピーを通じて回される冗談、物語、警告である。なかでもいちばん有名なのは、高級な機器の上の壁に貼るためのドイツ語風の警告、ブリンケンライツだろう。その内容はこんな感じだ。「ist nicht für der gefingerpoken und mittengraben. . . . Das rubbernecken sichtseeren keepen das cotten-pickenen hans in das pockets muss; relaxen und watchen das blinkenlichten.（指でつついたり、中に手を突っ込んだりしないでください。野次馬観光客のみなさま、その忌々しい両手をポケットにしまっておいていただけると助かります。どうか落ち着いて、点滅するライトを鑑賞するようお願いします。）」[36]。1974年、マイケル・J・プレストンは、「ゼロックスロア」という用語をつくった論文のなかで、ほとんどの人は自宅にコピー機を持たないので、このジャンルは偽の社内文書など、職場のユーモアの形を取ることが多い、と説明している。しかし、コピー機やファックスでこうした物語を広められるようになったとしても、コピー＆ペーストに、文字どおりコピー機と大量ののり^{ペースト}が必要なあいだは、リミックスするのは難しかった。

表現力豊かなタイポグラフィや文章入りの落書きが、インターネット以前からあったのと同じように、仲間内の冗談を複製するという行為にも、何世代にもわたる文化的歴史がある。正インターネット人のわたしは、父（準インターネット人）が2000年代初頭に転送してくれたチェーンメールとして、ブリンケンライツを覚えているけ

▼22　ゼロックス（Xerox）とはコピー機のこと。

れど、ジャーゴンファイルによると、ブリンケンライツの発祥は1955年のIBMまでさかのぼるという。まだコンピューターに画面がなく、本当に何列ものLEDが点滅していた時代だ。また、ジャーゴンファイルは、第二次世界大戦中または戦後の連合国の機械工場によく見られたドイツ語風の掲示に、さらなるルーツを求めている。ある掲示には、お決まりの「blinkenlights（ブリンケンライツ）」という単語こそないが、定番のフレーズがいくつか見られる。「Das Machinen ist nodt for gefingerpoken und mittengrabben. . . . . Das rubbernekken sightseeren und stupidisch volk bast relaxen.（この機械を指でつついたり、中に手を突っ込んだりしないでください。野次馬観光客や愚民のみなさま、どうか落ち着いてください。）」。もちろん、父は第二次世界大戦中は生まれていなかったけれど、いちおう、ゼロックスロアを知っているかと訊いてみた。「ああ、知っているとも」と父は言った。「お前のおじいさんは冗談をコピーするのが大好きでね。引退後も、仲間から最新の冗談を送ってもらうために、何年も家にファックスを置いていたんだ。そういや、傑作ばかりをストックした、1インチくらいの分厚いフォルダーがあったな」。祖父は、お世辞にもネット民とはいえなかった。電子メールくらいはしばらく使っていたけれど、スマートフォンやソーシャルメディアのアカウントはいちども持ったことがなかった。それでも、タンブラーやイミジャーの10代の住人たちと同じように、オリジナルのミーム・コレクションの収集や管理に熱中していた長い時期があったのだ。

　次にわたしが実家に帰ると、父は紙切れがずっしりと詰まったなんの変哲もないマニラフォルダーを差し出した。「じいさんの書斎を整理していて見つけたんだ。興味あるかと思って」

　祖父のミーム・コレクション？　もちろん！

　真っ先に目に飛び込んできたのは、文字の巨大さだった。「本当にお年寄りのミームなんてあるの？」と思っていたけれど、文字のフォントサイズ、それもわたしがいつも使うのよりも２倍か３倍はあるサイズが、その何よりの証拠だった。明らかに、老眼鏡が必要な人によって、そしてそういう人のためにつくられた文書だった。残念ながら、わたしが両手に抱えていたフォルダーは、祖父のミーム・コレクションのほんの一部だったようで、90年代のファックスロアなんてどこにも見当たらなかった（父によると、ファックス・ミームの大半は、今のレシートの多くと同じで、光沢のある感熱紙ロールに印刷されていたので、まったく長持ちしないのだ）。むしろ、祖父のコレクションは、頻繁に転送されたおよそ2004年から2011年までの電子メールを、メールソフトのマイクロソフト・アウトルックからプリントアウトしたものばかりだった。ただ、「厚さ１インチ」が過少申告だというのは明らかだった。

　わたしは少しだけ圧倒されつつも、中味を読みはじめた。でも、すぐにがっかりした。冗談はどれも独創性がなく、同じパターンの繰り返しだった。さまざまな職業や国籍の人々、有名人たちが、バーに入り、天国への門の前にたどり着く▼23。ませた子どもや、人間の演じるペットが、その無垢な見た目を裏切るような冗談を言う。金髪女性、田舎者、老夫婦といったお決まりのキャラクターが、イメージどおりの行動を取ったり、たまにそれを覆したりする。試しに、わたしは「古典的なジョーク」でグーグル検索してみた。案の定、同じジャンルのジョークが続々と見つかり、まったく同じ数人が考えたことにされているケースもあれば、まったく出典が挙げられていないこともあった。身震いするようなシャレや、ドン引きしてし

▼23　前者は、「ある男がバーに入った」で始まり、最後にオチが待っている昔ながらのジョーク。後者は、天国への門に着いた人が、天国に行ける人と行けない人を振り分ける聖ペトロと面白い問答を繰り広げるというジョーク。

まうようなステレオタイプが満載の、何百という粗悪なデザインの
ウェブサイトが見つかったのだ。これがミームの名人である祖父の
遺産だとしたら、受け継ぐのも躊躇するくらいだった。

　しかし、ミームの面白味は、繰り返しでなくてどこにあるだろ
う？　おかしな文法で話すネコや犬の画像を初めて見たとき、わた
しは軽い笑いと純粋な困惑を足して２で割ったような感情を抱い
た。面白味がやっとわかってくるのは、３個目や５個目を見てから
だ。20個目くらいになると、「いい加減もう飽きた」と思いはじめ
るのだけれど、そんなとき、誰かが華麗な練り直しを思いついて、
それまででいちばん大笑いしてしまう。ミームは、お決まりのキャ
ラクターでいっぱいだ。それこそが、アドバイス・アニマルの偉大
な発明なのだ。アドバイス・アニマルは、「哲学ラプトル」や「社
交性のないペンギン（Socially Awkward Penguin）」のように、一定
のテーマに沿った動物のマッシュアップから始まり、「彼氏好きす
ぎの彼女（Overly Attached Girlfriend）」▼24 や「期待がデカすぎる
アジア系の父（High Expectations Asian Father）」▼25 など、「古典的」
なジョークと同じくらいジェンダーや人種の偏見にまみれた、ステ
レオタイプな人間へと広がっていった。

　お決まりのキャラクターや風刺画は、古典的なジョークよりも
ずっと前までさかのぼる。18世紀や19世紀の政治漫画には、公的
な人物やアーキタイプが見られる。たとえば、1870年代の漫画に
は、アメリカの両政党がロバと象として描かれている37。マルティ
ン・ルターは、カトリック教会への抗議に対する民衆の支持を獲得
するための1521年の冊子で、聖書の象徴的な場面をリミックスし

▼24　こちらをまっすぐ見据える女性の写真に、「ウェンディーズで食事したのね／ウェンディーって誰よ？」などの
猟奇的な文章を重ね合わせたミーム。
▼25　厳格そうなアジア系男性の顔写真に、「5歳だって？／俺がお前と同じ年のころは、6歳だったぞ」などの理不
尽な文章を重ね合わせたミーム。

た風刺画を描いてもらい、当時の聖職者中心の政治を批判した[38]（お決まりの宗教的人物には、ミームという形になっても魅力があるようだ。繰り返し登場するある画像では、おしゃれな眼鏡をかけたキリストの絵に、「わたしにはツイッター誕生の前から信奉者（フォロワー）がいた」というキャプションがつけられている）。自由の女神やブリタニア[▼26]のように、場所や抽象概念の擬人化は、古代ローマの女神までさかのぼるし、古代ギリシアの壺（つぼ）や演劇用の仮面には風刺画が描かれていた[39]。なかでも、人間世界について何かを述べた動物の物語は、おそらくその最古のもので、イソップ寓話、童謡、ありとあらゆる古代の神話や伝説に見られる。

　つまり、ミームが特別なのは、それが参加型であるとか、視覚的表現やお決まりのキャラクターをリミックスしたものである、という点ではない。ミームを、漫画や冗談や一時的流行ではなく、ミームたらしめているのは、わたしの祖父がミームをコレクションしていたという主張に皮肉をつけ加えているのと同じものだ。どういうことか？　ミームとはインターネット文化の原子であり、わたしの祖父は決してネット民ではなかった。ミームをつくったり、共有したり、ミームに笑ったりするという行為は、自分が部内者であると主張することなのだ。わたしはインターネット文化の一員であり、このミームが理解できない人はその一員ではない、と。

　皮肉のタイポグラフィが誠実さの息づく余地を生み出すのと同じように、冗談もまた、文化的な空間に対する権利の主張を意味する。仲間内の冗談に笑うのは、「わたしもそのときここにいたんだ」と言うのと同じことだ。共通の苦労に関する冗談に笑うのは、「みんな同じ舟の仲間だ」と言うのと同じことだ。人種差別的な冗談やジェンダー差別的な冗談に笑うのは、「わたしはこのステレオタイプを受け入れる」と宣言するのと同じことだ[40]。ミームは、言語的な仲

間獲得のツールにもなりうる。部外者は、そのミームを理解できる仲間集団の一員になりたいと思う。それは善良な動機からかもしれないし（わたしは、言語学のミームがきっかけで、ウィキペディアの言語学記事を読んだ人々をたくさん目撃してきた）、より非道な目的のためかもしれない（極右系の掲示板は、ミームや皮肉を戦略的に用いて、いざというときのための予防線を張りつつ、過激なイデオロギーを推進している）[41]。ジョークやミームを説明してもなんの意味もないのも、同じ理由からだ。説明なしで「理解」できるというのが、ジョークやミームの存在意義だからだ。

　ミームがインターネット文化の原子だとすれば、インターネット文化が単なる大衆文化になるにつれて、ミームは広がっていくはずだ。言語学者のエリン・マッキーンは、この点を如実に物語る10代の息子との対話をツイートした[42]。

　　息子「ハンドスピナーは、物理的なミームみたいなものだ」
　　わたし「あれは一時的な流行よ」

ミームと一時的流行との比較は、完全に的外れというわけではない。テクノロジー研究者のアン・シャオ・ミナは、インターネット、特に中国の深圳のオンデマンド製造サービスによって、物理的なモノがミームと同じように爆発的に広まり、リミックスされることが可能になったと記している。Tシャツに自由なデザインをプリントしたり、みんなで抗議活動のスローガンを練ったりしたあと、もういちどソーシャルメディアの写真を通じて広め、複製するのは、今までになく簡単になった[43]。ほかの人たちの刺繍の写真を見て、先ほどの小作農のミームを刺繍すると決めたわたしは、インターネット文化と物質的な文化、そのどちらに参加していたのだろう？　今と

なっては、そのふたつにちがいなんてあるだろうか？

　インターネットを通じて会話し合うコミュニティには、今や独自のミームがある。ビデオゲーム、子育て、アニメのミーム。あらゆる政治的信念のミーム。そして、明白な理由からわたしが愛してやまない、言語学のミーム●4。実をいうと、わたしは本書の執筆をあえて先延ばしにした。ミームがわたしのツイッター・フィードを横切るたび、執筆を中断して、その言語学的なバージョンを考えていたのだ。現在、ミームの収集保管を進めているアメリカ議会図書館は、ロルキャット語版聖書、アーバン・ディクショナリー、ノウ・ユア・ミームなどの保存に努めており、これらを「民間伝承」とまで呼んでいる44。思わず笑ってしまうけれど、完全な的外れというわけでもない。実際、これまで紹介してきた学者たちや、ノウ・ユア・ミームのスタッフ、そしてタンブラーの「ミーム司書」であるアマンダ・ブレナンのように、先進的なミーム学の分野でフルタイムの仕事を持つ人々もいるくらいだ45。

　2014年にミームの論文を書いた、前述のホイットニー・フィリップスとライアン・ミルナーは、のちにインターネットの民間伝承の一種としてのミームについて共著を記し、下品なリメリック▼27、怪談、いたずらとの類似性を指摘した46。人気のものをなんでもミームと呼ぶなら、わたしたちは一周回って、「ミームとは文化的な複製を通じて広まっていくアイデアである」というドーキンスの本来の定義に戻ってきたことになる。

　しかし、ミームを、まったく広まらないアイデアや、人気になるだけで模倣を生まないアイデアと隔てている要因がある。それは、ミームの多くが奇妙である、という点だ。なぜミームはミームらしく見え

●4　言語学者ラマはこう言った。「わたしはシュワー（音声記号əで表わされる強勢のない曖昧母音）になりたい。ストレスがないから」
▼27　「昔、○○出身の者がおりまして」で始まることの多い、AABBAという押韻構成を持つユーモラスな五行詩。

るのだろう？　特に、なぜミームの多くは、特徴的で奇妙な言語的ス
タイルを備えているのか？　リモール・シフマンは、そのかすかな手
がかりを提示している。彼女は、多くの模倣を生んだユーチューブ
動画と、再生回数は同じでもほとんど（またはまったく）模倣を生まな
かったユーチューブ動画とを比較した。意外なことに、プロフェッショ
ナルな雰囲気の動画ほど、ミーム化する可能性は低いことがわかっ
た。シフマンの言葉を借りるなら、「『お粗末』な文章は『優良』なミー
ムになる」のだという。言い換えるなら、ミームは、人々の積極的な
参加が必須条件なので、「一見すると未完成で、粗雑で、素人っぽく、
奇妙な動画のほうが、人々にその穴を埋めたり、難問を解決したり、
制作者を模倣したりするよう促す効果が高い」わけだ [47]。

　支離滅裂な言葉遣いやお粗末な写真加工も、同じ効果をもたらす。
スラングやミニマル・タイポグラフィが、親しみやすい印象を与え
たり、多層的な皮肉への理解を促したりするのと同じで、多くのミー
ムに見られる遊び心いっぱいの言葉遣いは、参加への明確な道筋を
与える。完璧につくり込まれた文化的作品は、その作品に費やされ
た手直し、編集、労力を覆い隠す。すると、作家や芸術家の卵たち
は、ほかの人々がつくった完成品の洗練性と、自分の最初の作品の
粗雑さとを比べて、おじけづいてしまう。だが、支離滅裂な言葉遣
いは、その逆の効果をもたらす。インターネットの民間伝承として
のミームは、不完全で、常に工事中であり、誰にでも書ける。多く
の人々がするように、ミームを匿名で、あるいは偽名を盾にして公
開すれば、たとえ失敗したとしても、痛くも痒くもない。定型的な
言葉遣いは、「昔々、あるところに」や「トントン」が、おとぎ話やノッ
ク・ノック・ジョーク▼28 を指し示すのと同じように、そのジャン

▼ 28　「トントン」「誰？」「[名前] だよ」「どちらの [名前] さん？」「[オチ]」という形式を持つ問答形式のジョーク。
オチの部分では、名前にかけたダジャレを言う。

ルを指し示す。

　ほかの人々の文章をもとにして書く、という行為は、わたしたちの最古の物語形式のひとつといっていい。『イーリアス』は、ホメーロス作とされるが、もともとは口承文学として始まった。ウェルギリウスの『アエネーイス』は、『イーリアス』に出てくる脇役アイネイアースを拝借し、古代ローマの英雄へと変えている。そして、ダンテの『神曲』は、歴史上の人物であるウェルギリウスを煉獄と地獄の案内人へと変えた。しかし、別の世界をもとにして何かを書くには、読者の知識について一定の仮定を立てなければならない。それが難しい。

印刷した本しかない世界では、出典からどれくらい引用するのかを、書き手が厳密に決めなければならない。そして、読み手は、そうとうな労力をかけないかぎり、引用された文章しか読めない。運がよければ、引用元の本が棚にあり、参照できるかもしれない。書き手がページ番号を明記していて、版が同じであるかぎりは。でなければ、図書館に出向くしかないけれど、置いてある保証もない。インターネットなら、指先ひとつで、原典の全文を当たれることが多い。オンラインで何かを書くなら、説明や出典へのリンクを貼ることで、あまり知られていない用語や出典を使える。そうすれば、多様な読者に合わせた文章が書けるのだ。その用語や出典をすでに知っている人は、わざわざクリックしないだろうし、そうでない人は、リンクをクリックするだけで、わたし自身が説明するよりもはるかに詳しい説明が得られる。わたしがリンクを貼り忘れても、検索すれば背景知識が得られる。もしハイパーテキストや検索が存在しなかったら、わたしは対象読者をもう少し狭め、一部の読者を辟易とさせてでも用語の定義を載せるべきなのか、残りの読者を混乱させてで

も定義を省略するべきなのか、毎回悩まなければならなくなる。

　インターネットは共同執筆にもおおいに役立つ。それはミームの制作ばかりではない。ウィキペディアを例に取ろう。ウィキペディアは、ボランティア編集とウィキ形式の共同作業を用いて、どの印刷版の百科事典よりも60倍以上巨大な英語の百科事典をつくり上げてきた。もちろん、これに加えて、大小さまざまな数百言語の百科事典がある[48]。また、ファンフィクションを例に取ろう。ある原作を中心に結成されたコミュニティの人々が、お互いに会話を交わしながら原作を書き直していく創作のジャンルだ。ファンフィクションは、インターネット誕生前から存在したが（「シャーロック・ホームズ」や『スタートレック』シリーズがその顕著な例）、初期のインターネット掲示板の興味別の構造のおかげで、特に『X-ファイル』や『バフィー ～恋する十字架～』のファンたちが出会えるようになった[49]。その後も、こうしたファンたちの活動は衰え知らずだった。彼らはライブジャーナルやタンブラーなどのブログ、Fanfiction.net、みんなのアーカイブ、ワットパッドなどのファンフィクションのホスティング・サイトに集まり、『ハリー・ポッター』、ワン・ダイレクション、スーパーフーロック（『スーパーナチュラル』、『ドクター・フー』、BBCの『SHERLOCK（シャーロック）』の3作品のこと）について書き連ねた。その投稿量は、ウィキペディアの2倍を上回る[50]。

　作者はひとりだけであり、しかも原作者に限る、という現代の西洋的な考え方は、比較的新しく、文化的に普遍的なものともいえない。せいぜい、忠実で正確なコピーが大量にできるようになってから確立された概念だ。著作権の概念が現代的な形へと進化したのは、印刷機の発明によってコピーが簡単にできるようになってから数世紀後のことだ。つまり、コピーを抑止する権利よりも、原作を改変

する権利のほうが、存在していた期間としては長いわけだ。もちろん、わたしは著作権や「作者はひとりだけ」という概念に感謝している。そのおかげで、わたしや、わたしの大好きな作家たちは、生計を立てることができるのだから。しかし、職業化された創作活動だけが、創作活動の唯一の種類でない、という事実に目をつぶるのはよそう。気のきいたジョークを言うことには喜びがあるし、繊細に縫い合わされた罵り言葉には邪悪な楽しみがある。お気に入りの登場人物を新しい環境で書き直すことでしか満たせない熱い好奇心もあるし、そしてそう、みんなで絶妙に息の合ったミームをつくり出すことには、最高の爽快感がある。

　そのミームのサブカルチャーの規模の大小はともあれ、ミームを作成して共有するのは、ネット民としてインターネット空間への権利を主張することであり、自分のような人間がインターネット上にいてもいい、と訴えることでもある。おそらく、ミームが成熟の最終段階を迎えるのは、自分たち以外の集団を「ミームを誤解している人々」呼ばわりするのをやめ、進化の途上にある何通りものジャンルを備えた文化的な存在として、ミームを認めたときだろう。

　その一方で、インターネット文化のなかで育った人々と、インターネットがどうして文化を持ちうるのかを理解するのに苦労している人々、その両者のギャップは、まだ完全には埋まらずにいる。そこで、こんなたとえを持ち出してみよう。子どものころ、わたしは新聞のクロスワードパズルがどうしても解けなかった。もちろん、頭では、クロスワードパズルの面白さはわかっていたけれど、現実には、どう頭をひねってみても、ヒントの意味が理解できなかった。第一、わたしが生まれる前の出来事や有名人のことなんて、知っているわけがないじゃない。誰だってそうでしょ？　みんながこっそりカンニングしている文化的知識の裏リストは、いったいどこにあ

るっていうの？

　そんなリストなんてなかった。ところが、今になって、飛行機の雑誌や親戚の家の朝刊でたまたまクロスワードパズルを見かけると、面白い現象に気づく。ほとんどのヒントがわかるのだ。映画？観たことはないけれど、公開されたときのことは覚えている。政治家？　望んではいなかったけれど、当選したのは覚えている。わたしが生まれる前の出来事についての言及は、どんどん減っていっているけれど、まだ残っているものについても、その後の年月で十分な会話を交わしていた。なので、今では、どういうヒントがパズルを解く人々にとってフェアーなのかが、なんとなくわかるようになった。

　そうした文化的知識のリストは、つくろうと思ってもつくれるわけではないし、すべてを知るすべもないけれど、それはちゃんとそこにあって、絶妙なヒントや、すでに浮かび上がっているいくつかの重要な文字をきっかけに、わたしの記憶から引っ張り出されるのを待っている。わたしは今や、クロスワードパズルが想定する文化的な会話を活かせるようになったのだ。その会話の外にいる子どものころのわたしなら完全に当惑するような形で。

　インターネット文化も同じだ。わたしの知っているミームの完全なリストをつくることはできないし、ましてや絶妙なミームが面白おかしい理由を説明することなんてできっこない。それは、わたしの祖父が、自分のジョーク・コレクションを、斬新で、ワクワクして、保存価値のあるものだと感じる理由をわたしに説明できないのと同じことだ。わたしたちは、家族、長年の友達、職場の仲間の口から、さらにはひとつの業界や地域全体から、仲間内の冗談や共通の用語が飛び出すのに慣れている。わたしたちが当惑するのは、それが文字になった場合なのだ。わたしたちは、書き言葉が正式なも

のであることに慣れているし、その正式さは、一般大衆に訴えかけるための文化的な平坦化によって部分的に成り立っている。新聞のクロスワードパズルが、大衆的な新聞読者向けにつくられているように。しかし、カジュアルな書き言葉はちがう。そして、ミームはそのちがいの文化的な原子だ。だからこそ、わたしたちは自分の嗜好にぴったりと合う形で書かれたものに出会うと、こんなにもうれしくなるのだ（そして、混乱した人は、グーグルで検索すればすむ）。

　すべての文化と同じように、インターネット文化は暗黙の言及に満ちていて、部外者にはわかりづらく、明確な指示というよりも共有の歴史に基づいている。すべての文化と同じように、インターネット文化もまた単一文化ではない。あまねく共有されている部分もあれば、小さなニッチを占めるだけの部分もある。そして何より、すべての文化と同じように、インターネット文化は、わたしたちがどれだけ整然とお気に入りの部分を収集保管して、それを子孫に伝えようとがんばったところで、常に流動していくものなのだ。

　では、その文化の流動性は、わたしたちを次にどこへといざなうのだろう？

第 8 章

新しい比喩

Chapter 8

A New Metaphor

英語と聞いて何を思い浮かべるだろう？

　わたしは現代の人間のイドのお告げを仰ぐことにした。つまり、グーグル画像検索のほかに、20種類のストックフォトサイトで、「英語（English language）」と検索してみた[1]。

　検索結果として表示されたのは、本だった。もちろん、黒板、吹き出し、木製のアルファベット・ブロック、国旗の絵が描かれた不気味な２枚の舌など、ほかのモチーフもあるにはあったが、大半は本だった。単体の本、リンゴや鉛筆と一緒の本、人々が読んでいる本、表紙に「英語」と書かれた本、背表紙に「英語」「文法」「綴り」と書かれた山積みの本、そして目立ったのが、「英語」という辞書の項目が開いてある本。つまり、辞書の項目の写真がとても多かった。

　辞書編集者にとって、このことは意外ではない。多くの辞書編集者は、「辞書」こそが英語そのものとみなされている、と言うだろう。まるで、辞書は世の中に１種類しかなく、誤りなんて犯さない完璧な人間がつくったとでもいわんばかりに。辞書編集者のコリー・スタンパーは、メリアム＝ウェブスターの「編集者に訊け（Ask the Editor）」サービスから届いたメールを記録した結果、あることに気づいた。自分の好きな単語を辞書に追加してほしい、または嫌いな単語を辞書から削除してほしい、という要望が多数を占めていたのだ。まるで、メリアム＝ウェブスターの承認ひとつで、ある単語が「本物」かどうかが決まるとでもいうように。

　たった１冊の本にひとつの言語がまるまる収まっているわけではないことや、辞書がこれから使われはじめる単語を提案するのではなく、すでに使われている単語を記録したものにすぎないことを理解している人々でさえ、十分な数の辞書を持ってくれば、英語がそのなかにまるまる包摂されると考えていることが多い。それが、「シェイクスピアの言語」であれ、全20巻の『オックスフォード英

語辞典』第2版であれ、アメリカ議会図書館全体であれ、グーグル・ブックスによってスキャンされ、検索可能になった無数の本であれ。

　この英語と辞書の結びつけは偶然ではない。

　グーグルによってスキャンされた1500年から2000年までの全書籍のなかで、「英語」というフレーズが登場する頻度を見てみると、1750年から1800年にかけてその頻度が大幅に上昇しているのがわかる。それより前は一貫して低く、あとは一貫して高いのだ。「英（English）」と「語（language）」という単語の頻度自体はほぼ安定している。上昇したのはこのふたつの単語の組み合わせだ。

　では、この期間に何が起きたというのだろう？　実は、1755年に、サミュエル・ジョンソンが、史上初の大規模な英語の辞書である『英語辞典』を刊行したのだ。彼の辞書は広く引用されるようになり、彼は英語の厳密な定義に関心を抱いた。彼は辞書の序文にこう記している。「わたしはわれわれの話し言葉が秩序のない豊かなものであり、規則のない生き生きとしたものだと知った。どこへ目を向けても、解決すべき当惑、抑えるべき混乱があった」

　責任は彼だけにあるわけではない。彼は巨大な運動の一端を担っていたにすぎなかった。1700年代終盤から1800年代初頭にかけて、「英語」に関する辞書、文法書、書籍を刊行しようという大きな流れが始まった。一方では、この期間に、第2章で紹介した信じられないくらい見事な史上初の方言地図が生まれた。その一方で、この詳細な記録づくりは、英語の意味、もっというと言語そのものの意味を構成する手段になった。そして、言語であることは、本であることを意味するようになったのだ。1977年になってようやく、メリアム＝ウェブスターは広告キャンペーンでこう宣言した。「ウェブスター社の新大学辞典──そこは言葉たちが息づく場所」

　しかし、本の比喩は自然な終わりを迎えた。当初、脳は、蒸気機

関や油圧ポンプにたとえられていたが、現代の多くの神経科学者は、脳をコンピューターにたとえている[2]。それと同じように、わたしたちの言語の比喩もまた、時代とともに進化していく必要がある。インターネットが英語に及ぼしうる最大の影響は、おそらくこの点だと思う。そう、インターネットが英語の新しい比喩になるのだ。

　ウィキペディアやファイアーフォックスのような巨大な共同作業プロジェクトや、インターネット自体を構成する分権的なウェブサイトや機械のネットワークと同じように、言語もまた一種のネットワーク、一種のウェブだ。言語は、究極の参加型民主主義といえる。テクノロジー用語を借りるなら、言語とは、人類のもっとも壮大なオープンソース・プロジェクトなのだ。

　わたしたちがある場所から別の場所へとリンクをたどり、インターネット上の情報を見つけるのと同じように、言語は人間どうしの会話や交流を通じて広まっていく。わたしたちは、友人知人、もう何年もしゃべっていない人々、内心では高嶺の花すぎて近寄りがたいと思っている人々、その奇妙な取り合わせをつくり出すインターネット空間の独特な片隅に暮らしている。そのなかで、わたしたちは、一人ひとりがちがう言語の歴史をたどり、それぞれ微妙に異なる個人言語を話している。

　言語を本としてとらえるということは、言語を静的で権威のあるものだと考えることになる。汚れのない原始の姿へと戻り、人々が雑然と余白に書き込んだ新単語をすべて消し去ってしまえば、言語はもっとよくなるはずだ、と。だが、ネットワークには、汚れのない原始の姿なんてない。ネットワークは、変化のたびに劣化していったりはしない。柔軟性こそが、その重要な強みのひとつなのだ。言語も同じだ。世代を経て、新しいつながりが成長し、古いつながりが萎んでいくにつれて、言語は豊かになり、再び息を吹き返す。

　言語を本としてとらえるということは、生け垣を常にらせん状や球状に刈り整えていたビクトリア時代の庭師のように、言語を常に整理整頓の必要な雑然とした単語の寄せ集めだと考えることになる。言語をネットワークとみなせば、秩序とは個人個人の自然な傾向から生じるものなのだと考えられる。剪定や草むしりをしなくても、自然と秩序を保つ森のように。

　言語を本としてとらえるということは、言語を線形的で有限のものだと考えることになる。本には多数のページがあり、含める項目と除外する項目、そして残った項目の並べ方を決めなければならない。あなたとわたしが同じ辞書を買えば、まったく同じ単語を目にすることになる。そして、表紙と裏表紙のあいだに、みんなが同意するたったひとつの英語、それも有限の英語が収められているかのように思うだろう。しかし、インターネットには始まりも終わりもないし、誰ひとりとして追えないほどのスピードで膨らんでいっている。確かに、技術的にいえば、海底を走る光ファイバーケーブルや、データセンターの冷却されたハードディスクという形で、インターネットは物理的な空間を占めている。しかし、本が常に残りページ数を両手に教えてくれる一方で、インターネット機器は想像もつかないくらい巨大な宇宙への入口を与えてくれる。

　たったひとりの人間でも、人類史上いちども発せられたことのない文章を考えることはできるし、それはそう難しくもない。一例を挙げると、「遠慮がちなカワウソたちは紫色の森の上に浮かぶ月を楽しんだ」など。いや、それどころか、「カワウソたちが月を楽しんだ」という文章でさえ、本書の執筆時点では、グーグル検索で1件もヒットしない。あなたも試してみてほしい。ペットにするのが賢明とはいえない動物、2音節以上の動詞、今あなたがまとっている色や質感、そして今すぐはまとえない色や質感を含んだ文章をつくってみ

てほしい。十中八九、今までにない文章ができあがるだろう。しかし、実は、そこまでぶっ飛んだ例を考える必要はない。あなたが最後にメールした 10 単語以上のメッセージを引用符で囲って、グーグル検索してみてほしい。たぶんヒット件数は 0 だろう。

　言語をネットワークだと考えれば、言語のどんな描写も不完全だということに気づく。それは驚くべきことだ。ウェブページの多くは動的で、情報を検索したり、まったく新しい何かを投稿したりして、わたしたちが手を伸ばしたときにだけ生成される。言語を創造する機能もそれと同じで、その限界は、記録に残る歴史全体をゆうに上回る。誰だって今までにない単語や文章をつくれるし、一瞬で消えるにせよ、使用が広まって後世の人々の心に残るにせよ、わたしたちが発した瞬間に言語の一部になる。いったん本を置き、あとで戻ってくれば、インクは元の場所にそのまま残っているだろう。だが、永久不変の言語というのは、絶滅した言語だけだ。生きた言語から離れたとしても、人間のネットワークから離れたとしても、それはあなたがいないあいだ、ピタリと静止したりはしない。

　人間がいて本がない言語は、生きた言語であり、いつでも本を書けるけれど、本だけがあって人間のいない言語は、色褪せ、影で覆われた、幽霊のような形でしか存在しない。ジョンソンや同時代の人々が、ラテン語の標準から見て英語を「規則のない生き生きとしたもの」だととらえたのは、生きた言語を化石と比較していたからにほかならない。確かに、化石は多くの物事を教えてくれるけれど、生きた動物は骨から足跡まで丸裸にしないかぎり研究の価値がない、というわけではない。本を、言語をミイラ化する手段、言語を永久に塩漬けして死んだまま保存する（少なくとも、動き回れないよう檻に閉じ込める）手段としてとらえるのではなく、言語の生きた絶景を案内してくれる地図やガイドブックとしてとらえてみてはどうだ

ろう。どんな地図帳もいつかは歴史書になるけれど、地球は両手の下で回っているのが感じられる、可能性に満ちた偉大な存在であることに変わりはないのだ。

テクノロジーについて書くときは、その本がいつか時代遅れになることや、どうしてもカバーしきれない分野が残ってしまったことについて、いつも謝りたくなる。しかし、その考え方は的外れだろう。本書の目的は、インターネット言語を、まるで砂地獄に落ちた不運な恐竜のように、つかまえて保存できるものとして記述することではない。むしろ、ひとつの時代を切り取り、将来の変化を見るためのレンズを提供することだ。正式な言語だけを研究していると、英語の機能を小さな針穴からのぞき込むことになる。一方、カジュアルな言語を研究していると、視野が大きく広がる。図書館から外に出て、周囲の複雑で広大な世界に目を向けられるのだ。

なので、なぜ自分にとって興味のある話題がこの本には出てこないのだろう、と嘆いている方は、本書を、あなたが別の土地のオリジナル地図をあなた自身で描き、独自のインターネット言語研究を行なうための招待と考えてみてほしい。言語の未来が、話者であるあなたとともにあるのと同じように、インターネット言語研究の未来は、読者であるあなたとともにある。特に、わたしが将来的な研究を行なうのに有望だと思う分野がいくつかある。ひとつ目は、ほかの種類の英語や言語だ。本書では主に英語、とりわけアメリカ英語を扱ってきた。それは単純に、アメリカの方言地図が数多く描かれているからだ。でも、世の中には、ほかの種類の英語や言語がまだまだたくさん残っている。特に、世界の残りの半数の人々がオンラインに移住すれば、研究の可能性は果てしなく広がる。

世界では約7000種類の言語が話されているが、その圧倒的大多数は、インターネット上での存在感に乏しい。ウィキペディアに

は、閉鎖された言語を除くと293言語の記事しかなく、その半数は記事数が1万件未満だ[3]。グーグル翻訳は103言語をサポートしているが、多くの言語のペアは英語経由で翻訳される[4]。大手ソーシャル・ネットワークのサポート言語となると、さらに少ない[5]。フェイスブックのインターフェイスは約100言語、ツイッターは約50言語でしか利用できないし、新しいソーシャル・ネットワークは、まずひとつの言語だけで開始される傾向がある。アイスランド語のような、比較的大規模な公用語でさえ、インターネットで巨大な存在感を持つ英語などの一握りの言語に地位を奪われつつあるし、政府による支援のない言語となると、いっそう状況が悪い[6]。不幸にも、わたしが2016年に本章の最初の原稿を書いたときに載せた統計は、2019年に数字を見直したときも、ほとんど変わっていなかった[7]。インターネットを全言語にとって優しいものにしようという機運は、本来なら高まってしかるべきなのに、むしろ衰えているのが現状だ。それでも、世のユーザーたちは、オンラインでのコミュニケーション方法を必死で模索している[8]。読み書きのできない人々や、確立した書記体系やオートコンプリート・ツールのない言語を話す人々は、特によく音声文字起こしを利用したり、チャット・アプリを通じて5～30秒間の音声クリップを送信したりしている。

　ふたつ目の将来的に有望な研究分野は、テクノロジーの変化だ。デジタルの口調が、大文字表記や小文字表記、顔文字、絵文字とともに進化していったのと同じように、テクノロジーの進化に従って、言葉の裏側にある意図を伝える方法もまた、さらなる変化を遂げるだろう。音声、画像、動画ツールを会話に統合しやすくなるにつれて、わたしたちはまちがいなく、自分の意図を表現する新たな方法を考え出すはずだ。ふつうの人々は、教科書やテレビに出てくるような、味気ない標準的な言語で話すわけではないし、本来の話し方をあり

のままに表現できるようになるまで、さまざまなコミュニケーション・ツールを試していくだろう。それができなければ、そうしたツールを、コミュニケーションではなく情報伝達や娯楽向けのものへと追いやるだけだ。

　社会全体とテクノロジーを介したコミュニケーションとの関係性もまた、変化しつつある。現時点では、依然としてジェネレーションギャップはある。ただ、そのギャップというのは、頭字語の意味や押すべきボタンの知識の有無にあるわけではない。むしろ、カジュアルな書き言葉の持つ表現力を無視するか、それとも受け入れるかの差にあるのだ。つい最近、メールをピリオドで終えると不機嫌な感じがすると文句を言われた、ある年配の人物は、わたしにこうこぼした。「わたしが年寄りだってわかっているくせに！　どうしてわたしがメールでそんな細かいニュアンスを伝えられると思うんだろう」。個々のニュアンスの解釈については、世代間で微妙な食い違いがあるものの、3つの世代のインターネット人たちはみな、誰もが文字で微妙な感情的シグナルを絶えず伝えているものだと思っている。インターネット人にメールの意味を考えすぎるなと言うのは、あらゆる年齢の人々に、口調から感情的なニュアンスを読み取るなと言うのと同じくらいの無理難題だ。そうせずにはいられないのが人間なのだ。

　でも、近い将来、世界の主要言語を使用する土地では、インターネット人でない人々、少なくともインターネット人でない世代は、もはや存在しなくなるだろう。インターネットは、ラジオ、電話、本など、誰も逃れられない前時代のテクノロジーと同じようなものになるはずだ。1980年代、テレビや固定電話の所有を拒否する人がいたように、個人としてソーシャルメディアの利用やスマートフォンの所有を拒否することはできるだろうが、それらの知識を完

全に遮断するのは不可能だろう。インターネットは、わたしたちを取り巻く、避けては通れない文化全体の一部になったのだから。

　わたしが本書で、オンライン以外の物事を「実世界」と呼ぶのを避けてきた理由はそこにある。インターネットは、今や実世界の一部だからだ。大衆文化とインターネット文化は、交わらない部分よりも交わる部分のほうが多い[9]。確かに、「irl（←in real life、実生活では）」とか「real life（実生活）」という表現はよく使われているし、繰り返し使われるうちに、本来の含意を失った状態で使われつづける可能性もある。しかし、まだそんなことは起きていないし、デジタル・メッセージの向こう側で感動したり傷ついたりする生身の人間たちのありふれた人間性を無視することには、まちがいなく弊害がある。

　同じように、わたしたちは、21世紀の新単語がすべてインターネット用語だと思い込みがちだ。新しい単語に初めて気づくのは、えてしてオンライン上だからだ。しかし、現在の英語が100年前、1000年前に話されていた英語とはちがうように、未来の英語は常に現在の英語とはちがう。インターネットは新単語を広める手段になることが多いが、必ずしも原因だとはかぎらない。母音、単語、抑揚のような、ティーンエイジャーの言語的特徴は、未来の予兆だが、それを、派閥、人間関係のドラマ、スクール・カーストといった、ティーンエイジャーの社会的特徴と混同してはいけない。子どもたちも、やがては成人し、職につき、多少なりとも自分に合った社会的な居場所を見つけ、こんどは自分が次世代への愚痴をこぼすようになる。中学校なんて、全員にとって異常な時代だ。何人かのティーンエイジャーに、今ソーシャルメディアで何が人気かをたずねれば、自分たちが数年後にどういう言語的特徴やテクノロジー・プラットフォームを用いているかがわかるかもしれないが、どうい

う社会生活を営んでいるかはわからないだろう（幸いなことに）。

　人間の言語能力の歴史はたいへん古く、あらゆる形式の書き言葉よりも10万年くらい古い。つまり、言語というのは、驚くほど耐久力があるということだ。書記体系のない社会は数多く知られているけれど、話し言葉やジェスチャーがいっさいない社会は見つかっていない。さらに、言語の複雑さは、その社会の物質的文化の複雑さとは無関係だ。言語は、ありとあらゆるテクノロジー、たとえば文字、農業、水路、電気、工業、自動車、飛行機、カメラ、コピー機、テレビなどの有無にかかわらず、ずっと存在してきた。インターネットも例外ではない。実際、言語の唯一の天敵は、別の言語を話す人間たちだ。これまでに、戦争や征服によって絶滅させられたり、他者に強制されたりしてきた言語は数知れない。

　変化の可能性こそ、言語の強みだ。もし言語を次世代に伝えるために、子どもが親の話し方をそっくりそのまままねなければならないとしたら、言語は脆く、壊れやすいものになってしまうだろう。古代の芸術や建築の手法と同じように、失われてしまう可能性すらある。しかし、わたしたちは世代ごとに言語をつくり直す。年配者だけでなく、仲間からも言語を学ぶ。全員がそれぞれ微妙に異なる言語を話しつつも、意思を伝えることができる。だからこそ、言語は柔軟で強力なのだ。

　言語を本だととらえていた時代は、その本に何を記述するべきなのかを気にかけ、注意を払うのは自然なことだった。しかし、言語をネットワークとして考えられるようになった今、そこにはまちがいなくイノベーションの余地がある。たくさんの英語や言語の生まれる余地がある。言語的な遊び心や創造性の息づく余地がある。そう、この輝かしい言語のネットワークのなかには、あなたの居場所があるのだ。

謝辞

インターネットに関する本を書くことの最大のメリット
は、書いているうちに必ずインターネットに気を取られ、
たいてい、そのたびに書く材料が見つかることだ。ネット
民のみなさんにお礼を言いたい。

　インターネット研究の最大の問題は、引用したリンクの
半数が２年もするとリンク切れになることだ。リンク切
れの問題を和らげるため、本書のリンクはすべて、インター
ネットアーカイブのサービス「ウェイバックマシン」に保
存し、運営が維持できるよう、個人的に寄付を行なった。
リンク切れの URL を archive.org に入力すると、バック
アップ済みのコピーが参照できる仕組みだ。

　担当編集者のコートニー・ヤングは、ときにはわたし自
身以上に、本書の精神を理解してくれた。リバーヘッド・
ブックスのみなさん、特にケヴィン・マーフィーと、編集
チームのみなさんは、インターネット・スタイルに基づく
スタイルガイドに見事に対処してくれた。表紙をデザイン
してくれたグレース・ハンは、インターネットの文章の見
事な表現を考えてくれた。広報担当のシェイリン・タヴェ
ラは、エネルギーと情熱を捧げてくれた。それから、エー
ジェントのハワード・ユーンは、縁の下の力持ちになって
くれた。ダラ・ケイは、抜群のユーモアのセンスとマルチ

リンガルに関するアドバイスを分け与えてくれた。そして、ロス・ユーン・エージェンシーのチームの残りのみなさんにも感謝したい。

　ウェブサイト「ザ・トースト」のニコル・クリフは、わたしの無茶な要求にも、この上ない熱意で応えてくれた。ザ・トーストの読者のみなさんは、わたしの文章が読まれているところを想像させ、文章の改善に貢献してくれた。また、『ワイアード』誌と、アレクシス・ソーベル・フィッツ、アンドレア・バルデス、エミリー・ドレフュスは、同誌の「レジデント・リングイスト（駐在言語学者）」シリーズのため、夢のような新しい居場所をつくってくれた。本当にありがとう。また、ミニョン・フォガーティ、エリカ・オウクレント、クライブ・トンプソン、エミリー・グレフ、ジェニファー・カッツ、エリン・マッキーン、ベン・ジマーの指導に感謝したい。タイトルに関しては、ローラ・ベイリー、ミーガン・ガーバー、モリー・アトラス、アメリカ方言学会に、細部への注目と妙に雄弁なネコに関しては、A・E・プレヴォに厚くお礼を言いたい。

　歴代のインターネット研究者たちは、鮮やかな記述とアーカイブを通じて、ネットワーク・コンピューターの初期の時代の雰囲気を伝えてくれた。若手のインターネット研究者た

ちは、わたしの経験の及ばないインターネット上のコミュニケーション・スタイルについて研究してくれている。両者には本当にお世話になった。また、学生の論文、カンファレンス用のプレゼンテーション資料、修士論文、博士論文、最先端のインターネット言語学の文献を送ってくれたみなさん、本当にありがとう。

　わたしの出身教育機関であるキングス・エッジヒルスクール、国際バカロレア、クイーンズ大学、マギル大学と、わたしの指導教授、特にジェシカ・クーンとジャニン・メタリックに感謝を述べたい。また、わたしのブログやポッドキャストの読者、リスナー、後援者のみなさんは、その熱意を通じて、本の執筆にまつわる孤独感を癒やしてくれた。ありがとう。

　わたしの家族は、言語学がこれほど面白い理由に耳を傾けてくれる、わたしにとって最初の、そしていちばん長きにわたるテスト聴衆だ。特に、ジャニスは最新の流行に関する質問に答えてくれ、マルコムは巨大な目標の細分化についてのアドバイスをくれた。そして両親は、わたしが何をしているのかがひとつもわからなくても、わたしのしていることがわたしにとって必要で、きっとうまくいくと心の底から信じてくれた。

　それから、わたしが大衆言語学の世界に足を踏み入れる後押しをしてくれた、言語学者仲間のリーランド・ポール・カスマーとキャロライン・アンダーソン、そしてその少しあとで言語学者仲間になった A・E・プレヴォ、ジェイン・ソロモン、ジェフリー・ラモンターニュ、エミリー・グレフ、サニー・アナンス、言語学者ツイッター（Linguist Twitter）のみなさん、そして言語学と無関係な友達のサビナ、ジェニー、グループチャットのみなさん、本当にありがとう。ニューヨーク市の自宅に泊まらせてくれたアレックスと家族の方々、夜遅くまで店を開けてくれるモントリオールの数々のカフェにも、お礼を言いたい。

　そして誰よりも、ポッドキャスト「Lingthusiasm」の共同ホストであるローレン・ゴーンに最大の感謝を贈りたい。ジェスチャー研究を紹介して絵文字の章の突破口を開いてくれただけでなく、原稿のなかでも、そしてわたしがもう原稿を見るのさえイヤになったときも、かけがえのないコメントを山ほどくれた。普段、記事のなかでしか読まないような伝説的なビジネス・パートナーシップに、まさか自分が加わるとは思ってもみなかった。みなさんとここまで来られた幸運に感謝して。

訳者あとがき

「言語とは、人類のもっとも壮大なオープンソース・プロジェクトなのだ」

　著者グレッチェン・マカロックのこの言葉に集約されているように、現代の言語は前例のないスピードで進化しつづけている。それを可能にしたのがインターネットだ。何十億人という人々がオンラインにアクセスし、本書でいう「カジュアルな書き言葉」を使って自由にコミュニケーションを取ろうと創意工夫した結果、私たちの言葉のバリエーションはおおいに広がった。その過程で生まれたのがインターネット・スラングであり、口調のタイポグラフィ（活字表現）であり、絵文字であり、インターネット・ミームだ。本書は、そうしたインターネット言語が、インターネットの黎明期から今日に至るまでどう進化してきたのかを克明に描き出している。

　本書で扱われているのは主に「英語」のインターネット言語であるが、翻訳するなかで、日本語との共通点の多さに驚かされた。たとえば、日本語にもインターネット特有のスラングがあるし、（笑）の持つ皮肉の意味や、長音（〜）を使った音の伸ばしも、英語の lol や同じ文字の繰り返しと対応している。言わずもがな、日本の携帯電話発祥の絵文字は今や世界の共通言語のようになっている。また、句読点や感嘆符ひとつから相手の微妙な心情を察しようとし

たり、年配者からのぶっきらぼうな文体のメールに戸惑ったりするのは、英語の話者も変わらないようだ。すべては、書き言葉だけでなるべく正確な自己表現を図ろうとする試行錯誤の結果として生まれた、万国共通の現象なのかもしれない。

　なお、翻訳に際しては、日本でなじみのない英語のスラングや語句が頻出することから、適宜、補足を追加した。英単語上のルビは、その単語の発音をカタカナ表記したもので、おおまかな読み方を理解できるよう便宜的につけさせていただいた。英語の略語には、←記号の後ろにその完全な表記を追加した。また、英語の単語や語句の後ろのカッコ内の日本語は、その訳語を表わす。ただし、スラングについては、必ずしも日本語に一対一で対応する訳語があるわけではなく、文脈によって意味が変わることもあるので、カッコ内の訳語はあくまでもひとつの訳例として理解していただければ幸いである。さらに詳しい補足が必要だと判断した箇所には▼記号をつけ、ページの下部に説明を載せてある。

　最後に、本書を翻訳する機会をくださるとともに、きめ細やかな編集を行なってくださった、フィルムアート社編集者の伊東弘剛さんにお礼を申し上げる。

2021年8月　千葉敏生

原註

第1章　カジュアルな書き言葉

1. James Westfall Thompson. 1960. *The Literacy of the Laity in the Middle Ages*. Burt Franklin.
2. Gretchen McCulloch. November 24, 2015. twitter.com/GretchenAMcC/status/669255229729341441.
3. Douglas Harper. 2001–2018. "Rhino." *Online Etymological Dictionary*. etymonline.com/word/rhino.
4. T. Florian Jaeger and Celeste Kidd. 2008. "Toward a Unified Model of Redundancy Avoidance and Strategic Lengthening." Presented at the 21st Annual CUNY Conference on Human Sentence Processing, March 2008, Chapel Hill, North Carolina.
5. Keith Houston. June 26, 2011. "The Ampersand," part 2 of 2. *Shady Characters*. shadycharacters. co.uk/2011/06/the-ampersand-part-2-of-2/. Keith Houston. March 17, 2015. "Miscellany No. 59: The Percent Sign." *Shady Characters*. shadycharacters.co.uk/2015/03/percent-sign/.
6. S. V. Baum. 1955. "From 'Awol' to 'Veep': The Growth and Specialization of the Acronym." *American Speech* 30(2). pp. 103–110.
7. Ben Zimmer. December 16, 2010. "Acronym." *The New York Times Magazine*. nytimes.com/2010/12/19/magazine/19FOB-onlanguage-t.html.
8. Adam Kendon. 2004. *Gesture: Visible Action as Utterance*. Cambridge University Press. クインティリアヌス『弁論家の教育』全5巻、森谷宇一ほか訳、京都大学学術出版会、2005年・2009年・2013年・2016年・5巻未刊

第2章　言語と社会

1. Stefan Dollinger. 2015. *The Written Questionnaire in Social Dialectology: History, Theory, Practice*. John Benjamins.
2. Charles Boberg. 2013. "Surveys: The Use of Written Questionnaires." In Christine Mallinson, Becky Childs, and Gerard Van Herk, eds., *Data Collection in Sociolinguistics: Methods and Applications*. Routledge.
3. J. K. Chambers and Peter Trudgill. 1998. *Dialectology*, 2nd ed. Cambridge University Press.
4. Jules Gilliéron and Edmond Edmont. 2017. Atlas Linguistique de la France. GIPSA-Lab and CLLE-UMR 5263. cartodialect.imag.fr/cartoDialect/.
5. Taylor Jones. September 28, 2014. "Big Data and Black Twitter." *Language Jones*. languagejones.com/blog-1/2014/9/26/big-data-and-black-twitter.
6. Lisa Minnick. January 10, 2012. "From Marburg to Miami: Putting Language Variation on the Map." *Functional Shift*. functionalshift.wordpress.com/2012/01/10/miami/.
7. Stefan Dollinger. 2015. *The Written Questionnaire in Social Dialectology: History, Theory, Practice*. John Benjamins.
8. August Rubrecht. 2005. "Life in a DARE Word Wagon. Do You Speak American?" pbs.org/speak/seatosea/americanvarieties/DARE/wordwagon/. Jesse Sheidlower. September 22, 2017. "The Closing of a Great American Dialect Project." *The New Yorker*. newyorker.com/culture/cultural-comment/the-closing-of-a-great-american-dialect-project.
9. William Labov, Sharon Ash, and Charles Boberg. 2005. *The Atlas of North American English: Phonetics, Phonology and Sound Change*. Walter de Gruyter. atlas.mouton-content.com/.
10. Bert Vaux and Scott Golder. 2003. *The Harvard Dialect Survey*. Harvard University Linguistics Department. dialect.redlog.net/.
11. Josh Katz and Wilson Andrews. December 21, 2013. "How Y'all, Youse and You Guys Talk." *The New York Times*. nytimes.com/interactive/2014/upshot/dialect-quiz-map.html.
12. Alice E. Marwick and danah boyd. 2011. "I Tweet Honestly, I Tweet Passionately: Twitter Users, Context Collapse, and the Imagined Audience." *New Media & Society* 13(1). pp. 114–133.
13. Matt Raymond. April 14, 2010. "How Tweet It Is! Library Acquires Entire Twitter Archive." *Library of*

Congress Blog. blogs.loc.gov/loc/2010/04/how-tweet-it-is-library-acquires-entire-twitter-archive/.

14. Alex Baze. April 16, 2010. twitter.com/bazecraze/status/12308452064.

15. understandblue. April 15, 2010. twitter.com/understandblue/status/12247489441.

16. Jamie Doward, Carole Cadwalladr, and Alice Gibbs. March 4, 2017. "Watchdog to Launch Inquiry into Misuse of Data in Politics." *The Guardian.* theguardian.com/technology/2017/mar/04/cambridge-analytics-data-brexit-trump

17. Jacob Eisenstein. 2014. "Identifying Regional Dialects in Online Social Media." cc.gatech.edu/~jeisenst/papers/dialectology-chapter.pdf . Kelly Servick. February 15, 2015. "Are yinz frfr? What Your Twitter Dialect Says About Where You Live." *Science.* news.sciencemag.org/social-sciences/2015/02/are-yinz-frfr-what-your-twitter-dialect-says-about-where-you-live.

18. Jacob Eisenstein, Brendan O'Connor, Noah A. Smith, and Eric P. Xing. 2014. "Diffusion of Lexical Change in Social Media." *PLOS ONE* 9(11). Public Library of Science. e113114. doi.org/10.1371/journal.pone.0113114.

19. Jack Grieve, Andrea Nini, Diansheng Guo, and Alice Kasakoff. 2015. "Using Social Media to Map Double Modals in Modern American English." Presented at New Ways of Analyzing Variation 44, October 22–25, 2015, Toronto.

20. Jack Grieve. July 16, 2015. "A Few Swear Word Maps." *Research Blog.* sites.google.com/site/jackgrieveaston/treesandtweets.

21. Katherine Connor Martin. 2017. "New Words Notes September 2017." *The Oxford English Dictionary Today.* public.oed.com/the-oed-today/recent-updates-to-the-oed/september-2017-update/new-words-notes-september-2017/.

22. Rachael Tatman. 2015. "# go awn: Sociophonetic Variation in Variant Spellings on Twitter." *Working Papers of the Linguistics Circle of the University of Victoria* 25(2). p. 97.

23. Jane Stuart-Smith. 2004. "Scottish English: Phonology." In Bernd Kortmann and Edgar W. Schneider, eds., *A Handbook of Varieties of English* 1. De Gruyter. pp. 47–67.

24. David Crystal. December 1, 2008. "On *Kitchen Table Lingo.*" *DCBLOG.* david-crystal.blogspot.ca/2008/12/on-kitchen-table-lingo.html.

25. Richard Kay. July 17, 2015. "Think George Is a Little Monkey? You Were WORSE, Wills: The Pictures That Show How Little Terror Prince Is Taking After His Naughty Daddy." *Daily Mail.* dailymail.co.uk/news/article-3165864/Think-George-little-monkey-WORSE-Wills-pictures-little-terror-prince-taking-naughty-daddy.html.

26. Penelope Eckert. 1989. *Jocks and Burnouts: Social Categories and Identity in the High School.* Teachers College Press. Penelope Eckert. 2004. "Adolescent Language." In Edward Finegan and John Rickford, eds., *Language in the USA.* Cambridge University Press. pp. 361–374.

27. William Labov. 2011. *Principles of Linguistic Change*, vol. 3: *Cognitive and Cultural Factors.* John Wiley & Sons. p. 65. See also npr.org/templates/story/story.php?storyId=5220090.

28. Mary Bucholtz. 1996. "Geek the Girl: Language, Femininity, and Female Nerds." In Natasha Warner, Jocelyn Ahlers, Leela Bilmes, Monica Oliver, Suzanne Wertheim, and Melinda Chen, eds., *Gender and Belief Systems.* Berkeley Women and Language Group. pp. 119–131.

29. Norma Mendoza-Denton. 1996. "Language Attitudes and Gang Affiliation Among California Latina Girls." In Natasha Warner, Jocelyn Ahlers, Leela Bilmes, Monica Oliver, Suzanne Wertheim, and Melindwileya Chen, eds., *Gender and Belief Systems.* Berkeley: Berkeley Women and Language Group. pp. 478–486.

30. Henrietta Cedergren. 1988. "The Spread of Language Change: Verifying Inferences of Linguistic Diffusion." In Peter H. Lowenberg, ed., *Language Spread and Language Policy: Issues, Implications, and Case Studies.* Georgetown University Press. pp. 45–60. Sali A. Tagliamonte and Alexandra D'Arcy. 2009. "Peaks Beyond Phonology: Adolescence, Incrementation, and Language Change." *Language* 85(1). pp. 58–108.

31. Timothy Jay. 1992. *Cursing in America: A Psycholinguistic Study of Dirty Language in the Courts, in the Movies, in the Schoolyards, and on the Streets.* John Benjamins. Mike Thelwall. 2008. "Fk yea I swear: Cursing and Gender in MySpace." *Corpora* 3(1). pp. 83–107.

32. Rahul Goel, Sandeep Soni, Naman Goyal, John Paparrizos, Hanna Wallach, Fernando Diaz, and Jacob Eisenstein. 2016. "The Social Dynamics of Language Change in Online Networks." *Proceedings of the International Conference on Social Informatics* (SocInfo16). Springer International. pp. 41–57.

33. Jacob Eisenstein, Brendan O'Connor, Noah A. Smith, and Eric P. Xing. 2014. "Diffusion of Lexical

Change in Social Media." *PLOS ONE* 9(11). Public Library of Science. e113114. doi.org/10.1371/journal.pone.0113114, journals.plos.org/plosone/article?id=10.1371/journal.pone.0113114#s1.

34. 「AF」は、2014年末の記事 "20 Young Celebs That Were 2014 AF," buzzfeed.com/christineolivo/2014-supernovas、2015年7月のリスト "Here's What These Popular Dating Terms Really Mean", buzzfeed.com/kirstenking/single-as-fuq、2015年10月の記事 "17 Dads Who Are Dad AF" buzzfeed.com/awesomer/dad-to-the-bone に登場している。一方、それ以前の見出しでは、F**k（"27 Animals Who Don't Give a F**k," buzzfeed.com/chelseamarshall/animals-who-dont-give-a-fk、2014年）やF#@k（"30 Easy Steps to Not Give a F#@k," buzzfeed.com/daves4/easy-steps-to-start-not-giving-a-f、2013年）が使われていた。

35. Cristian Danescu-Niculescu-Mizil, Robert West, Dan Jurafsky, Jure Leskovec, and Christopher Potts. 2013. "No Country for Old Members: User Lifecycle and Linguistic Change in Online Communities." *Proceedings of the 22nd International Conference on World Wide Web Pages*. pp. 307–318.

36. Jennifer Nycz. 2016. "Awareness and Acquisition of New Dialect Features." In Anna M. Babel, ed., *Awareness and Control in Sociolinguistic Research*. Cambridge University Press. pp. 62–79.

37. James H. Fowler and Nicholas A. Christakis. 2008. "Dynamic Spread of Happiness in a Large Social Network: Longitudinal Analysis over 20 Years in the Framingham Heart Study." *The BMJ* 337: a2338.

38. Suzanne Grégoire. 2006. "Gender and Language Change: The Case of Early Modern Women." Unpublished manuscript, University of Toronto. Retrieved from homes.chass.utoronto.ca/~cpercy/courses/6362-gregoire.htm.

39. William Labov. 1990. "The Intersection of Sex and Social Class in the Course of Linguistic Change." *Language Variation and Change* 2(2). pp. 205–254.

40. Alexandra D'Arcy. 2017. *Discourse-Pragmatic Variation in Context: Eight Hundred Years of LIKE*. John Benjamins.

41. William Labov. 1990. "The Intersection of Sex and Social Class in the Course of Linguistic Change." *Language Variation and Change* 2(2). pp. 205–254.

42. Suzanne Romaine. 2005. "Variation in Language and Gender." In Janet Holmes and Miriam Meyerhoff, eds., *The Handbook of Language and Gender*. Blackwell.

43. Susan C. Herring and John C. Paolillo. 2006. "Gender and Genre Variation in Weblogs." *Journal of Sociolinguistics* 10(4). pp. 439–459.

44. David Bamman, Jacob Eisenstein, and Tyler Schnoebelen. 2014. "Gender Identity and Lexical Variation in Social Media." *Journal of Sociolinguistics* 18(2). pp. 135–160.

45. Lesley Milroy. 1980. *Language and Social Networks*. Blackwell.

46. James Milroy and Lesley Milroy. 1985. "Linguistic Change, Social Network and Speaker Innovation." *Journal of Linguistics* 21(2). pp. 339–384.

47. Mark S. Granovetter. 1973. "The Strength of Weak Ties." *American Journal of Sociology* 78(6). pp. 1360–1380.

48. Magnús Fjalldal. 2005. *Anglo-Saxon England in Icelandic Medieval Texts*. University of Toronto Press.

49. Zsuzsanna Fagyal, Samarth Swarup, Anna María Escobar, Les Gasser, and Kiran Lakkaraju. 2010. "Centers and Peripheries: Network Roles in Language Change." *Lingua* 120(8). pp. 2061–2079.

50. *Economist* Staff. February 26, 2009. "Primates on Facebook." *The Economist*. economist.com/node/13176775.

51. Kevin Major. 2001. *Eh? to Zed: A Canadian Abecedarium*. Illustrator: Alan Daniel. Red Deer Press. Anne Chisholm. 1993. *From Eh to Zed: Cookbook of Canadian Culinary Heritage*. Food Lovers' Canada. David DeRocco and John Sivell. 1996. *Canada from Eh to Zed*. Illustrator: Christine Porter. Full Blast Productions.

52. J. K. Chambers. 2002. *Sociolinguistic Theory: Linguistic Variation and Its Social Significance*, 2nd ed. Blackwell.

53. William Labov. 1972. "The Social Stratification of (r) in New York City Department Stores." *Sociolinguistic Patterns*. University of Pennsylvania Press. pp. 43–54.

54. Peter Trudgill. 1984. *Language in the British Isles*. Cambridge University Press.

55. Penelope Eckert. 2008. "Variation and the Indexical Field." *Journal of Sociolinguistics* 12(4). pp. 453–476.

56. James Milroy. 1992. *Linguistic Variation and Change: On the Historical Sociolinguistics of English*. Blackwell. H. C. Wyld. 1927. *A Short History of English*. John Murray.

57. Robert Lowth. 1762. *A Short Introduction to English Grammar*. Digitized in 2006 via Oxford University.

58. Tim McGee and Patricia Ericsson. 2002. "The Politics of the Program: MS WORD as the Invisible Grammarian." *Computers and Composition* 19. pp. 453–470.

59. Lynne Murphy. 2018. *The Prodigal Tongue: The Love-Hate Relationship between American and British English*. Penguin. pp. 148–152.

60. Anne Curzan. April 10, 2015. "Singular 'They,' Again." *The Chronicle of Higher Education: Lingua Franca*. chronicle.com/blogs/linguafranca/2015/04/10/singular-they-again. John E. McIntyre. April 10, 2015. "Singular "They" : The Editors' Decision." *The Baltimore Sun*. baltimoresun.com/news/language-blog/bal-singular-they-the-editors-decision-20150410-story.html. Personal communication with Benjamin Dreyer, chief copy editor, Random House; Peter Sokolowski, lexicographer, Merriam-Webster.

61. 作者の記載なし、日付の記載なし。"Wikipedia: Systemic Bias." Wikipedia. en.wikipedia.org/wiki/Wikipedia:Systemic_bias.

62. Yew Jin Lim. March 21, 2012. "Spell Checking Powered by the Web." *Google Drive Blog*. drive.googleblog.com/2012/03/spell-checking-powered-by-web.html.

63. Kieran Snyder. November 11, 2016. "Want to Hire Faster? Write about 'Learning,' Not 'Brilliance.' " *Textio* blog. textio.ai/growth-mindset-language-41d51c91432. Marissa Coughlin. October 18, 2017. "20 Benefits That Speed Up Hiring and 5 That Slow It Down." *Textio* blog. textio.ai/20-benefits-that-speed-up-hiring-and-5-that-slow-it-down-af266ce72ee8. Kieran Snyder. August 9, 2017. "Why AI Is Already Dead (and What's Coming Next)." *Textio* blog. textio.ai/ai-and-ml-in-job-posts-67b24b2033f8.

64. William Labov. 1963. "The Social Motivation of a Sound Change." *Word* 18. pp. 1–42.

65. Nicole R. Holliday. 2016. "Intonational Variation, Linguistic Style and the Black/Biracial Experience." PhD dissertation, New York University.

66. Paul E. Reed. 2016. "Sounding Appalachian:/ai/ Monophthongization, Rising Pitch Accents, and Rootedness." PhD dissertation, University of South Carolina.

67. Rachel Burdin. 2016. "Variation in Form and Function in Jewish English Intonation." PhD dissertation, Ohio State University.

68. Penelope Eckert. 2003. "Language and Adolescent Peer Groups." *Journal of Language and Social Psychology* 22(1). pp. 112–118. Jennifer Florence Roth-Gordon. 2003. "Slang and the Struggle over Meaning: Race, Language, and Power in Brazil." PhD dissertation, Stanford University. Vivienne Méla. 1997. "Verlan 2000." *Langue Française* 114. pp. 16–34. Mary Bucholtz. 1999. "You Da Man: Narrating the Racial Other in the Production of White Masculinity." *Journal of Sociolinguistics* 3(4). pp. 443–460. Cecilia A. Cutler. 1999. "Yorkville Crossing: White Teens, Hip Hop and African American English." *Journal of Sociolinguistics* 3(4). pp. 428–441. Jane H. Hill. 1993. "Hasta la Vista, Baby: Anglo Spanish in the American Southwest." *Critique of Anthropology* 13(2). pp. 145–176.

69. Renée Blake and Mia Matthias. 2015. " 'Black Twitter' : AAE Lexical Innovation, Appropriation, and Change in Computer-Mediated Discourse." Presented at New Ways of Analyzing Variation 44, October 22–25, 2015, Toronto.

70. CollegeHumor. July 7, 2014. "Columbusing: Discovering Things for White People." YouTube. youtube.com/watch?v=BWeFHddWL1Y. Rebecca Hotchen. October 12, 2015. "Update: What Happened to 'Columbusing' ?" *Oxford Dictionaries* blog. blog.oxforddictionaries.com/2015/10/columbusing-update/.

71. David Palfreyman and Muhamed Al Khalil. 2007. " 'A Funky Language for Teenzz to Use' : Representing Gulf Arabic in Instant Messaging." In Brenda Danet and Susan C. Herring, eds., *The Multilingual Internet: Language, Culture, and Communication Online*. Oxford University Press. pp. 43–64.

72. Zoë Kosoff. 2014. "Code-Switching in Egyptian Arabic: A Sociolinguistic Analysis of Twitter." *Al-'Arabiyya: Journal of the American Association of Teachers of Arabic* 47. Georgetown University Press. pp. 83–99.

73. Jacob Eisenstein. 2018. "Identifying Regional Dialects in Online Social Media." In Charles Boberg, John Nerbonne, and Dominic Watt, eds., *The Handbook of Dialectology*. John Wiley & Sons. Kelly Servick. February 15, 2015. "Are yinz frfr? What Your Twitter Dialect Says about Where You Live." *Science*. news.sciencemag.org/social-sciences/2015/02/are-yinz-frfr-what-your-twitter-dialect-says-about-where-you-live. Umashanthi Pavalanathan and Jacob Eisenstein. 2015. "Audience Modulated Variation in Online Social Media." *American Speech* 90(2). pp. 187–213.

74. Dong-Phuong Nguyen, Rudolf Berend Trieschnigg, and Leonie Cornips. 2015. "Audience and the Use of Minority Languages on Twitter." *Proceedings of the Ninth International AAAI Conference on Web and*

Social Media. AAAI Press. pp. 666–669.

75. Claudia Brugman and Thomas Conners. 2016. "Comparative Study of Register Specific Properties of Indonesian SMS and Twitter: Implications for NLP." Presented at the 20th International Symposium on Malay/Indonesian Linguistics, July 14–16, 2016, Melbourne, Australia. Claudia Brugman and Thomas Conners. 2017. "Querying the Spoken/Written Register Continuum through Indonesian Electronic Communications." Presented at the 21st International Symposium on Malay/Indonesian Linguistics, May 4–6, 2017, Langkawi, Malaysia. Moti Lieberman. January 26, 2016. "Writing in Texts vs. Twitter." *The Ling Space* blog. thelingspace.tumblr.com/post/138053815679/writing-in-texts-vs-twitter.

76. François Grosjean. 2010. *Bilingual.* Harvard University Press.

77. Su Lin Blodgett, Lisa Green, and Brendan O' Connor. 2016. "Demographic Dialectal Variation in Social Media: A Case Study of African-American English." *Proceedings of the 2016 Conference on Empirical Methods in Natural Language Processing.* pp. 1119–1130. arxiv.org/pdf/1608.08868v1.pdf.

78. Ivan Smirnov. 2017. "The Digital Flynn Effect: Complexity of Posts on Social Media Increases over Time." Presented at the International Conference on Social Informatics, September 13–15, 2017, Oxford, UK. arxiv.org/abs/1707.05755.

79. Michelle Drouin and Claire Davis. 2009. "R u txting? Is the Use of Text Speak Hurting Your Literacy?" *Journal of Literacy Research* 41. Routledge. pp. 46–67.

80. Jannis Androutsopoulos. 2011. "Language Change and Digital Media: A Review of Conceptions and Evidence." In Nikolas Coupland and Tore Kristiansen, eds., *Standard Languages and Language Standards in a Changing Europe.* Novus Forlag. pp. 145–160. Christa Dürscheid, Franc Wagner, and Sarah Brommer. 2010. *Wie Jugendliche schreiben: Schreibkompetenz und neue Medien.* Walter de Gruyter.

81. Crispin Thurlow. 2006. "From Statistical Panic to Moral Panic: The Metadiscursive Construction and Popular Exaggeration of New Media Language in the Print Media." *Journal of Computer-Mediated Communication* 11(3). pp. 667–701.

82. Sali Tagliamonte and Derek Denis. 2008. "Linguistic Ruin? LOL! Instant Messaging and Teen Language." *American Speech* 83(1). pp. 3–34.

83. Tim McGee and Patricia Ericsson. 2002. "The Politics of the Program: MS WORD as the Invisible Grammarian." *Computers and Composition* 19. Elsevier. pp. 453–470.

84. Lauren Dugan. November 11, 2011. "Twitter Basics: Why 140-Characters, and How to Write More." *Adweek.* adweek.com/digital/twitter-basics-why-140-characters-and-how-to-write-more/. Patrick Iber. October 19, 2016. "A Defense of Academic Twitter." *Inside Higher Ed.* insidehighered.com/advice/2016/10/19/how-academics-can-use-twitter-most-effectively-essay.

第3章　インターネット人

1. Naomi S. Baron. 1984. "Computer-Mediated Communication as a Force in Language Change." *Visible Language* 18(2). University of Cincinnati Press. pp. 118–141.

2. James E. Katz and Ronald E. Rice. 2008. "Syntopia: Access, Civic Involvement, and Social Interaction on the Net." In Barry Wellman and Caroline Haythornthwaite, eds., *The Internet in Everyday Life.* John Wiley & Sons.

3. John T. Cacioppo, Stephanie Cacioppo, Gian Gonzaga, Elizabeth L. Ogburn, and Tyler J. VanderWeele. 2013. "Marital Satisfaction and Break-ups Differ across On-Line and Off-Line Meeting Venues." *Proceedings of the National Academy of Sciences* 110 (25). pp. 10135–10140.

4. Aaron Smith. February 11, 2016. "15% of American Adults Have Used Online Dating Sites or Mobile Dating Apps." Pew Research Center. pewinternet.org/2016/02/11/15-percent-of-american-adults-have-used-online-dating-sites-or-mobile-dating-apps/.

5. Michael J. Rosenfeld. September 18, 2017. "Marriage, Choice, and Couplehood in the Age of the Internet." *Sociological Science.* sociologicalscience.com/download/vol-4/september/SocSci_v4_490to510.pdf.

6. Simon Kemp. January 30, 2018. "Digital in 2018: World' s Internet Users Pass the 4 Billion Mark." *We Are Social.* wearesocial.com/blog/2018/01/global-digital-report-2018.

7. Salikoko S. Mufwene. 2001. *The Ecology of Language Evolution.* Cambridge University Press.

8. U.S. Census Bureau, Population Division. 2000. "Ancestry." Chapter 9 of *Census Atlas of the United*

States. census.gov/population/www/cen2000/censusatlas/pdf/9_Ancestry.pdf.

9. Walt Wolfram and Natalie Schilling. 2015. *American English: Dialects and Variation*, 3rd ed. Language and Society, vol. 25. John Wiley & Sons.

10. Robin Dodsworth and Mary Kohn. July 2012. "Urban Rejection of the Vernacular: The SVS Undone." *Language Variation and Change* 24(2). pp. 221–245.

11. Jenny Cheshire, Paul Kerswill, Sue Fox, and Eivind Torgersen. 2011. "Contact, the Feature Pool and the Speech Community: The Emergence of Multicultural London English." *Journal of Sociolinguistics* 15(2). pp. 151–196.

12. Jenny Sundén. 2003. *Material Virtualities*. Peter Lang.

13. DFWX and Guardian of Eden. 2006. About DFWX.com. *DFWX: Dallas-Fort Worth Exchange*. dfwx.com/about_us.htm.

14. User DirigoDev. June 13, 2011. Reply to thread titled "Facebook Still Growing but Losing Users in Countries It Was First Established." Webmaster World forum. webmasterworld.com/facebook/4325404.htm.

15. Dave Delaney. May 15, 2018. twitter.com/davedelaney/status/996241627717959680.

16. Eric S. Raymond, ed. December 29, 2003. "Chapter 3. Revision History." The on-line hacker Jargon File, version 4.4.7. catb.org/jargon/html/revision-history.html.

17. Steven Ehrbar (archivist). August 12, 1976. The Jargon File Text Archive: A large collection of historical versions of the Jargon File, version 1.0.0.01. jargon-file.org/archive/jargon-1.0.0.01.dos.txt.

18. Steven Ehrbar (archivist). 日付の記載なし、The Jargon File Text Archive: A large collection of historical versions of the Jargon File, versions 1.0.0.01 to 4.4.7. jargon-file.org/.

19. Steven Ehrbar (archivist). March 11, 1977, and April 24, 1977. The Jargon File Text Archive: A large collection of historical versions of the Jargon File, versions 1.0.0.9 and 1.0.0.10. jargon-file.org/archive/jargon-1.0.0.09.dos.txt and jargon-file.org/archive/jargon-1.0.0.10.dos.txt.

20. Steven Ehrbar (archivist). December 29, 1977. The Jargon File Text Archive: A large collection of historical versions of the Jargon File, version 1.0.0.16. jargon-file.org/archive/jargon-1.0.0.16.dos.txt.

21. 顔文字と「lol」は、Guy L. Steele and Eric S. Raymond, eds. June 12, 1990. The Jargon File, version 2.1.1. jargon-file.org/archive/jargon-2.1.1.dos.txt で初めて追加された。大文字表記が叫び声を表わすという記述は、Guy L. Steele and Eric S. Raymond, eds. December 15, 1990. The Jargon File, version 2.2.1. jargon-file.org/archive/jargon-2.2.1.dos.txt で初めて追加された。

22. Guy L. Steele and Eric S. Raymond, eds. June 12, 1990. The Jargon File, version 2.1.1. jargon-file.org/archive/jargon-2.1.1.dos.txt.

23. Eric S. Raymond, ed. March 22, 1991. The Jargon File, version 2.8.1. jargon-file.org/archive/jargon-2.8.1.dos.txt.

24. Eric S. Raymond, ed. December 29, 2003. "UTSL." The on-line hacker Jargon File, version 4.4.7. catb.org/jargon/html/U/UTSL.html.

25. Sonja Utz. 2000. "Social Information Processing in MUDs: The Development of Friendships in Virtual Worlds." *Journal of Online Behavior* 1(1). psycnet.apa.org/record/2002-14046-001.

26. Wayne Pearson. 2002. "The Origin of LOL." University of Calgary webpage. pages.cpsc.ucalgary.ca/~crwth/LOL.html.

27. Vince Periello, ed. May 8, 1989. *International FidoNet Association Newsletter* 6(19). textfiles.com/fidonet-on-the-internet/878889/fido0619.txt. John Brandon. November 7, 2008. "Opinion: FWIW—The Origins of 'Net Shorthand." *PCWorld*. pcworld.com/article/153504/net_shorthand_origins.html.

28. Andrew Perrin and Maeve Duggan. June 26, 2015. "Americans' Internet Access: 2000–2015." Pew Research Center. pewinternet.org/2015/06/26/americans-internet-access-2000-2015/.

29. 作者の記載なし、October 16, 1995. "Americans Going Online . . . Explosive Growth, Uncertain Destinations." Pew Research Center. people-press.org/1995/10/16/americans-going-online-explosive-growth-uncertain-destinations/.

30. Rob Spiegel. November 12, 1999. "When Did the Internet Become Mainstream?" *Ecommerce Times*. ecommercetimes.com/story/1731.html?wlc=1226697731.

31. Marc Prensky. 2001. "Digital Natives, Digital Immigrants." *On the Horizon* 9(5). pp. 1–6. Don Tapscott. 1998. *Growing up Digital: The Rise of the Net Generation*. McGraw-Hill.

32. Ruth Xiaoqing Guo, Teresa Dobson, and Stephen Petrina. 2008. "Digital Natives, Digital Immigrants: An Analysis of Age and ICT Competency in Teacher Education." *Journal of Educational Computing Research* 38(3). pp. 235–254.

33. Sue Bennett, Karl Maton, and Lisa Kervin. 2008. "The 'Digital Natives' Debate: A Critical Review of the Evidence." *British Journal of Educational Technology* 39(5). pp. 775–786.

34. Melissa McEwen. November 13, 2017. "The Teenage Girl's Internet of the Early 2000s." Medium. medium.com/@melissamcewen/the-teenage-girls-internet-of-the-early-2000s-ffa05702a9aa.

35. Melissa McEwen. May 14, 2016. "Petz: A Lost Community of Mostly Female Coders/Gamers." Medium. medium.com/@melissamcewen/petz-a-lost-community-of-mostly-female-coders-gamers-2eb0e1a73f42.

36. Nicole Carpenter. October 23, 2017. " 'Neopets': Inside Look at Early 2000s Internet Girl Culture." *Rolling Stone*. rollingstone.com/glixel/features/neopets-a-look-into-early-2000s-girl-culture-w509885.

37. 作者の記載なし、October 7, 2017. "AOL Is Shutting Down Its Instant Messenger and 90s Kids Are Reminiscing." *The Irish Examiner*. irishexaminer.com/breakingnews/technow/aol-is-shutting-down-its-instant-messenger-and-90s-kids-are-reminiscing-808938.html. Madeleine Buxton. October 6, 2017. "AIM Is Coming to an End & 90s Kids Everywhere Can't Deal." *Refinery 29*. refinery29.com/2017/10/175504/aol-instant-messenger-discontinued. Adrian Covert and Sam Biddle. May 16, 2011. "Remember When AOL Instant Messenger Was Our Facebook?" *Gizmodo*. gizmodo.com/5800437/remember-when-aol-instant-messenger-was-our-facebook.

38. Olia and Dragan. 日付の記載なし、*One Terabyte of Kilobyte Age*. blog.geocities.institute/. 作者の記載なし、December 4, 2017. "GeoCities." Archive Team. archiveteam.org/index.php?title=GeoCities. Dan Fletcher. November 9, 2009. "Internet Atrocity! GeoCities' Demise Erases Web History." *Time*. content.time.com/time/business/article/0,8599,1936645,00.html. Dan Grabham. November 26, 2009. "GeoCities Closes: Fond Memories of Free Sites and Terrible Web Design." *Techradar*. techradar.com/news/internet/web/geocities-closes-fond-memories-of-free-sites-and-terrible-web-design-644763.

39. Taylor Lorenz. March 1, 2017. twitter.com/Taylor Lorenz/status/837032527219068928 [Not Found].

40. Elisheva F. Gross. 2004. "Adolescent Internet Use: What We Expect, What Teens Report." *Applied Developmental Psychology* 25. pp. 633–649.

41. R. Kvavik, J. B. Caruso, and G. Morgan. 2004. *ECAR Study of Students and Information Technology 2004: Convenience, Connection, and Control*. EDUCAUSE Center for Applied Research. Sue Bennett, Karl Maton, and Lisa Kervin. 2008. "The 'Digital Natives' Debate: A Critical Review of the Evidence." *British Journal of Educational Technology* 39(5). pp. 775–786.

42. Anoush Margaryan, Allison Littlejohn, and Gabrielle Vojt. 2011. "Are Digital Natives a Myth or Reality? University Students' Use of Digital Technologies." *Computers & Education* 56(2). pp. 429–440. Gregor E. Kennedy, Terry S. Judd, Anna Churchward, Kathleen Gray, and Kerri-Lee Krause. 2008. "First Year Students' Experiences with Technology: Are They Really Digital Natives?" *Australasian Journal of Educational Technology* 24(1). ASCILITE. pp. 108–122. Hannah Thinyane. 2010. "Are Digital Natives a World-Wide Phenomenon? An Investigation into South African First Year Students' Use and Experience with Technology." *Computers & Education* 55. pp. 406–414.

43. Ellen Helsper and Rebecca Eynon. 2009. "Digital Natives: Where Is the Evidence?" *British Educational Research Journal* 36(3). pp. 1–18.

44. Michelle Slatalla. June 7, 2007. " 'omg my mom joined facebook!!' " *The New York Times*. nytimes.com/2007/06/07/fashion/07Cyber.html. Hadley Freeman. January 19, 2009. "Oh No! My Parents Have Joined Facebook." *The Guardian*. theguardian.com/media/2009/jan/19/facebook-social-networking-parents.

45. 作者の記載なし、January 11, 2017. "Who Uses Social Media." Pew Research Center. pewinternet.org/chart/who-uses-social-media/.

46. Randall Munroe. August 24, 2009. "Tech Support Cheat Sheet." *xkcd*. xkcd.com/627/.

47. 作者の記載なし、December 16, 1996. "News Attracts Most Internet Users: Online Use." Pew Research Center. people-press.org/1996/12/16/online-use/.

48. Kristen Purcell. August 9, 2011. "Search and Email Still Top the List of Most Popular Online Activities." Pew Research Center. pewinternet.org/2011/08/09/search-and-email-still-top-the-list-of-most-popular-online-activities/.

49. David Crystal. 2001. *Language and the Internet*. Cambridge University Press.

50. ThatGuyPonna. September 9, 2015. "We should change 'Lol' to 'Ne' (Nose Exhale) because that's all we really do when we see something funny online." Reddit. reddit.com/r/Showerthoughts/comments/3ka70x/we_should_change_lol_to_ne_nose_exhale_because/.

51. ビュー研究所の1995年の報告によると、ウェブサイトを訪問したことのある人は、アメリカのインターネット・

ユーザー全体のわずか 20 パーセントしかおらず、週に 1 回以上、電子メールを送受信する人は、53 パーセントだっ
た。若い読者の方々のために補足しておくと、当時はまだ「ウェブメール」の存在しない時代だった。電子メールを
チェックするには、G メールのウェブサイトなどにアクセスするのではなく、専用の電子メール・ソフトを開く必要
があった。作者の記載なし、October 16, 1995. "Americans Going Online . . . Explosive Growth, Uncertain
Destinations." Pew Research Center. people-press.org/1995/10/16/americans-going-online-explosive-
growth-uncertain-destinations/.

52. Andrew Perrin and Maeve Duggan. June 26, 2015. "Americans' Internet Access: 2000–2015." Pew
Research Center. pewinternet.org/2015/06/26/americans-internet-access-2000-2015/.

53. Aaron Smith. January 12, 2017. "Record Shares of Americans Now Own Smartphones, Have Home
Broadband." Pew Research Center. pewresearch.org/fact-tank/2017/01/12/evolution-of-technology/.

54. Gretchen McCulloch. February 6, 2017. twitter.com/GretchenAMcC/status/828809327540654083.

55. Jessamyn West. November 2, 2016. storify.com/jessamyn/highlights-from-drop-in-time.

56. Monica Anderson, Andrew Perrin, and Jingjing Jiang. March 5, 2018. "11% of Americans Don't Use
the Internet. Who Are They?" Pew Research Center. pewresearch.org/fact-tank/2018/03/05/some-
americans-dont-use-the-internet-who-are-they/.

57. Jessamyn West. 2016. "Solve the Digital Divide with One Neat Trick!" Presented at the New Hampshire
2016 Fall Conference and Business Meeting, November 3, 2016, Hooksett, New Hampshire. librarian.
net/talks/nhla16/nhla16.pdf.

58. Jessamyn West. October 16, 2015. "Transcription: Jessamyn West, Technology Lady." Medium. medium.
com/tilty/transcription-jessamyn-west-technology-lady-6c6f5fefa507.

59. Gretchen McCulloch. November 2, 2017. twitter.com/GretchenAMcC/status/935506746222759937.

60. Paris Martineau. February 8, 2018. "Why... Do Old People... Text... Like This... ? An Investigation..." *The
Outline*. theoutline.com/post/3333/why-do-old-people-text-like-this-an-investigation.

61. Minisixxx. July 26, 2017. Posted to a group exclusively for old photos of a town. Reddit. reddit.
com/r/oldpeople facebook/comments/6p29xj/posted_to_a_group_exclusively_for_old_photos_
of_a/?st=j775761s&sh=6eb68538. PeriodStain. August 6, 2016. "Old People vs Clickbait." Reddit.
reddit.com/r/oldpeoplefacebook/comments/4whj2u/old_people_vs_clickbait/?st=j7752f4k&sh=
5b833dcc. Noheifers. August 6, 2017. "Good question." Reddit. reddit.com/r/oldpeoplefacebook/
comments/6rvtwf/good_question/?st=j775amjd&sh=03c72ac6.

62. Jessamyn West. July 9, 2007. "Me at Work, Seniors Learning Computers." *Librarian.net*. librarian.net/
stax/2083/me-at-work-seniors-learning-computers/. iamthebestartist. July 8, 2006. "Computer Class
in Vermont." YouTube. youtube.com/watch?v=3A4R38VOgdw.

63. リンゴ・スター『ビートルズからのラブ・レター──4 人がやりとりした 51 通のポストカード POSTCARDS
FROM THE BOYS』ザ・ビートルズ・クラブ翻訳・編集、プロデュース・センター出版局、2005 年

64. 作者の記載なし、January 15, 2008. Lot 468: A POSTCARD FROM GEORGE HARRISON. *Bonhams
Auctions*. bonhams.com/auctions/15765/lot/468/.

65. Kyoko Sugisaki. 2017. "Word and Sentence Segmentation in German: Overcoming Idiosyncrasies in the
Use of Punctuation in Private Communication." Unpublished manuscript. sugisaki.ch/assets/papers/
sugisaki2017b.pdf.

66. Jan-Ola Östman. 2003. "The Postcard as Media." In Srikant Sarangi, ed., *Text and Talk* 24(3). pp.
423–442.

67. Tara Bahrampour. July 13, 2013. "Successful Program to Help D.C. Senior Citizens Use iPads to
Prevent Isolation Will Expand." *The Washington Post*. washingtonpost.com/local/dc-senior-citizens-
use-ipads-to-expand-social-interactions/2013/07/13/491fdb72-ea7a-11e2-aa9f-c03a72e2d342_story.
html?hpid=z5.

68. Loren Cheng. December 4, 2017. "Introducing Messenger Kids, a New App for Families to Connect."
Facebook Newsroom. newsroom.fb.com/news/2017/12/introducing-messenger-kids-a-new-app-for-
families-to-connect/. Josh Constine. December 4, 2017. "Facebook 'Messenger Kids' Lets Under-13s
Chat with Whom Parents Approve." *Techcrunch*. techcrunch.com/2017/12/04/facebook-messenger-
kids/.

69. Crispin Thurlow. 2006. "From Statistical Panic to Moral Panic: The Metadiscursive Construction and
Popular Exaggeration of New Media Language in the Print Media." *Journal of Computer-Mediated
Communication* 11. International Communication Association. pp. 67–701. Ben Rosen. February 8, 2016.
"My Little Sister Taught Me How to 'Snapchat Like the Teens.'" *BuzzFeed*. buzzfeed.com/benrosen/
how-to-snapchat-like-the-teens. Mary H.K. Choi. August 25, 2016. "Like. Flirt. Ghost. A Journey into

the Social Media Lives of Teens." *Wired*. wired.com/2016/08/how-teens-use-social-media/. Andrew Watts. January 3, 2015. "A Teenager's View on Social Media." *Wired*. backchannel.com/a-teenagers-view-on-social-media-1df945c09ac6. Josh Miller. December 29, 2012. "Tenth Grade Tech Trends." *Medium*. medium.com/@joshm/tenth-grade-tech-trends-d8d4f2300cf3.

70. Susan Herring. 2008. "Questioning the Generational Divide: Technological Exoticism and Adult Constructions of Online Youth Identity." In David Buckingham, ed., *Youth, Identity, and Digital Media*. MIT Press. pp. 71–94.

71. Michel Forsé. 1981. "La Sociabilité." *Economie et Statistique* 132. pp. 39–48. persee.fr/doc/estat_0336-1454_1981_num_132_1_4476.

72. Susan Herring. 2008. "Questioning the Generational Divide: Technological Exoticism and Adult Constructions of Online Youth Identity." In David Buckingham, ed., *Youth, Identity, and Digital Media*. MIT Press. pp. 71–94.

73. Sarah Holloway and Gill Valentine. 2003. *Cyberkids: Children in the Information Age*. Psychology Press. Sonia Livingstone and Moira Bovill. 1999. *Young People, New Media: Summary Report of the Research Project Children, Young People and the Changing Media Environment*. Media@LSE. eprints.lse. ac.uk/21177/. Keri Facer, John Furlong, Ruth Furlong, and Rosamund Sutherland. 2003. *Screenplay: Children and Computing in the Home*. Psychology Press.

74. Victoria Rideout. 2006. "Social Media, Social Life." Common Sense Media. commonsensemedia.org/sites/default/files/research/socialmediasociallife-final-061812.pdf.

75. ダナ・ボイド『つながりっぱなしの日常を生きる──ソーシャルメディアが若者にもたらしたもの』野中モモ訳、草思社、2014 年

76. danah boyd. December 8, 2013. "How 'Context Collapse' Was Coined: My Recollection." *Apophenia*. zephoria.org/thoughts/archives/2013/12/08/coining-context-collapse.html.

77. バイリンガルのコーパスを使ったため、マクスウィーニーの例の一部はスペイン語で書かれていたという点に注意。ここでは、彼女の論文内に掲載された英訳を用いている。Michelle McSweeney. January 6, 2017. "lol i didn't mean it! Lol as a Marker of Illocutionary Force." Presented at the Annual Meeting of the Linguistics Society of America, January 4–7, 2018, Salt Lake City.

78. Robert R. Provine. 1993. "Laughter Punctuates Speech: Linguistic, Social and Gender Contexts of Laughter." *Ethology* 95(4). pp. 291–298.

第 4 章　口調のタイポグラフィ

1. Jacob Kastrenakes. March 30, 2016. "Google Now's Voice Is Starting to Sound Way More Natural." *The Verge*. theverge.com/2016/3/30/11333524/google-now-voice-improved-smoother-sound.

2. Kathryn Sutherland, ed. July 31, 2012. Jane Austen's Fiction Manuscripts Digital Edition. janeausten. ac.uk/index.html.

3. Edith Wylder. 2004. "Emily Dickinson's Punctuation: The Controversy Revisited." *American Literary Realism* 36(3). pp. 6–24.

4. Jeff Wilser. June 18, 2013. "10 Ways That Men Text Women." *The Cut*. nymag.com/thecut/2013/06/10-ways-that-men-text-women.html. Ben Crair. November 25, 2013. "The Period Is Pissed." *New Republic*. newrepublic.com/article/115726/period-our-simplest-punctuation-mark-has-become-sign-anger.

5. *Jezebel*, *The Washington Post*, the *Toronto Star*, *Salon*, *The Telegraph* (UK), *Yahoo! News*, *The Harvard Crimson*.

6. Paris Martineau. February 8, 2018. "Why . . . Do Old People . . . Text . . . Like This . . . ? An Investigation . . ." *The Outline*. theoutline.com/post/3333/why-do-old-people-text-like-this-an-investigation.

7. The Bishop of Turkey. December 13, 2006. "Why Are People Using Ellipses instead of a Period?" *Ask Metafilter*. ask.metafilter.com/53094/Why-are-people-using-ellipses-instead-of-a-period.

8. Infovore. May 3, 2011. "Using Commas as Ellipses." *The Straight Dope*. boards.straightdope.com/sdmb/showthread.php?t =607076. Bfactor. January 3, 2011. "Why do some people do this,,, instead of this..." *PocketFives*. pocketfives.com/f13/why-do-some-people-do-instead-614200/. Starwed. February 24, 2015. "Origin of the 'Triple Comma' or 'Comma Ellipsis.'" *Stackexchange, English Language & Usage*. english.stackexchange.com/questions as 230189/origin-of-the-triple-comma-or-comma-ellipsis.

9. Mark Liberman. November 26, 2013. "Aggressive Periods and the Popularity of Linguistics." *Language Log*. languagelog.ldc.upenn.edu/nll/?p=8667.

10. Katy Steinmetz. September 24, 2016. "Why Technology Has Not Killed the Period. Period." *Time*. time.com/4504994/period-dying-death-puncuation-day/.

11. Stephen R. Reimer. 1998. *Paleography: Punctuation*. University of Alberta. sites.ualberta.ca/~sreimer/ms-course/course/punc.htm.

12. Daniel Zalewski. 1998. "No Word Unspoken." *Lingua Franca*. linguafranca.mirror.theinfo.org/9804/ip.html.

13. Edmund Weiner. 日付の記載なし、"Early Modern English Pronunciation and Spelling." *Oxford English Dictionary* blog. public.oed.com/aspects-of-english/english-in-time/early-modern-english-pronunciation-and-spelling/. John Simpson. 日付の記載なし、"The First Dictionaries of English." *Oxford English Dictionary* blog. public.oed.com/aspects-of-english/english-in-time/the-first-dictionaries-of-english/.

14. Maria Heath. January 6, 2018. "Orthography in Social Media: Pragmatic and Prosodic Interpretations of Caps Lock." Presented at the Annual Meeting of the Linguistic Society of America, January 4–7, 2018, Salt Lake City.

15. Alice Robb. April 17, 2014. "How Capital Letters Became Internet Code for Yelling." *New Republic*. newrepublic.com/article/117390/netiquette-capitalization-how-caps-became-code-yelling.

16. L・M・モンゴメリ『エミリーはのぼる』村岡花子訳、新潮社、1967 年。L・M・モンゴメリ『エミリーの求めるもの』村岡花子訳、新潮社、1969 年

17. 作者の記載なし、April 17, 1856. "The Dutchman Who Had the Small Pox." *The Yorkville Enquirer* (South Carolina). In Library of Congress, ed., *Chronicling America: Historic American Newspapers*. chroniclingamerica.loc.gov/lccn/sn84026925/1856-04-17/ed-1/seq-4/.

18. フォートランとコボルで実際にそうであったことを裏づけてくれたガイ・イングリッシュにお礼を申し上げる（個人的なやり取りより）。

19. Search for block capitals,block letters,all caps,all uppercase,caps lock in *Google Books Ngram Viewer* with date parameter 1800 to 2000. books.google.com/ngrams/graph?content=block+capitals%2Cblock+letters %2Call+caps%2Call+uppercase%2Ccaps+lock&year_start=1800&year_end=2000&corpus=15&smoothing=3. Jean-Baptiste Michel, Yuan Kui Shen, Aviva Presser Aiden, Adrian Veres, Matthew K. Gray, The Google Books Team, Joseph P. Pickett, Dale Hoiberg, Dan Clancy, Peter Norvig, Jon Orwant, Steven Pinker, Martin A. Nowak, and Erez Lieberman Aiden. 2010. "Quantitative Analysis of Culture Using Millions of Digitized Books." *Science*. American Association for the Advancement of Science.

20. Mark Davies. 2010. *Corpus of Historical American English: 400 Million Words, 1810–2009*. Brigham Young University. corpus.byu.edu/coha/.

21. Maturin Murray Ballou. 1848. *The Duke's Prize; a Story of Art and Heart in Florence*. 出版社の記載なし、gutenberg.org/ebooks/4956.

22. Samuel Brody and Nicholas Diakopoulos. 2011. "Coooooooooooooolllllllllll!!!!!!!!!!!!!! Using Word Lengthening to Detect Sentiment in Microblogs." *Proceedings of the 2011 Conference on Empirical Methods in Natural Language Processing*. Association for Computational Linguistics. pp. 562–570.

23. Tyler Schnoebelen. January 8, 2013. "Aww, hmmm, ohh heyyy nooo omggg!" *Corpus Linguistics*. corplinguistics.wordpress.com/2013/01/08/aww-hmmm-ohh-heyyy-nooo-omggg/. Jen Doll. 2016. "Why Drag It Out?" *The Atlantic*. theatlantic.com/magazine/archive/2013/03/dragging-it-out/309220/. Jen Doll. February 1, 2013. "Why Twitter Makes Us Want to Add Extra Letterssss." *The Atlantic*. thewire.com/entertainment/2013/02/why-twitter-makes-us-want-add-extra-letterssss/62348/.

24. Claudia Brugman and Thomas Conners. 2016. "Comparative Study of Register Specific Properties of Indonesian SMS and Twitter: Implications for NLP." Presented at the 20th International Symposium on Malay/Indonesian Linguistics, July 14–16, 2016, Melbourne, Australia. Claudia Brugman and Thomas Conners. 2017. "Querying the Spoken/Written Register Continuum through Indonesian Electronic Communications." Presented at the 21st International Symposium on Malay/Indonesian Linguistics, May 4–6, 2017, Langkawi, Malaysia. Moti Lieberman. January 26, 2016. "Writing in Texts vs. Twitter." *The Ling Space* blog. thelingspace.tumblr.com/post/138053815679/writing-in-texts-vs-twitter.

25. Lori Foster Thompson and Michael D. Coovert. 2003. "Teamwork Online: The Effects of Computer Conferencing on Perceived Confusion, Satisfaction and Postdiscussion Accuracy." *Group Dynamics: Theory, Research, and Practice* 7(2). pp. 135–151. Caroline Cornelius and Margarete Boos. 2003. "Enhancing Mutual Understanding in Synchronous Computer-Mediated Communication by Training: Trade-offs in Judgmental Tasks." *Communication Research* 30(2). pp. 147–177. Radostina K. Purvanova

and Joyce E. Bono. 2009. "Transformational Leadership in Context: Face-to-Face and Virtual Teams." *The Leadership Quarterly* 20(3). pp. 343–357. Erika Darics. 2014. "The Blurring Boundaries between Synchronicity and Asynchronicity: New Communicative Situations in Work-Related Instant Messaging." *International Journal of Business Communication* 51(4). pp. 337–358.

26. Susan E. Brennan and Justina O. Ohaeri. 1999. "Why Do Electronic Conversations Seem Less Polite? The Costs and Benefits of Hedging." *Proceedings of the International Joint Conference on Work Activities, Coordination, and Collaboration (WACC' 99).* pp. 227–235. psychology.stonybrook.edu/sbrennan-/papers/brenwacc.pdf.

27. Cristian Danescu-Niculescu-Mizil, Moritz Sudhof, Dan Jurafsky, Jure Leskovec, and Christopher Potts. 2013. "A Computational Approach to Politeness with Application to Social Factors." Presented at 51st Annual Meeting of the Association for Computational Linguistics. arxiv.org/abs/1306.6078.

28. Carol Waseleski. 2006. "Gender and the Use of Exclamation Points in Computer-Mediated Communication: An Analysis of Exclamations Posted to Two Electronic Discussion Lists." *Journal of Computer-Mediated Communication* 11(4). pp. 1012–1024.

29. 作者の記載なし、May 12, 2014. "Stone-Hearted Ice Witch Forgoes Exclamation Point." *The Onion.* theonion.com/article/stone-hearted-ice-witch-forgoes-exclamation-point-36005.

30. emotional-labor.email/. Reviewed in Jessica Lachenal. February 17, 2017. "Emotional Labor Is a Pain in the Butt, so This Gmail Add-On Does It for You on Your E-Mails." *The Mary Sue.* themarysue.com/gmail-emotional-labor-add-on/.

31. Anthony Mitchell. December 6, 2005. "A Leet Primer." *E-commerce Times.* technewsworld.com/story/47607.html.

32. Katherine Blashki and Sophie Nichol. 2005. "Game Geek's Goss: Linguistic Creativity in Young Males Within an Online University Forum (94/\/\3 933k' 5 9055oneone)." *Australian Journal of Emerging Technologies and Society* 3(22). pp. 77–86. 翻訳を確認してくれたソフィ・ニコルに感謝したい（個人的なやり取りより）。

33. Julie Beck. June 27, 2018. "Read This Article!!!" *The Atlantic.* theatlantic.com/technology/archive/2018/06/exclamation-point-inflation/563774/.

34. Erika Darics. 2010. "Politeness in Computer-Mediated Discourse of a Virtual Team." *Journal of Politeness Research* 6(1). De Gruyter. pp. 129–150.

35. Erika Darics. February 6, 2014. "Watch Where You Put That Emoticon AND KEEP YOUR VOICE DOWN." *The Conversation.* theconversation.com/watch-where-you-put-that-emoticon-and-keep-your-voice-down-22512.

36. Eric S. Raymond, ed. December 29, 2003. "The-P Convention." The on-line hacker Jargon File, version 4.4.7. catb.org/jargon/html/p-convention.html.

37. Byron Ahn. April 10, 2017. twitter.com/lingulate/status/851576612927803392.

38. Chris Messina. August 23, 2007. twitter.com/chrismessina/status/223115412.

39. Lexi Pandell. May 19, 2017. "An Oral History of the #Hashtag." *Wired.* wired.com/2017/05/oral-history-hashtag/.

40. Gretchen McCulloch. April 5, 2017. twitter.com/GretchenAMcC/status/849745556188672000.

41. Mariana Wagner. November 21, 2009. "Social Media Dialects: I Speak Twitter . . . You?" Archived at Internet Archive Wayback Machine. web.archive.org/web/20140423112918/mykwblog.wordpress.com/2009/11/21/social-media-dialects-i-speak-twitter-you/.

42. Gretchen McCulloch. March 25, 2017. twitter.com/GretchenAMcC/status/845844245047070720.

43. Alexandra D' Arcy. March 26, 2017. twitter.com/LangMaverick/status/845863180534349824.

44. Lady_Gardener. March 25, 2017. twitter.com/daisy_and_me/status/845559701207166978.

45. Richard Hovey. 1898. *Launcelot and Guenevere.* Small, Maynard.

46. Paul Leicester Ford. 1894. *The Honorable Peter Stirling and What People Thought of Him.* Grosset & Dunlap.

47. nentuaby. July 7, 2014. allthingslinguistic.com/post/95133324733/hey-whats-up-with-the-in-fandoms-ie. 作者の記載なし、June 18, 2017. "!." Fanlore wiki. fanlore.org/wiki/!. robert_columbia. January 17, 2011. Can You Still Send an Email Using a "Bang Path" ? *The Straight Dope* message board. boards.straightdope.com/sdmb/showthread.php?t=593495. Robert L. Krawitz. February 15, 1985. "Symphony for the Devil (sic)." *Ask Mr. Protocol.* textfiles.com/humor/COMPUTER/mr.prtocl.

48. 作者の記載なし、Draft additions September 2004. scare quotes. OED Online. Oxford University Press. Citing Gertrude Elizabeth Margaret Anscombe. 1956. *Mr. Truman's Degree.* Oxonian Press. Greg Hill.

1963. *Principia Discordia*.

49. この関連性は、タンブラー・ユーザーの uglyfun が指摘したもの。uglyfun. May 10, 2017. uglyfun.tumblr.com/post/160525273744/hi-im-here-to-propose-that-aa-milnes. A・A・ミルン『クマのプーさん』、1923 年の第4章が引用されている。

50. Anonymous. August 7, 2012. "Leading tilde?" *Fail. Fandom. Anon.* fail-fandomanon.livejournal.com/38277.html?thread=173014917 #t173014917. ウェイバックマシン、インターネットアーカイブ、グーグル検索は、このサイトの robots.txt によってブロックされているが、この掲示板の検索可能なアーカイブは、Google Groups, groups.google.com/forum/#!topic/sock_gryphon_group/c0juZF--BL8%5B551-575%5D にて入手可能。

51. Seasontoseason. July 12, 2010. "Tilde in Internet Slang." Linguaphiles LiveJournal group. linguaphiles.livejournal.com/5169778.html.

52. Anonymous. August 7, 2012. "Leading tilde?" *Fail. Fandom. Anon.* fail-fandomanon.livejournal.com/38277.html?thread=173014917 #t173014917. ウェイバックマシン、インターネットアーカイブ、グーグル検索は、このサイトの robots.txt によってブロックされているが、この掲示板の検索可能なアーカイブは、Google Groups, groups.google.com/forum/#!topic/sock_gryphon_group/c0juZF--BL8%5B551-575%5D [Not Found] にて入手可能。

53. Seasontoseason. July 12, 2010. "Tilde in Internet Slang." Linguaphiles LiveJournal group. linguaphiles.livejournal.com/5169778.html.

54. Joseph Bernstein. January 5, 2015. "The Hidden Language of the ~Tilde~." *BuzzFeed*. buzzfeed.com/josephbernstein/the-hidden-language-of-the-tilde#.ut0PpRAL3.

55. The Open Group. 日付の記載なし。"History and Timeline." Unix.org. unix.org/what_is_unix/history_timeline.html.

56. Eric S. Raymond, ed. December 29, 2003. "Hacker Writing Style." The on-line hacker Jargon File, version 4.4.7. catb.org/jargon/html/writing-style.html.

57. Chris Pirillo. 1999. "E-mail Etiquette (Netiquette)." *The Internet Writing Journal*. writerswrite.com/journal/dec99/e-mail-etiquette-netiquette-12995.

58. Damian. May 4, 2000. "People Who Don't Capitalize Their I's." *Everything2*. everything2.com/title/People+who+don%2527t+capitalize+their+I%2527s.

59. Norm De Plume. September 26, 2004. "Why do some people write entirely in lowercase?" *DVD Talk*. forum.dvdtalk.com/archive/t-387605.html. Postroad. August 4, 2006. "Why do so many people always use lower case letters when using the net?" *Ask Metafilter*. ask.metafilter.com/43656/Why-do-so-many-people-always-use-lower-case-letters-when-using-the-net.

60. Ben Crair. November 25, 2013. "The Period Is Pissed." *New Republic*. newrepublic.com/article/115726/period-our-simplest-punctuation-mark-has-become-sign-anger. Brittany Taylor. March 4, 2015. "8 Passive Aggressive Texts Everybody Sends (and What to Type Instead!)." *Teen Vogue*. teenvogue.com/story/passive-aggressive-texts-everyone-sends. Dan Bilefsky. June 9, 2016. "Period. Full Stop. Point. Whatever It's Called, It's Going out of Style." The *New York Times*. nytimes.com/2016/06/10/world/europe/period-full-stop-point-whatever-its-called-millennials-arent-using-it.html?_r=0. Jeff Guo. June 13, 2016. "Stop Using Periods. Period." *The Washington Post*. medium.com/thewashingtonpost/stop-using-periods-period-93a6bb357ed0#.fqi6as3ly.

61. Peter Svensson. April 28, 2013. "Smartphones Now Outsell 'Dumb' Phones." *Newshub*. newshub.co.nz/technology/smartphones-now-outsell-dumb-phones-2013042912.

62. Gretchen McCulloch. December 9, 2016. twitter.com/GretchenAMcC/status/807321178713059328.

63. Anne Curzan. April 24, 2013. "Slash: Not Just a Punctuation Mark Anymore." *The Chronicle of Higher Education*, Lingua Franca blog. chronicle.com/blogs/linguafranca/2013/04/24/slash-not-just-a-punctuation-mark-anymore/.

64. Sali Tagliamonte. 2011. *Variationist Sociolinguistics: Change, Observation, Interpretation*. John Wiley & Sons.

65. Harley Grant. 2015. "Tumblinguistics: Innovation and Variation in New Forms of Written CMC." Master's thesis, University of Glasgow.

66. Molly Ruhl. 2016. "Welcome to My Twisted Thesis: An Analysis of Orthographic Conventions on Tumblr." Master's thesis, San Francisco State University.

67. グラントとルールのふたりは、前者の例だ。別の話題に関する後者の例は、次を参照。Elli E. Bourlai. 2017. "'Comments in Tags, Please!' Tagging Practices on Tumblr." *Discourse Context Media*.

68. Cooper Smith. December 13, 2013. "Tumblr Offers Advertisers a Major Advantage: Young Users, Who

Spend Tons of Time on the Site." *Business Insider*. businessinsider.com/tumblr-and-social-media-demographics-2013-12.

69. copperbooms. July 30. 2012. "when did tumblr collectively decide not to use punctuation like when did this happen why is this a thing." *Copperbooms*. copperbooms.tumblr.com/post/28333799478/when-did-tumblr-collectively-decide-not-to-use.

70. この投稿全体や似たような投稿のアーカイブ版は、tumblinguistics. tumblinguistics.tumblr.com/post/113810945986/tumblinguistics-apocalypsecanceled-sunfell にある。

71. Original post by user eternalgirlscout. May 20, 2016. eternalgirlscout.tumblr.com/post/144661931903/i-think-its-really-cool-how-there-are-so-many. First reply by user takethebulletsoutyourson. July 25, 2016. takethebulletsoutyourson.tumblr.com/post/147975549371/eternalgirlscout-i-think-its-really-cool-how [Not Found]. Second reply by user eternalgirlscout. July 25, 2016. eternalgirlscout.tumblr.com/post/147978362708/takethebulletsoutyourson-eternalgirlscout-i. Archive by Molly Ruhl: amollyakatrina.tumblr.com/post/150704937613/eternalgirlscout-takethebulletsoutyourson.

72. Jonny Sun. October 1, 2014. twitter.com/jonnysun/status/517461703630794752.

73. Jerome Tomasini. October 22, 2016. "How a Tweet by @jonnysun Resonated with People & Inspired More Art." twitter.com/i/moments/789936594480427008.

74. Sophie Chou. September 27, 2017. "How to Speak Like an aliebn—No, That's Not a Typo." *The World in Words*. pri.org/stories/2017-09-27/How-Speak-Aliebn-No-Thats-Not-Typo.

75. Jeffrey T. Hancock. 2004. "Verbal Irony Use in Face-to-Face and Computer-Mediated Conversations." *Journal of Language and Social Psychology* 23(4). pp. 447–463.

76. Molly Ruhl. 2016. "Welcome to My Twisted Thesis: An Analysis of Orthographic Conventions on Tumblr." Master's thesis, San Francisco State University.

77. tangleofrainbows. August 17, 2015. "re: how teens and adults text, I would be super interested for you to explain your theory!" *Tangleofrainbows*. tangleofrainbows.tumblr.com/post/126889100409/re-how-teens-and-adults-text-i-would-be-super.

78. Jeffrey T. Hancock. 2004. "Verbal Irony Use in Face-to-Face and Computer-Mediated Conversations." *Journal of Language and Social Psychology* 23(4). pp. 447–463.

79. Alexis C. Madrigal. January 10, 2013. "IBM's Watson Memorized the Entire 'Urban Dictionary,' Then His Overlords Had to Delete It." *The Atlantic*. theatlantic.com/technology/archive/2013/01/ibms-watson-memorized-the-entire-urban-dictionary-then-his-overlords-had-to-delete-it/267047/.

第5章　絵文字とその他のインターネット・ジェスチャー

1. リンデン・ラボの最新の統計は 2013 年のもので、アカウントの総数が 3600 万件、月間のアクティブユーザー数は 100 万人となっている。作者の記載なし、June 20, 2013. "Infographic: 10 Years of Second Life." Linden Lab. lindenlab.com/releases/infographic-10-years-of-second-life. 次の 2017 年の記事によると、日常的なユーザーは推定 60 万人。Leslie Jamison. November 11, 2017. "The Digital Ruins of a Forgotten Future." *The Atlantic*. theatlantic.com/magazine/archive/2017/12/second-life-leslie-jamison/544149/.

2. Mark Davis and Peter Edberg, eds. May 18, 2017. "Unicode® Technical Standard #51 UNICODE EMOJI." *The Unicode Consortium*. unicode.org/reports/tr51/#Introduction.

3. Ben Medlock and Gretchen McCulloch. 2016. "The Linguistic Secrets Found in Billions of Emoji." Presented at SXSW, March 11–20, 2016, Austin, Texas. slideshare.net/SwiftKey/the-linguistic-secrets-found-in-billions-of-emoji-sxsw-2016-presentation-59956212.

4. Lauren Gawne and Gretchen McCulloch. 2019. "Emoji Are Digital Gesture." *Language@Internet*.

5. Paul Ekman and Wallace V. Friesen. 1969. "The Repertoire of Nonverbal Behavior: Categories, Origins, Usage, and Coding." *Semiotica* 1. pp. 49–98.

6. Lauren Gawne. October 8, 2015. "Up Yours: The Gesture That Divides America and the UK." *Strong Language*. stronglang.wordpress.com/2015/10/08/up-yours-the-gesture-that-divides-america-and-the-uk/.

7. デズモンド・モリス『ジェスチュア——しぐさの西洋文化』多田道太郎・奥野卓司訳、筑摩書房、2004 年

8. Regan Hoffman. June 3, 2015. "The Complete (and Sometimes Sordid) History of the Eggplant Emoji." *First We Feast*. firstwefeast.com/features/2015/06/eggplant-emoji-history.

9. Lauren Schwartzberg. November 18, 2014. "The Oral History of the Poop Emoji (Or, How Google Brought Poop to America)." *Fast Company*. fastcompany.com/3037803/the-oral-history-of-the-poop-

emoji-or-how-google-brought-poop-to-america.

10. Jason Snell. January 16, 2017. "More Emoji Fragmentation." *Six Colors*. sixcolors.com/link/2017/01/more-emoji-fragmentation/.

11. "2018: The Year of Emoji Convergence." February 13, 2018. Emojipedia. blog.emojipedia.org/2018-the-year-of-emoji-convergence/.

12. Mary Madden, Amanda Lenhart, Sandra Cortesi, Urs Gasser, Maeve Duggan, Aaron Smith, and Meredith Beaton. May 21, 2013. "Teens, Social Media, and Privacy." Pew Research Center. pewinternet.org/2013/05/21/teens-social-media-and-privacy/.

13. Saeideh Bakhshi, David A. Shamma, Lyndon Kennedy, Yale Song, Paloma de Juan, and Joseph Kaye. 2016. "Fast, Cheap, and Good: Why Animated GIFs Engage Us." *Proceedings of the 2016 CHI Conference on Human Factors in Computing Systems*. pp. 575–586.

14. Tomberry. January 12, 2015. "Popcorn GIFs." Know Your Meme. knowyourmeme.com/memes/popcorn-gifs.

15. Geneva Smitherman. 2006. *Word from the Mother: Language and African Americans*. Taylor & Francis.

16. John Mooallem. April 12, 2013. "History of the High Five." ESPN.com. espn.com/espn/story/_/page/Mag15historyofthehighfive/who-invented-high-five.

17. LaMont Hamilton. September 22, 2014. "Five on the Black Hand Side: Origins and Evolutions of the Dap." *Folklife*. folklife.si.edu/talkstory/2014/five-on-the-black-hand-sideorigins-and-evolutions-of-the-dap.

18. Alexander Abad-Santos and Allie Jones. March 26, 2014. "The Five Non-Negotiable Best Emojis in the Land." *The Atlantic*. theatlantic.com/entertainment/archive/2014/03/the-only-five-emojis-you-need/359646/. merriam-webster.com/words-at-play/shade.

19. Sianne Ngai. 2005. *Ugly Feelings*. Harvard University Press.

20. Frances H. Rauscher, Robert M. Krauss, and Yihsiu Chen. 1996. "Gesture, Speech, and Lexical Access: The Role of Lexical Movements in Speech Production." *Psychological Science* 7(4). pp. 226–231.

21. Pierre Feyereisen and Jacques-Dominique De Lannoy. 1991. *Gestures and Speech: Psychological Investigations*. Cambridge University Press. David McNeill. 1992. *Hand and Mind: What Gestures Reveal About Thought*. University of Chicago Press.

22. Akiba A. Cohen and Randall P. Harrison. 1973. "Intentionality in the Use of Hand Illustrators in Face-to-Face Communication Situations." *Journal of Personality and Social Psychology* 28(2). pp. 276–279.

23. Jana M. Iverson and Susan Goldin-Meadow. 1997. "What's Communication Got to Do with It? Gesture in Children Blind from Birth." *Developmental Psychology* 33(3). pp. 453–467. Jana M. Iverson and Susan Goldin-Meadow. 1998. "Why People Gesture When They Speak." *Nature* 396(6708). p. 228.

24. Pierre Feyereisen and Jacques-Dominique De Lannoy. 1991. *Gestures and Speech: Psychological Investigations*. Cambridge University Press. David McNeill. 1992. *Hand and Mind: What Gestures Reveal about Thought*. University of Chicago Press.

25. Robert M. Krauss, Yihsiu Chen, and Rebecca F. Gottesman. 2000. "Lexical Gestures and Lexical Access: A Process Model." In D. McNeill, ed., *Language and Gesture: Window into Thought and Action*. Cambridge University Press. pp. 261–283.

26. Mingyuan Chu and Sotaro Kita. 2011. "The Nature of Gestures' Beneficial Role in Spatial Problem Solving." *Journal of Experimental Psychology: General* 140(1). pp. 102–116. Sara D. Broaders, Susan Wagner Cook, Zachary Mitchell, and Susan Goldin-Meadow. 2007. "Making Children Gesture Brings Out Implicit Knowledge and Leads to Learning." *Journal of Experimental Psychology: General* 136(4). pp. 539–550. Susan Wagner Cook, Zachary Mitchell, and Susan Goldin-Meadow. 2008. "Gesturing Makes Learning Last." *Cognition* 106(2). pp. 1047–1058.

27. David McNeill. 2006. "Gesture and Communication." In J. L. Mey, ed., *Concise Encyclopedia of Pragmatics*. Elsevier. pp. 299–307.

28. Ben Medlock and Gretchen McCulloch. 2016. "The Linguistic Secrets Found in Billions of Emoji." Presented at SXSW, March 11–20, 2016, Austin, Texas. slideshare.net/SwiftKey/the-linguistic-secrets-found-in-billions-of-emoji-sxsw-2016-presentation-59956212.

29. Gretchen McCulloch. January 1, 2019. "Children Are Using Emoji for Digital-Age Language Learning." *Wired*. wired.com/story/children-emoji-language-learning/.

30. David McNeill. 2006. "Gesture and Communication." In J. L. Mey, ed., *Concise Encyclopedia of Pragmatics*. Elsevier. pp. 299–307.

31. Gretchen McCulloch and Lauren Gawne. 2018. "Emoji Grammar as Beat Gestures." Presented at Emoji

2018: 1st International Workshop on Emoji Understanding and Applications in Social Media, co-located with the 12th International AAAI Conference on Web and Social Media (ICWSM-18), June 25, 2018, Palo Alto, California.

32. Robin Thede. March 17, 2016. "Women's History Month Report: Black Lady Sign Language." *The Nightly Show with Larry Wilmore*. youtube.com/watch?v=34PjKtcVhVE.

33. Kara Brown. April 6, 2016. "Your Twitter Trend Analysis Is Not Deep, and It's Probably Wrong." *Jezebel*. jezebel.com/your-twitter-trend-analysis-is-not-deep-and-it-s-proba-1769411909.

34. Chaédria LaBouvier. May 16, 2017. "The Clap and the Clap Back: How Twitter Erased Black Culture from an Emoji." *Motherboard*. motherboard.vice.com/en_us/article/jpyajg/the-clap-and-the-clap-back-how-twitter-erased-black-culture-from-an-emoji.

35. 作者の記載なし、September 26, 2013. "Knight v Snail." *British Library Medieval Manuscripts Blog*. britishlibrary.typepad.co.uk/digitisedmanuscripts/2013/09/knight-v-snail.html.

36. D. G. Scragg. 1974. *A History of English Spelling*. Manchester University Press.

37. William H. Sherman. 2005. "Toward a History of the Manicule." In Robin Myers, Michael Harris, and Gile Mandebrote, eds., *Owners, Annotators and the Signs of Reading*. Oak Knoll Press and The British Library. pp. 19–48. William H. Sherman. 2010. *Used Books: Marking Readers in Renaissance England*. University of Pennsylvania Press.

38. Robert J. Finkel. April 1, 2015. "History of the Arrow." American Printing History Association. printinghistory.org/arrow/. Robert J. Finkel. 2011. "Up Down Left Right." Master's thesis, University of Florida.

39. 作者の記載なし、日付の記載なし、Lewis Carroll's *Alice's Adventures Under Ground*-Introduction. British Library Online Gallery. bl.uk/onlinegallery/ttp/alice/accessible/introduction.html.

40. Maria Popova. November 6, 2013. "Sylvia Plath's Unseen Drawings, Edited by Her Daughter and Illuminated in Her Private Letters." *Brain Pickings*. brainpickings.org/2013/11/06/sylvia-plath-drawings-2/. Richard Watts. October 27, 2016. "UVic Purchases Rare Volume of Plath Novel, plus Doodles for $8,500 US." *Times Colonist* (Victoria, BC, Canada). timescolonist.com/news/local/uvic-purchases-rare-volume-of-plath-novel-plus-doodles-for-8-500-us-1.2374834.

41. Patrick Gillespie. Text to ASCII Art Generator. patorjk.com. patorjk.com/software/taag/#p=display&h=2&f=Standard&t=ASCII%20art.

42. Scott E. Fahlman. September 19, 1982. "Original Bboard Thread in which :-) was proposed." Carnegie Mellon University messageboards. cs.cmu.edu/~sef/Orig-Smiley.htm.

43. 一般的に、黄色に黒の丸いスマイリーフェイスは、グラフィックアーティストのハーベイ・ロス・ボールが発明したとされる。彼は1963年、従業員の士気向上キャンペーンの一環として、スマイリーフェイスをつくった。ただし、より単純なスマイリーフェイスは、それ以前から見られる。Jimmy Stamp. March 13, 2013. "Who Really Invented the Smiley Face?" *Smithsonian*. smithsonianmag.com/arts-culture/who-really-invented-the-smiley-face-2058483/. Luke Stark and Kate Crawford. 2015. "The Conservatism of Emoji: Work, Affect, and Communication." *Social Media + Society* 1(11).

44. Tyler Schnoebelen. 2012. "Do You Smile with Your Nose? Stylistic Variation in Twitter Emoticons." *University of Pennsylvania Working Papers in Linguistics* 18(2). Penn Graduate Linguistics Society. repository.upenn.edu/cgi/viewcontent.cgi?article=1242&context=pwpl. この論文は2012年に発表されたが、データは2011年に収集された。

45. Kenji Rikitake. February 25, 1993. "The History of Smiley Marks." Archived at Internet Archive Wayback Machine. web.archive.org/web/20121203061906/staff.aist.go.jp:80/k.harigaya/doc/kao_his.html. Ken Y-N. September 19, 2007. ":-) Turns 25, but How Old Are Japanese Emoticons (?_?)." *What Japan Thinks*. whatjapanthinks.com/2007/09/19/turns-25-but-how-old-are-japanese-emoticons/.

46. Masaki Yuki, William W. Maddux, and Takahiko Masuda. 2007. "Are the Windows to the Soul the Same in the East and West? Cultural Differences in Using the Eyes and Mouth as Cues to Recognize Emotions in Japan and the United States." *Journal of Experimental Social Psychology* 43(2). pp. 303–311.

47. Amanda Brennan. April 24, 2013. "Hold My Flower." Know Your Meme. knowyourmeme.com/memes/hold-my-flower.

48. nycto. July 8, 2011. "Flipping Tables / (╯°□°)╯︵ ┻━┻ ." Know Your Meme. knowyourmeme.com/memes/flipping-tables.

49. Jeremy Burge. March 8, 2019. "Correcting the Record on the First Emoji Set." *Emojipedia*. blog. emojipedia.org/correcting-the-record-on-the-first-emoji-set/.

50. Sam Byford. April 24, 2012. "Emoji Harmonization: Japanese Carriers Unite to Standardize Picture

Characters." *The Verge*.theverge.com/2012/4/24/2971039/emoji-standardization-japan-kddi-docomo-eaccess.

51. Ritchie S. King. July 2012. "Will Unicode Soon Be the Universal Code?" *IEEE Spectrum* 49(7). p. 60. ieeexplore.ieee.org/document/6221090/.

52. Jonathon Keats. 2007. *Control + Alt + Delete: A Dictionary of Cyberslang*. Globe Pequot.

53. "Harte Nuß im Zeichensalat." *Der Spiegel*. June 8, 1998. spiegel.de/spiegel/print/d-7907491.html.

54. Ilian Minchev. July 2, 2015. "Как субтитрите, да не ми излизат на маймуница?" (How do the subtitles do not go to a monkey?). Блогът на ИлиянМинчев (The blog of Ilian Minchev). iliqnktz. blogspot.com/2015/07/blog-post.htm. (With thanks to Google Translate.) vik-45. April 21, 2009. "Надписи с 'маймуница'" (Captions with "monkey"). *SETCOMBG forum*. forum.setcombg.com/windows/30330-%D0%BD%D0%B0%D0%B4%D0 %BF%D0%B8%D1%81%D0%B8-%D1%81-%D0%BC%D0%B0%D0%B9%D0 %BC%D1%83%D0%BD%D0%B8%D1%86%D 0%B0.html. (With thanks to Google Translate.)

55. 次のリンクによると、2017年時点で、ユニコードには615種類の矢印がある。作者の記載なし、日付の記載なし、"Unicode Utilities: UnicodeSet." *The Unicode Consortium*. unicode.org/cldr/utility/list-unicodeset. jsp?a=%5Cp%7 Bname=/%5CbARROW/%7D&g=gc.

56. Mark Davis and Peter Edberg, eds. May 18, 2017. "Unicode® Technical Standard #51 UNICODE EMOJI." *The Unicode Consortium*. unicode.org/reports/tr51/.

57. 作者の記載なし、日付の記載なし、"Emoji and Pictographs." *The Unicode Consortium*. unicode.org/faq/emoji_dingbats.html.

58. Ben Medlock and Gretchen McCulloch. 2016. "The Linguistic Secrets Found in Billions of Emoji." Presented at SXSW, March 11–20, 2016, Austin, Texas. slideshare.net/SwiftKey/the-linguistic-secrets-found-in-billions-of-emoji-sxsw-2016-presentation-59956212.

59. Thomas Dimson. May 1, 2015. "Emojineering Part 1: Machine Learning for Emoji Trends." Medium. engineering.instagram.com/emojineering-part-1-machine-learning-for-emoji-trendsmachine-learning-for-emoji-trends-7f5f9cb979ad.

60. Umashanthi Pavalanathan and Jacob Eisenstein. 2016. "More Emojis, Less :) The Competition for Paralinguistic Function in Microblog Writing." *First Monday* 1(1).

61. アーヴィング・ゴッフマン『行為と演技──日常生活における自己呈示』石黒毅訳、誠信書房、1974年

62. Eli Dresner and Susan C. Herring. "Functions of the Non-Verbal in CMC: Emoticons and Illocutionary Force." *Communication Theory* 20. pp. 249–268.

63. Monica Ann Riordan. 2011. "The Use of Verbal and Nonverbal Cues in Computer-Mediated Communication: When and Why?" PhD dissertation, University of Memphis.

64. Mary H.K. Choi. August 25, 2016. "Like. Flirt. Ghost. A Journey into the Social Media Lives of Teens." *Wired*. wired.com/2016/08/how-teens-use-social-media/.

65. Adam Kendon. 1995. "Gestures as Illocutionary and Discourse Markers in Southern Italian Conversation." *Journal of Pragmatics* 23(3). pp. 249–279.

66. Deborah Cicurel. October 27, 2014. "Deep-Liking: What Do You Make of the New Instagram Trend?" *Glamour*. glamourmagazine.co.uk/article/deep-liking-instagram-dating-trend.

67. Carl Rogers and Richard E. Farson. 1957. *Active Listening*. University of Chicago Industrial Relations Center. gordontraining.com/free-workplace-articles/active-listening/.

68. Ryan Kelly and Leon Watts. 2015. "Characterising the Inventive Appropriation of Emoji as Relationally Meaningful in Mediated Close Personal Relationships." Presented at Experiences of Technology Appropriation: Unanticipated Users, Usage, Circumstances, and Design, September 20, 2015, Oslo. projects.hci.sbg.ac.at/ecscw2015/wp-content/uploads/sites/31/2015/08/Kelly_Watts.pdf.

69. Jessica Gall Myrick. 2015. "Emotion Regulation, Procrastination, and Watching Cat Videos Online: Who Watches Internet Cats, Why, and to What Effect?" *Computers in Human Behavior* 52. pp. 168–176.

70. Jessika Golle, Stephanie Lisibach, Fred W. Mast, and Janek S. Lobmaier. March 13, 2013. "Sweet Puppies and Cute Babies: Perceptual Adaptation to Babyfacedness Transfers across Species." *PLOS ONE*. journals.plos.org/plosone/article?id=10.1371/journal.pone.0058248.

71. Arika Okrent. 2010. *In the Land of Invented Languages*. Spiegel & Grau.

72. CMO.com Staff. November 22, 2016. "Infographic: 92% of World's Online Population Use Emojis." CMO.com. blog.adobe.com/en/publish/2016/11/24/report-emoji-used-by-92-of-worlds-online-population.html#gs.91b7s1.

73. Sarah Begley. August 12, 2016. "The Magic Is Gone but Harry Potter Will Never Die." *Time*. time.

com/4445149/harry-potter-cursed-child-jk-rowling/.

74. Lauren Gawne. October 5, 2015. "Emoji Deixis: When Emoji Don't Face the Way You Want Them To." *Superlinguo*. superlinguo.com/post/130501329351/emoji-deixis-when-emoji-dont-face-the-way-you.

75. Diana Fussell and Ane Haaland. 1978. "Communicating with Pictures in Nepal: Results of Practical Study Used in Visual Education." *Educational Broadcasting International* 11(1). pp. 25–31.

76. Gretchen McCulloch. June 29, 2016. "A Linguist Explains Emoji and What Language Death Actually Looks Like." *The Toast*. the-toast.net/2016/06/29/a-linguist-explains-emoji-and-what-language-death-actually-looks-like/.

77. Juliet Lapidos. November 16, 2009. "Atomic Priesthoods, Thorn Landscapes, and Munchian Pictograms." *Slate*. slate.com/articles/health_and_science/green_room/2009/11/atomic_priesthoods_thorn_landscapes_and_munchian_pictograms.html.

78. Eric Goldman. 2018. "Emojis and the Law." Santa Clara University Legal Studies Research Paper 2018(06).

79. Eric Goldman. 2017. "Surveying the Law of Emojis." Santa Clara University Legal Studies Research Paper 2017(08).

80. Eli Hager. February 2, 2015. "Is an Emoji Worth a Thousand Words?" The Marshall Project. themarshallproject.org/2015/02/02/is-an-emoji-worth-1-000-words.

81. Julie Sedivy. April 27, 2017. "Why Doesn't Ancient Fiction Talk About Feelings?" *Nautilus*. nautil.us/issue/47/consciousness/why-doesnt-ancient-fiction-talk-about-feelings.

第6章　会話はどう変化するか

1. 作者の記載なし, July 12, 2017. "Google's DeepMind AI Just Taught Itself to Walk." *Tech Insider* YouTube channel. youtu.be/gn4nRCC9TwQ.

2. 作者の記載なし, 日付の記載なし, "How to Teach a Robot to Walk." *Smithsonian Channel*. smithsonianmag.com/videos/category/innovation/how-to-teach-a-robot-to-walk/.

3. Ammon Shea. 2010. *The Phone Book: The Curious History of the Book That Everybody Uses but No One Reads*. Perigee/Penguin. Robert Krulwich. February 17, 2011. "A (Shockingly) Short History of 'Hello.'" NPR. npr.org/sections/krulwich/2011/02/17/133785829/a-shockingly-short-history-of-hello.

4. William Grimes. March 5, 1992. "Great 'Hello' Mystery Is Solved." *The New York Times*. nytimes.com/1992/03/05/garden/great-hello-mystery-is-solved.html.

5. Douglas Harper. 2001–2018. "Good-bye." *Online Etymology Dictionary*. etymonline.com/word/good-bye.

6. BBC One. January 25, 2015. twitter.com/bbcone/status/559443111936798721.

7. Claude S. Fischer. 1994. *America Calling: A Social History of the Telephone to 1940*. University of California Press.

8. 作者の記載なし, 日付の記載なし, "Expressions (Such as 'Hello') Used When You Meet Somebody You Know Quite Well." *Dictionary of American Regional English*. dare.wisc.edu/survey-results/1965-1970/exclamations/nn10a.

9. Allan Metcalf. November 7, 2013. "Making Hey." *The Chronicle of Higher Education*. chronicle.com/blogs/linguafranca/2013/11/07/making-hey/.

10. J. C. R. Licklider and Albert Vezza. 1978. "Applications of Information Networks." *Proceedings of the IEEE* (Institute of Electrical and Electronics Engineers) 66(11). archive.org/stream/ApplicationsOfInformation Networks/AIN.txt.

11. Naomi S. Baron. 1998. "Letters by Phone or Speech by Other Means: The Linguistics of Email." *Language & Communication* 18. pp. 156–157.

12. David Crystal. 2006. *Language and the Internet*. Cambridge University Press.

13. Gillian Sankoff and Hélène Blondeau. 2007. "Language Change across the Lifespan: /r/ in Montreal French." *Language* 83(3). pp. 560–588. Gillian Sankoff and Hélène Blondeau. 2010. "Instability of the [r] ~ [R] Alternation in Montreal French: The Conditioning of a Sound Change in Progress." In Hans van de Velde, Roeland van Hout, Didier Demolin, and Wim Zonneveld, eds., *VaRiation: Sociogeographic, Phonetic and Phonological Characterics of /r/*. John Benjamins.

14. Edmund Spenser. 1590. "A Letter of the Authors expounding his whole Intention in the course of this Worke." *The Faerie Queene. Disposed into Twelve Books, fashioning XII Morall Vertues*. spenserians.

cath.vt.edu/TextRecord.php?textsid=102.

15. Alexander Hamilton and Aaron Burr. 1804. Hamilton–Burr duel correspondences. Wikisource. en.wikisource.org/wiki/Hamilton%E2%80%93Burr_duel_correspondences.

16. Maeve Maddox. January 27, 2015. "Starting a Business Letter with Dear Mr." *Daily Writing Tips*. dailywritingtips.com/starting-a-business-letter-with-dear-mr/. Lynn Gaertner-Johnson. August 16, 2005. "Do I Have to Call You 'Dear'?" *Business Writing*. businesswritingblog.com/business_writing/2005/08/do_i_have_to_ca.html. Susan Adams. August 8, 2012. "Hi? Dear? The State of the E-Mail Salutation." *Forbes*. forbes.com/sites/susanadams/2012/08/08/hi-dear-the-state-of-the-e-mail-salutation/.

17. Antony J. Liddicoat. 2007. *An Introduction to Conversation Analysis*. Continuum.

18. デボラ・タネン『「愛があるから…」だけでは伝わらない──わかりあえるための話し方 10 章』田丸美寿々訳、講談社、1995 年

19. Antony J. Liddicoat. 2007. *An Introduction to Conversation Analysis*. Continuum.

20. Brian Dear. 2002. "Origin of 'Talk' Command." *OSDIR.com Forums*. web.archive.org/web/20160304060338/osdir.com/ml/culture.internet.history/2002-12/msg00026.html.

21. Paul Dourish. 日付の記載なし、"The Original Hacker's Dictionary." Dourish.com. dourish.com/goodies/jargon.html.

22. 作者の記載なし、日付の記載なし、Unix talk screenshot. Wikipedia. en.wikipedia.org/wiki/File:Unix_talk_screenshot_01.png.

23. Brian Dear. 2017. *The Friendly Orange Glow: The Untold Story of the PLATO System and the Dawn of Cyberculture*. Pantheon. David R. Wooley. 1994. "PLATO: The Emergence of Online Community." *Matrix News*. つくり直された現代のウェブ版 Talkomatic は、talko.cc/talko.html で試すことが可能。

24. Ben Parr. May 28, 2009. "Google Wave: A Complete Guide." *Mashable*. mashable.com/2009/05/28/google-wave-guide/#sHbYqI_QFqq4.

25. Keith Rayner, Timothy J. Slattery, and Nathalie N. Bélanger. 2010. "Eye Movements, the Perceptual Span, and Reading Speed." *Psychonomic Bulletin & Review* 17(6). pp. 834–839. Teresia R. Ostrach. 1997. *Typing Speed: How Fast Is Average: 4,000 Typing Scores Statistically Analyzed and Interpreted*. Five Star Staffing. dev.blueorb.me/wp-content/uploads/2012/03/Average-OrbiTouch-Typing-Speed.pdf [Not Found].

26. Dylan Tweney. September 24, 2009. "September 24, 1979: First Online Service for Consumers Debuts." *Wired*. wired.com/2009/09/0924compuserve-launches/.

27. Michael Banks. 2012. *On the Way to the Web: The Secret History of the Internet and Its Founders*. Apress.

28. Jarkko Oikarinen. 日付の記載なし、Founding IRC. mIRC website. mirc.com/jarkko.html.

29. John C. Paolillo and Asta Zelenkauskaite. 2013. "Real-Time Chat." In Susan C. Herring, Dieter Stein, and Tuija Virtanen, eds., *Pragmatics of Computer-Mediated Communication*. Mouton de Gruyter. pp. 109–133. Susan Herring. 1999. "Interactional Coherence in CMC." *Journal of Computer-Mediated Communication* 4(4).

30. John C. Paolillo. "'Conversational' Codeswitching on Usenet and Internet Relay Chat." *Language@ Internet* Volume 8 (2011). languageatinternet.org/articles/2011/Paolillo.

31. David Auerbach. February 12, 2014. "I Built That 'So-and-So Is Typing' Feature in Chat and I'm Not Sorry." *Slate*. slate.com/articles/technology/bitwise/2014/02/typing_indicator_in_chat_i_built_it_and_i_m_not_sorry.html.

32. Kent German and Donald Bell. June 30, 2007. Apple iPhone review. CNET. cnet.com/products/apple-iphone/review/. Sam Costello. October 19, 2016. First-generation iPhone review. Lifewire. lifewire.com/first-generation-iphone-review-2000196.

33. Jesse Ariss. July 27, 2015. "10 Years of BBM." *INSIDE BlackBerry*. blogs.blackberry.com/2015/07/10-years-of-bbm/.

34. Adam Howorth. June 6, 2011. "New Version of iOS Includes Notification Center, iMessage, Newsstand, Twitter Integration Among 200 New Features." *Apple Newsroom*. apple.com/uk/newsroom/2011/06/06New-Version-of-iOS-Includes-Notification-Center-iMessage-Newsstand-Twitter-Integration-Among-200-New-Features/.

35. Robert Hopper. 1992. *Telephone Conversation*. Indiana University Press.

36. Gretchen McCulloch. December 22, 2017. twitter.com/GretchenAMcC/status/944395370188234753.

37. Gretchen McCulloch. December 22, 2017. twitter.com/GretchenAMcC/status/944400462861783041.

38. Anthony Ramirez. April 4, 1992. "Caller ID: Consumer's Friend or Foe?" *The New York Times*. nytimes. com/1992/04/04/news/caller-id-consumer-s-friend-or-foe.html.

39. Paul F. Finnigan. 1983. "Voice Mail." *AFIPS '83 Proceedings of the May 16–19, 1983, National Computer Conference*. American Federation of Information Processing Societies. pp. 373–377. Linda R. Garceau and Jayne Fuglister. 1991. "Making Voicemail a Success." *The CPA Journal* 61(3). p. 40.

40. Jeff Hancock, Jeremy Birnholtz, Natalya Bazarova, Jamie Guillory, Josh Perlin, and Barrett Amos. 2009. "Butler Lies: Awareness, Deception and Design." *Proceedings of the SIGCHI Conference on Human Factors in Computing Systems*. pp 517–526.

41. Ian Shapira. August 8, 2010. "Texting Generation Doesn't Share Boomers' Taste for Talk." *The Washington Post*. washingtonpost.com/wp-dyn/content/article/2010/08/07/AR2010080702848.html. Sally Parker. October 23, 2015. "Dear Old People: Why Should I Turn Off My Phone?" *The Telegraph*. telegraph.co.uk/technology/social-media/11951918/Dear-old-people-why-should-I-turn-off-my-phone. html.

42. Stephen DiDomenico and Jeffrey Boase. 2013. "Bringing Mobiles into the Conversation: Applying a Conversation Analytic Approach to the Study of Mobiles in Co-Present Interaction." In Deborah Tannen and Anna Marie Trester, eds., *Discourse 2.0: Language and New Media*. Georgetown University Press. pp. 119–132.

43. Matthew Dollinger. June 11, 2008. "Starbucks, 'The Third Place,' and Creating the Ultimate Customer Experience." *Fast Company*. fastcompany.com/887990/starbucks-third-place-and-creating-ultimate-customer-experience.

44. レイ・オルデンバーグ『サードプレイス——コミュニティの核になる「とびきり居心地よい場所」』忠平美幸訳、みすず書房、2013年

45. Leo W. Jeffres, Cheryl C. Bracken, Guowei Jian, and Mary F. Casey. 2009. "The Impact of Third Places on Community Quality of Life." *Applied Research in the Quality of Life* 4(4). pp. 333–345.

46. Clive Thompson. September 5, 2008. "Brave New World of Digital Intimacy." *The New York Times*. nytimes.com/2008/09/07/magazine/07awareness-t.html.

47. 2006年のツイートは、同年のツイートをリツイートするボット @VeryOldTweets, twitter.com/veryoldtweets より。ツイートは以下のとおり。Ray McClure. March 30, 2006. twitter.com/rayreadyray/status/696. Biz Stone. April 13, 2006. twitter.com/biz/status/2033. Sharon. May 9, 2006. twitter.com/sharon/status/3913. Telene. June 18, 2006. twitter.com/telene/status/7030.（最後のツイートは、@jack の最初のステータスの引用。）Jason_G. June 8, 2006. twitter.com/jason_g/status/6335. Sara M. Williams. April 7, 2006. twitter.com/sara/status/1483. @ による言及がない点に注目。Jack. May 3, 2006. twitter.com/jack/status/3431. Jeremy. May 16, 2006. twitter.com/jeremy/status/4532. Dom Sagolla. April 8, 2006. twitter.com/dom/status/1607.

48. James B. Stewart. May 5, 2016. "Facebook Has 50 Minutes of Your Time Each Day. It Wants More." *The New York Times*. nytimes.com/2016/05/06/business/facebook-bends-the-rules-of-audience-engagement-to-its-advantage.html.

49. J. J. Colao. November 27, 2012. "Snapchat: The Biggest No-Revenue Mobile App Since Instagram." *Forbes*. forbes.com/sites/jjcolao/2012/11/27/snapchat-the-biggest-no-revenue-mobile-app-since-instagram/#1499ff0e7200.

50. Somini Sengupta, Nicole Perlroth, and Jenna Wortham. April 13, 2012. "Behind Instagram's Success, Networking the Old Way." *The New York Times*. nytimes.com/2012/04/14/technology/instagram-founders-were-helped-by-bay-area-connections.html.

51. Robinson Meyer. August 3, 2016. "Why Instagram 'Borrowed' Stories from Snapchat." *The Atlantic*. c . Ian Bogost. May 3, 2018. "Why 'Stories' Took Over Your Smartphone." *The Atlantic*. theatlantic.com/technology/archive/2018/05/smartphone-stories-snapchat-instagram-facebook/559517/.

52. レイ・オルデンバーグ『サードプレイス——コミュニティの核になる「とびきり居心地よい場所」』忠平美幸訳、みすず書房、2013年、70、79ページより引用。

53. 作者の記載なし、January 7, 2000. "Mailing List History." *Living Internet*. livinginternet.com/l/li.htm.

54. Lori Kendall. 2002. *Hanging Out in the Virtual Pub: Masculinities and Relationships Online*. University of California Press. Eric Thomas and L-Soft International, Inc. 1996. Early History of LISTSERV®. *L-Soft International*. lsoft.com/products/listserv-history.asp. David Barr. 1995. "So You Want to Create an Alt Newsgroup." FAQs.org. faqs.org/faqs/alt-creation-guide/.

55. Constance A. Steinkuehler and Dimitri Williams. 2006. "Where Everybody Knows Your (Screen) Name: Online Games as 'Third Places.'" *Journal of Computer-Mediated Communication* 11. pp. 885–909.

56. Valentina Rao. 2008. "Facebook Applications and Playful Mood: The Construction of Facebook as a 'Third Place.'" In Artur Lugmayr, Frans Mäyrä, Heljä Franssila, and Katri Lietsala, eds., *Proceedings of the 12th International Conference on Entertainment and Media in the Ubiquitous Era*. ACM. pp. 8–12.

57. Alexa Internet, Inc. Visited May 2018. "The Top 500 Sites on the Web." Alexa. alexa.com/topsites.

58. r/ShowerThoughts and r/IAmA, respectively.

59. Amanda Lenhart and Susannah Fox. July 19, 2006. "Bloggers." Pew Research Center. pewinternet. org/2006/07/19/bloggers/.

60. Jakob Nielsen. October 9, 2006. "The 90-9-1 Rule for Participation Inequality in Social Media and Online Communities." Nielsen Norman Group. nngroup.com/articles/participation-inequality/.

61. Jess Kimball Leslie. 2017. *I Love My Computer Because My Friends Live in It*. Running Press.

62. Georgia Webster. May 26, 2012. "Sparkly Unicorn Punctuation Is Invading the Internet." *Superlinguo*. superlinguo.com/post/23773752322/sparkly-unicorn-punctuation-is-invading-the. Eric S. Raymond, ed. December 29, 2003. "studlycaps." The on-line hacker Jargon File, version 4.4.7. catb.org/jargon/html/S/studlycaps.html.

63. *The New York Times*. December 14, 2017. twitter.com/nytimes/status/941337112598675458, linking to: Daniel Victor. October 6, 2017. "A Going-Away Message: AOL Instant Messenger Is Shutting Down." *The New York Times*. nytimes.com/2017/10/06/technology/aol-aim-shut-down. html. Emma Gray. September 18, 2012. "'Your Away Message' Twitter Makes Us Nostalgic for Our AIM Days (BRB! LOL! A/S/L?)." *The Huffington Post*. huffingtonpost.ca/entry/your-away-message-twitter-millenials-nostalgia_n_1893749.

64. Jean W. Twenge. December 27, 2017. "Why Teens Aren't Partying Anymore." *Wired*. wired.com/story/why-teens-arent-partying-anymore/. 作者の記載なし、January 11, 2018. "Cutting Adolescents' Use of Social Media Will Not Solve Their Problems." *The Economist*. economist.com/news/leaders/21734463-better-give-them-more-homework-and-let-them-hang-out-more-friends-unsupervised-cutting.

65. Robert Kraut, Carmen Egido, and Jolene Galegher. 1988. "Patterns of Contact and Communication in Scientific Research Collaboration." In *Proceedings of the 1988 ACM Conference on Computer-Supported Cooperative Work*. ACM. pp. 1–12.

66. Philipp K. Masur and Michael Scharkow. 2016. "Disclosure Management on Social Network Sites: Individual Privacy Perceptions and User-Directed Privacy Strategies." *Social Media + Society* 2(1). Natalya N. Bazarova. 2012. "Public Intimacy: Disclosure Interpretation and Social Judgments on Facebook." *Journal of Communication* 62(5). pp. 815–832. Natalya N. Bazarova and Yoon Hyung Choi. 2014. "Self-Disclosure in Social Media: Extending the Functional Approach to Disclosure Motivations and Characteristics on Social Network Sites." *Journal of Communication* 64(4). pp. 635–657.

67. Woodrow Hartzog and Frederic D. Stutzman. 2013. "Obscurity by Design." *Washington Law Review* 88. University of Washington School of Law. pp. 385–418.

68. Egle Oolo and Andra Siibak. 2013. "Performing for One's Imagined Audience: Social Steganography and Other Privacy Strategies of Estonian Teens on Networked Publics." *Cyberpsychology: Journal of Psychosocial Research on Cyberspace* 7(1).

69. Stefanie Duguay. 2014. "'He Has a Way Gayer Facebook Than I Do': Investigating Sexual Identity Disclosure and Context Collapse on a Social Networking Site." *New Media & Society* 18(6). pp. 891–907.

70. danah boyd and Alice Marwik. 2011. "Social Steganography: Privacy in Networked Publics." Presented at International Communication Association conference, May 28, 2011, Boston. danah.org/papers/2011/Steganography-ICAVersion.pdf. danah boyd. August 23, 2010. "Social Steganography: Learning to Hide in Plain Sight." Originally posted to *Digital Media & Learning*. Archived at zephoria.org/thoughts/archives/2010/08/23/social-steganography-learning-to-hide-in-plain-sight.html.

71. Autumn Edwards and Christina J. Harris. 2016. "To Tweet or 'Subtweet'? Impacts of Social Networking post Directness and Valence on Interpersonal Impressions." *Computers in Human Behavior* 63. pp. 304–310.

72. An Xiao Mina. 2014. "Batman, Pandaman and the Blind Man: A Case Study in Social Change Memes and Internet Censorship in China." *Journal of Visual Culture* 13(3).

73. Jason Q. Ng. 2013. *Blocked on Weibo: What Gets Suppressed on China's Version of Twitter (and Why)*. New Press. Victor Mair. August 23, 2013. "Blocked on Weibo." *Language Log*. languagelog.ldc.upenn. edu/nll/?p=6163.

74. Eshwar Chandrasekharan, Umashanthi Pavalanathan, Anirudh Srinivasan, Adam Glynn, Jacob Eisenstein, and Eric Gilbert. 2017. "You Can't Stay Here: The Efficacy of Reddit's 2015 Ban Examined

Through Hate Speech." *Proceedings of the ACM on Human-Computer Interaction* 1(2). pp. 31–53.

75. Leonie Rösner and Nicole C. Krämer. 2016. "Verbal Venting in the Social Web: Effects of Anonymity and Group Norms on Aggressive Language Use in Online Comments." *Social Media + Society* 2(3). Anil Dash. July 20, 2011. "If Your Website's Full of Assholes, It's Your Fault." *Anil Dash: A blog about making culture. Since 1999*. anildash.com/2011/07/20/if_your_websites_full_of_assholes_its_your_fault-2/.

第7章　ミームとインターネット文化

1. Bert Vaux and Scott Golder. 2003. The Harvard Dialect Survey. Harvard University Linguistics Department. www4.uwm.edu/FLL/linguistics/dialect/staticmaps/q_95.html.

2. Gretchen McCulloch. June 20, 2017. twitter.com/GretchenAMcC/status/877250919053885440.

3. Marek Stachowski and Robert Woodhouse. 2015. "The Etymology of I.stanbul: Making Optimal Use of the Evidence." *Studia Etymologica Cracoviensia* 20(4). pp. 221–245.

4. リチャード・ドーキンス『利己的な遺伝子　40周年記念版』日高敏隆・岸由二・羽田節子・垂水雄二訳、紀伊國屋書店、2018年

5. 次に引用されている実例に、大衆文化的な微修正を加えた。もともとの拡張機能は、「ジャスティン・ビーバー」という名前を隠すものだったが、「ミレニアル」→「ヘビ人間」の拡張機能も実在する。Philip Hensher. October 12, 2012. "Invoke the Nazis and You've Lost the Argument." *The Independent*. independent.co.uk/voices/comment/invoke-the-nazis-and-you-ve-lost-the-argument-8209712.html.

6. Mike Godwin. October 1, 1994. "Meme, Counter-Meme." *Wired*. wired.com/1994/10/godwin-if-2/.

7. Eric S. Raymond, ed. December 29, 2003. "September that never ended." The on-line hacker Jargon File, version 4.4.7. catb.org/jargon/html/S/September-that-never-ended.html.

8. Limor Shifman. 2014. *Memes in Digital Culture*. MIT Press.

9. Bill Lefurgy. May 28, 2012. "What Is the Best Term to Categorize a Lolcat Image and Text?" *English Language & Usage Stack Exchange*. english.stackexchange.com/questions/69210/what-is-the-best-term-to-categorize-a-lolcat-image-and-text. Hugo. September 11, 2008. "Antedatings of 'image macro.'" LINGUIST List. listserv.linguistlist.org/pipermail/ads-l/2013-September/128420.html, via Ben Zimmer. 2011. "Among the New Words." *American Speech* 86(4). pp. 454–479.

10. Lev Grossman. July 16, 2007. "Lolcats Addendum: Where I Got the Story Wrong." Techland, *Time*. techland.time.com/2007/07/16/lolcats_addendum_where_i_got_t/.

11. Lev Grossman. July 12, 2007. "Creating a Cute Cat Frenzy." *Time*. content.time.com/time/magazine/article/0,9171,1642897,00.html.

12. Jerry Langton. September 22, 2007. "Funny How 'Stupid' Site Is Addictive." *Toronto Star*. thestar.com/life/2007/09/22/funny_how_stupid_site_is_addictive.html.

13. Kate Brideau and Charles Berret. 2014. "A Brief Introduction to Impact: 'The Meme Font.' " *Journal of Visual Culture* 13(3). pp. 307–313.

14. Kate Miltner. 2014. "There's No Place For Lulz on LOLCats: The Role of Genre, Gender, and Group Identity in the Interpretation and Enjoyment of an Internet Meme." *First Monday* 19(8). ojphi.org/ojs/index.php/fm/article/view/5391/4103.

15. Lauren Gawne and Jill Vaughn. 2012. "I Can Haz Language Play: The Construction of Language and Identity in LOLspeak." *Proceedings of the 42nd Australian Linguistic Society Conference*. pp. 97–122. digitalcollections.anu.edu.au/bitstream/1885/9398/5/Gawne_ICanHaz2012.pdf. Jordan Lefler. 2011. "I Can Has Thesis?" Master's thesis, Louisiana State University and Agricultural and Mechanical College. assets.documentcloud.org/documents/282753/lefler-thesis.pdf. Aliza Rosen. 2010. "Iz in Ur Meme / Aminalizin Teh Langwich: A Linguistic Study of LOLcats." *Verge* 7. mdsoar.org/bitstream/handle/11603/2606/Verge_7_Rosen.pdf?sequence=1&isAllowed=y.

16. triscodeca. June 26, 2000. Quoteland forums. forum. quoteland.com/eve/forums/a/tpc/f/487195441/m/840191541. 哲学ラプトルの画像がつくられたのは2008年になってから。

17. Tim Hwang and Christina Xu. 2014. " 'Lurk More': An Interview with the Founders of ROFLCon." *Journal of Visual Culture* 13(3). pp. 376–387.

18. Kyle Chayka. December 31, 2013. "Wow this is doge." *The Verge*. theverge.com/2013/12/31/5248762/doge-meme-rescue-dog-wow.

19. Gretchen McCulloch. February 6, 2014. "A Linguist Explains the Grammar of Doge. Wow." *The Toast*. the-toast.net/2014/02/06/linguist-explains-grammar-doge-wow/.

20. Ryan M. Milner. 2016. *The World Made Meme: Public Conversations and Participatory Media*. MIT Press.

21. Whitney Phillips. 2015. *This Is Why We Can't Have Nice Things*. MIT Press.

22. Dawn Chmielewski. September 30, 2016. "Internet Memes Emerge as 2016 Election's Political Dog Whistle." *USA Today*. usatoday.com/story/tech/news/2016/09/30/internet-memes-white-house-election-president/91272490/. Douglas Haddow. November 4, 2016. "Meme Warfare: How the Power of Mass Replication Has Poisoned the US Election." *The Guardian*. theguardian.com/us-news/2016/nov/04/political-memes-2016-election-hillary-clinton-donald-trump. Gabriella Lewis. March 20, 2016. "We Asked an Expert If Memes Could Determine the Outcome of the Presidential Election." *Vice*. vice.com/en_us/article/kwxdqa/we-asked-an-expert-if-memes-could-determine-the-outcome-of-the-presidential-election.

23. Mom Rivers. February 22, 2016. "2016 United States Presidential Election." *Know Your Meme*. knowyourmeme.com/memes/events/2016-united-states-presidential-election.

24. Elizabeth Chan. September 12, 2016. "Donald Trump, Pepe the Frog, and White Supremacists: An Explainer." The Office of Hillary Rodham Clinton. hillaryclinton.com/feed/donald-trump-pepe-the-frog-and-white-supremacists-an-explainer/.

25. Mike Godwin. August 13, 2017. twitter.com/sfmnemonic/status/896884949634232320.

26. Brian Feldman. August 10, 2016. "The Next Frontier in Internet Culture Is Wholesome Memes About Loving Your Friends." *New York*. nymag.com/selectall/2016/08/the-next-frontier-in-internet-culture-is-wholesome-memes.html. knowyourmeme.com/memes/wholesome-memes.

27. Taylor Lorenz. April 27, 2017. "Inside the Elite Meme Wars of America's Most Exclusive Colleges." *Mic*. mic.com/articles/175420/ivy-league-college-meme-wars.

28. Aja Romano. May 15, 2018. " 'Is This a Meme?' The Confused Anime Guy and His Butterfly, Explained." *Vox*. vox.com/2018/5/15/17351806/is-this-a-pigeon-anime-butterfly-meme-explained.

29. Martin Foys. 2009. *Pulling the Arrow Out: The Legend of Harold's Death and the Bayeux Tapestry*. Boydell and Brewer. pp. 158–175.

30. Reading Borough Council. 2014. "Britain's Bayeux Tapestry at Reading Museum." readingmuseum.org.uk/collections/britains-bayeux-tapestry.

31. ireland.com/game-of-thrones-tapestry/. Felicity Campbell. July 25, 2017. "Northern Ireland Unveils Giant Game of Thrones Tapestry." *The National*. thenational.ae/arts-culture/television/northern-ireland-unveils-giant-game-of-thrones-tapestry-1.614078.

32. Alex Soojung-Kim Pang. September 8, 2000. "Interview with Susan Kare." *Making the Macintosh: Technology and Culture in Silicon Valley*. web.stanford.edu/dept/SUL/library/mac/primary/interviews/kare/trans.html. Alexandra Lange. April 19, 2018. "The Woman Who Gave the Macintosh a Smile." *The New Yorker*. newyorker.com/culture/cultural-comment/the-woman-who-gave-the-macintosh-a-smile.

33. William Dwight Whitney. 1902. *The Century Dictionary and Cyclopedia*. Century.

34. Daniel W. VanArsdale. 1998. "Chain Letter Evolution." silcom.com/~barnowl/chain-letter/evolution.html. Daniel W. VanArsdale. June 21, 2014. "The Origin of Money Chain Letters." silcom.com/~barnowl/chain-letter/TOOMCL.html.

35. Michael J. Preston. 1974. "Xerox-lore." *Keystone Folklore* 19(1). babel.hathitrust.org/cgi/pt?id=inu.30000108623293;view=1up;seq=19.

36. Eric S. Raymond, ed. December 29, 2003. "blinkenlights." The on-line hacker Jargon File, version 4.4.7. catb.org/jargon/html/B/blinkenlights.html.

37. Jimmy Stamp. October 23, 2012. "Political Animals: Republican Elephants and Democratic Donkeys." *Smithsonian*. smithsonianmag.com/arts-culture/political-animals-republican-elephants-and-democratic-donkeys-89241754/.

38. Dan Backer. 1996. "A Brief History of Political Cartoons." xroads.virginia.edu/~ma96/puck/part1.html.

39. David M. Robinson. 1917. "Caricature in Ancient Art." *The Bulletin of the College Art Association of America* 1(3). pp. 65–68.

40. Ronald de Souza. 1987. "When Is It Wrong to Laugh?" In J. Morreall, ed. *The Philosophy of Laughter and Humor*. State University of New York Press. pp. 226–249.

41. Alice Marwick and Rebecca Lewis. May 15, 2017. "Media Manipulation and Disinformation Online." Data & Society. datasociety.net/output/media-manipulation-and-disinfo-online/.

42. Erin McKean. June 21, 2017. twitter.com/emckean/status/877711672684584960.

43. An Xiao Mina. January 26, 2017. "How Pink Pussyhats and Red MAGA Caps Went Viral." *Civicist*. civichall.org/civicist/how-pink-pussyhats-and-red-maga-caps-went-viral/.

44. Erin Blakemore. June 15, 2017. "Why the Library of Congress Thinks Your Favorite Meme Is Worth Preserving." *Smithsonian*. smithsonianmag.com/smart-news/library-of-congress-meme-preserve-180963705/. 作者の記載なし、日付の記載なし、Web Cultures Web Archive. Library of Congress. loc.gov/collections/web-cultures-web-archive/.

45. Justin Caffier. May 19, 2017. "Meme Historians Are an Inevitability." *Vice*. vice.com/en_us/article/meme-historians-are-an-inevitability.

46. Whitney Phillips and Ryan M. Milner. 2017. *The Ambivalent Internet*. John Wiley & Sons.

47. Limor Shifman. 2014. *Memes in Digital Culture*. MIT Press.

48. 5.5 million English Wikipedia articles. Wikimedia Foundation. February 25, 2018. "Wikipedia: Size comparisons." Wikipedia. en.wikipedia.org/wiki/Wikipedia:Size_comparisons.

49. Anne Jamison. 2013. *Fic: Why Fanfiction Is Taking Over the World*. Smart Pop.

50. 2018年2月の時点での推定は以下のとおり。Archive of Our Own. archiveofourown.org/ では360万作品。Fanfiction.netでは810万作品。この数字は、以下より推定したもの。Charles Sendlor. July 18, 2010. "FanFiction. Net Member Statistics." *Fan Fiction Statistics-FFN Research*. ffnresearch.blogspot.ca/2010/07/fanfictionnet-users.html. fffinnagain. November 23, 2017. "Lost Works and Posting Rates on fanfiction. net and Archive of Our Own." *Sound Interest*. fffinnagain.tumblr.com/post/167805956488/lost-works-and-posting-rates-on-fanfictionnet-and. destinationtoast. January 2, 2016. "2015 a (statistical) year in fandom." *Archive of Our Own*. archiveofourown.org/works/5615386. ファンフィクションの統計の計算について個人的なやり取りをしてくれた、fffinnagainとdestinationtoastにお礼を申し上げる。Wattpadの代表者は、報告された数値に関するたび重なる説明の要求に応えてくれなかったため、Wattpadの統計はここでは報告していない。Gavia Baker-Whitelaw. January 21, 2015. "Tumblr Launches Tool to Measure the Most Popular Fandoms." *The Daily Dot*. dailydot.com/parsec/tumblr-fandometrics-trends/.

第8章　新しい比喩

1. Getty Images, Shutterstock, iStock, Adobe Stock, Pixabay, Bigstock, Fotolia, StockSnap.io, Fotosearch, ImageZoo, Solid Stock Art, Pexels, Crestock, Alamy, SuperStock, Stock Photo Secrets, Depositphotos, Thinkstock, Stock Free Images, Unsplash. いくつかの上位のストックフォトサイトを相互参照し、「英語」の検索結果が10件を下回るサイトを除外することによって集めた。

2. Gary Marcus. June 27, 2015. "Face It, Your Brain Is a Computer." *The New York Times*. nytimes. com/2015/06/28/opinion/sunday/face-it-your-brain-is-a-computer.html.

3. Wikipedia Foundation. As of March 2019. "List of Wikipedias." Wikimedia. meta.wikimedia.org/wiki/List_of_Wikipedias.

4. Google Translate: Languages. translate.google.com/intl/en/about/languages/. As of March 1, 2018.

5. 作者の記載なし、日付の記載なし、"Localization." *Facebook for Developers*. developers.facebook.com/docs/internationalization. 作者の記載なし、日付の記載なし、"About the Twitter Translation Center." Twitter Help Center. support.twitter.com/articles/434816.

6. Jon Henley. February 26, 2018. "Icelandic Language Battles Threat of 'Digital Extinction.'" *The Guardian*. theguardian.com/world/2018/feb/26/icelandic-language-battles-threat-of-digital-extinction.

7. グーグル翻訳には、2016年8月と2019年3月のどちらの時点でも、103言語がリストされていた。ウィキペディアには、2016年8月時点で283言語、2019年3月時点で293言語で編集が行なわれていた。

8. Alyssa Bereznak. November 5, 2018. "Is the Era of Voice Texting Upon Us?" *The Ringer*. theringer.com/tech/2018/11/5/18056776/voice-texting-whatsapp-apple-2018

9. Molly Sauter. July 31, 2017. "When WWW Trumps IRL: Why It's Now Impossible to Pretend the Internet Is Somehow Less Real." *National Post*. nationalpost.com/entertainment/books/book-reviews/when-www-trumps-irl-why-its-now-impossible-to-pretend-the-internet-is-somehow-less-real.

索引

グレッチェン・マカロック（Gretchen McCulloch）

インターネット言語学者。一般の読者向けに言語学（特にインターネット言語）についての記事を数多く執筆しており、『ワイアード』では Resident Linguist コラムを連載。マギル大学にて言語学の修士号を取得。ブログ「All Things Linguistic」を運営し、ポッドキャスト「Lingthusiasm」の共同ホストも務める。モントリオール、そしてインターネット在住。

https://gretchenmcculloch.com/

千葉敏生（ちば・としお）

1979 年、神奈川県生まれ。早稲田大学理工学部数理科学科卒業。2006 年よりフリーランスの翻訳家として活動。主な訳書に『デザインはどのように世界をつくるのか』（フィルムアート社）、『おバカな答えも AI してる』（光文社）、『億万長者だけが知っている教養としての数学』（ダイヤモンド社）、『デザイン思考が世界を変える』（早川書房）などがある。

インターネットは言葉をどう変えたか
デジタル時代の〈言語〉地図

2021年9月25日　　　　初版発行

著者　　　　　　　　　グレッチェン・マカロック
訳者　　　　　　　　　千葉敏生

デザイン　　　　　　　杉山峻輔
デザインアシスタント　桑田亜由子
編集　　　　　　　　　伊東弘剛（フィルムアート社）

発行者　　　　　　　　上原哲郎
発行所　　　　　　　　株式会社フィルムアート社
　　　　　　　　　　　〒150-0022　東京都渋谷区恵比寿南1-20-6 第21荒井ビル
　　　　　　　　　　　Tel 03-5725-2001　Fax 03-5725-2626
　　　　　　　　　　　http://www.filmart.co.jp/

印刷・製本　　　　　　シナノ印刷株式会社

落丁・乱丁の本がございましたら、お手数ですが小社宛にお送りください。
送料は小社負担でお取替えいたします。